<u>dtv</u>

In der politischen, sozialen, wirtschaftlichen und kulturellen Entwicklung des Dritten Reiches von der Machtergreifung bis zum Untergang lassen sich drei Phasen ausmachen: die Formierung des Regimes, die mit dem »Röhm-Putsch« blutig abgeschlossen wurde, die Konsolidierung im Zeichen des sich entfaltenden »Führer-Mythos« und einer zeitweilig durchaus Realität gewordenen »Volksgemeinschaft«, schließlich die tiefgreifende Radikalisierung nach dem Beginn des Zweiten Weltkrieges. Der Autor hat das Standardwerk zur inneren Geschichte des Dritten Reiches von Grund auf aktualisiert, ergänzt und um ein Kapitel zur Verfolgung der Juden erweitert.

Prof. Dr. Norbert Frei, geb. 1955 in Frankfurt am Main, ist Lehrstuhlinhaber für Neuere und Neueste Geschichte an der Ruhr-Universität Bochum. Von 1979 bis 1997 war er Mitarbeiter am Institut für Zeitgeschichte in München; 1985/86 Kennedy-Fellow an der Harvard University, Cambridge/Mass.; 1995/96 Fellow am Wissenschaftskolleg zu Berlin. Veröffentlichungen u. a.: ›Nationalsozialistische Eroberung der Provinzpresse‹ (1980); ›Das Dritte Reich im Überblick‹ (6. Aufl. 1999, Hrsg. mit M. Broszat); ›Amerikanische Lizenzpolitik und deutsche Pressetradition‹ (1986); ›Journalismus im Dritten Reich‹ (3. Aufl. 1999, mit J. Schmitz); ›Der nationalsozialistische Krieg‹ (1990, Hrsg. mit H. Kling); ›Medizin und Gesundheitspolitik in der NS-Zeit‹ (1991, Hrsg.); ›Geschichte vor Gericht‹ (2000, Hrsg. mit D. v. Laak und M. Stolleis). Bei <u>dtv</u> erschien ›Vergangenheitspolitik. Die Anfänge der Bundesrepublik und die NS-Vergangenheit‹ (1999) sowie die Reihe ›20 Tage im 20. Jahrhundert‹ (Hrsg. mit K.-D. Henke und H. Woller).

Norbert Frei

Der Führerstaat

Nationalsozialistische Herrschaft 1933 bis 1945

Erweiterte Neuausgabe

Deutscher Taschenbuch Verlag

Die Originalausgabe erschien 1987 (5. Auflage 1997)
in der Reihe ›Deutsche Geschichte der neuesten Zeit vom
19. Jahrhundert bis zur Gegenwart‹, herausgegeben von
Martin Broszat, Wolfgang Benz und Hermann Graml,
in Verbindung mit dem Institut für Zeitgeschichte, München.

Das Buch ist auch in englischer, französischer, italienischer,
holländischer, polnischer und japanischer Übersetzung
erschienen.

Originalausgabe
Dezember 1987
6., erweiterte und aktualisierte Neuauflage
Juni 2001
© Deutscher Taschenbuch Verlag GmbH & Co. KG, München
www.dtv.de
Umschlagkonzept: Balk & Brumshagen
Umschlagfoto: © DIZ, München
Gesamtherstellung: C. H. Beck'sche Buchdruckerei, Nördlingen
Gedruckt auf säurefreiem, chlorfrei gebleichtem Papier
Printed in Germany · ISBN 3-423-30785-4

Inhalt

Das Thema 7

I. Die Regimekrise im Frühjahr 1934 9

Die SA im Kreuzfeuer 17
Kritik von rechts 25
Hitlers doppelter Coup 29
Die Folgen des 30. Juni 36

II. Die innere Entwicklung des Dritten Reiches 43

1. Formierung (1933–1934) 43
Von der Regierungsübernahme bis
zu den Märzwahlen 45
Die Eroberung der Länder und
das Ermächtigungsgesetz 55
Ausschaltung der Arbeiterbewegung
und Arrangement mit der Wirtschaft 68
Das Ende der Parteien und die
Gleichschaltung der Gesellschaft 80

2. Konsolidierung (1935–1938) 96
Das NS-Wirtschaftswunder 98
Arbeiter und Volksgemeinschaft 105
Ideologische Mobilisierung 113
Kultur und Lebenswirklichkeit 123
Die Systematisierung des Terrors
und der Aufstieg der SS 136

3. Radikalisierung (1938–1945) 148
    Der Kriegsbeginn und die Deutschen 150
    Heilen, Verwerten, Vernichten 162
    Die Ermordung der europäischen Juden 175
    Der totale Krieg und die Auflösung der Herrschaft .. 192

III. Der »Führerstaat«: Prägekraft und Konsequenzen 207

Dokumente 217
Quellenlage, Forschungsstand, Literatur 281
Zeittafel 305
Übersichten 323
Nachwort zur Neuausgabe 329
Abkürzungen 331
Personenregister 332

Das Thema

Hitlers Ernennung zum Reichskanzler am 30. Januar 1933 markiert eine Zäsur in der deutschen Geschichte. Doch entschied dieser Tag schon über die Zerstörung des Deutschen Reiches und die Teilung Europas? War das Ende des »Führerstaates« bereits besiegelt, noch ehe die Fundamente lagen? Bei aller Folgerichtigkeit, die wir rückschauend erkennen, war der Weg in die Katastrophe nicht zwangsläufig. Auch in der Geschichte des Dritten Reiches gab es Wendepunkte und Alternativen, und im letzten war sie offen wie alle Geschichte.

Eine der Stationen von langfristiger Bedeutung war der 30. Juni 1934, dem Monate einer schweren inneren Krise vorausgegangen waren. In einem blutigen doppelten Coup schaltete Hitler die SA als Unruheherd innerhalb der eigenen »Bewegung« aus, aber auch seine Kritiker und ursprünglichen Koalitionspartner auf der Rechten. Damit erst war der Anspruch auf politische Alleinherrschaft befestigt, die Phase der Formierung des »Führerstaates« abgeschlossen.

Begünstigt durch den sich nun entfaltenden »Führer«-Mythos fanden die Gestaltungsansprüche des Regimes in den folgenden Jahren der Konsolidierung breite Aufnahmebereitschaft in der deutschen Gesellschaft. Nicht mehr der politische Terror der Anfangszeit, sondern die wirtschaftlichen und bald auch außenpolitischen Erfolge der Nationalsozialisten bestimmten im Bewußtsein einer streckenweise durchaus Realität gewordenen »Volksgemeinschaft« diese mittlere Phase. Ohne die volle historische Einbeziehung der trotz des verstärkten Leistungsdruckes und der unentwegten ideologischen Mobilisierung von vielen Deutschen so erlebten »guten Jahre« ist die bis tief in die Kriegszeit anhaltende sozialpsychische Bindekraft des Regimes kaum zu erklären. Aus diesem Grund konzentriert sich die vorliegende Darstellung besonders auf die allgemeine politische, gesellschaftliche, kulturelle und wirtschaftliche Entwicklung des Dritten Reiches.

Der Krieg, im Osten von Beginn an als Weltanschauungskampf geführt, bewirkte auch im Innern eine Radikalisierung. Nach einer Phase etatistischer Machtentfaltung brach sich die ideologische Dynamik der »Bewegung« Bahn. Ausdruck fand diese monströse Radikalisierung zunächst in den Tötungsaktionen gegen Behinderte, dann aber vor allem in der Ermordung der europäischen Juden und in dem damit verbundenen Projekt einer sozialen und rassischen »Sanierung« des gesamten deutschen Herrschaftsbereichs.

Formierung, Konsolidierung und Radikalisierung – die Übergänge zwischen diesen Phasen nationalsozialistischer Herrschaft waren gewiß fließend. Doch als Markierungen der inneren Entwicklung des Dritten Reiches erscheinen sie nützlich nicht nur aus analytischen Gründen, sondern auch um der Differenzierung politischer und moralischer Verantwortlichkeit willen.

I. Die Regimekrise im Frühjahr 1934

Viele hielten die Tage der Regierung Hitler für gezählt. Gerade zwölf Monate lag die sogenannte Machtergreifung zurück, doch von »nationaler Erhebung« war nichts mehr zu spüren. Die Begeisterung, die den neuen Herren anfangs entgegengebracht worden war, hatte wenig mehr zurückgelassen als eine heftige politische Katerstimmung. Der Aufschwung schien auf halber Höhe steckengeblieben zu sein. In Staat und Partei, Wirtschaft und Verwaltung, Reichswehr und SA, in der Stadt wie auf dem Land – überall machte sich Ernüchterung breit. Und, schlimmer noch, täglich wuchs die Zahl derer, die ihre Unzufriedenheit auch deutlich artikulierten. Kritik kam von allen Seiten, aus ganz unterschiedlichen Motiven.

In der mittelständischen Geschäftswelt, unter den kleinen Gewerbetreibenden, war die Mißstimmung besonders groß. »Was habt ihr uns alles vorher versprochen, die Warenhäuser sollten geschlossen werden, die Einheitspreisgeschäfte verschwinden. Nichts ist geschehen, wir sind belogen und betrogen worden.«[1] Der Kaufmann, der sich in Görlitz bei einer Versammlung der Nationalsozialistischen Handwerks-, Handels- und Gewerbe-Organisation (NS-Hago) empörte, wurde anderntags verhaftet. Die schon im März 1933 erlassene »Heimtückeverordnung« ermöglichte zwar die Bestrafung selbst mündlicher Kritik, aber grassierender Enttäuschung, Verbitterung und Ratlosigkeit war damit kaum beizukommen. Immerhin verhinderten die Angst vor Repressalien und die Pressezensur, daß die Öffentlichkeit eine klare Vorstellung vom Ausmaß der Krise gewann. Doch das Regime wußte Bescheid. Zehntausende lokaler Parteifunktionäre

---

[1] Deutschland-Berichte der Sozialdemokratischen Partei Deutschlands (Sopade) 1934–1940. Salzhausen, Frankfurt am Main 1980. Erster Jahrgang 1934, S. 50; das folgende Zitat S. 49.

hatten ihr Ohr an der Basis, und die traditionellen Berichte der inneren Verwaltung, die schon auf der Ebene von Gendarmerieposten einsetzten, korrigierten die schönfärberischen Berichte in den Zeitungen.

Vergleichbar gut wie die NS-Führung überblickte nur eine Gruppe organisierter Gegner die Lage: die Sozialdemokraten im Prager Exil (Sopade), die von Vertrauensleuten im gesamten Reichsgebiet regelmäßig mit Informationen versorgt wurden. Eine Meldung aus Westsachsen: »Die schon früher berichtete miese Stimmung unter (sic) der Geschäftswelt und dem Bürgertum ist noch mieser geworden. Diese Kreise sind es heute vornehmlich, die wie die Rohrspatzen schimpfen, wenn sie wissen, daß niemand zugegen ist, der sie denunziert. Und es sind darunter viele Leute, die noch vor Jahresfrist ihre Freude, daß der Adolf nun Kanzler ist, nicht laut genug hinausschreien konnten und in den vergangenen Jahren feste Hitler gewählt haben. Heute sagen sie mit Entsetzen, daß sie es sich so nicht vorgestellt haben.«

Unzufriedenheit über unerfüllte materielle Erwartungen kennzeichnete nicht allein die Stimmung im Mittelstand. Die extreme Sparsamkeit der Arbeiter- und Angestelltenfamilien, die Hauptklage des Einzelhandels, kam ja nicht von ungefähr: Ursache dafür waren, neben horrenden Preiserhöhungen bei Lebensmitteln, teilweise drastische Lohnkürzungen. In der oberpfälzischen Porzellan- und Glasindustrie beispielsweise sanken die Löhne binnen eines Jahres um bis zu 50 Prozent[2]. Auch die Angst vor Arbeitslosigkeit blieb präsent. Denn nach den raschen Anfangserfolgen seit Januar 1933, als das Sechs-Millionen-Heer der Arbeitslosen innerhalb von zwölf Monaten um mehr als ein Drittel zusammengeschmolzen war, ging es nur zäh weiter aufwärts. Etliche, die dank der staatlichen Arbeitsbeschaffungsprogramme zunächst eine Beschäftigung gefunden hatten – häufig im Straßenbau, wo schwere Arbeit statt von modernen Maschinen mit

[2] Vgl. Ludwig Eiber, Arbeiter unter der NS-Herrschaft. Textil- und Porzellanarbeiter im nordöstlichen Oberfranken 1933–1939. München 1979, S. 95–98 und 219, Anm. 143; zum folgenden insgesamt Deutschland-Berichte 1934, S. 33 bis 48.

schlechtbezahlter Menschenkraft geleistet wurde –, standen bald wieder vor den Arbeitsämtern. Und viele schon länger Unbeschäftigte hatten erfahren müssen, daß die eindrucksvollen offiziellen Bilanzen auch auf empfindlichen Kürzungen der Sozialetats und statistischen Tricks beruhten. Die gemeindliche Wohlfahrtsunterstützung war häufig gekürzt oder an schier unzumutbare Bedingungen geknüpft worden, zum Beispiel an den Nachweis, Woche für Woche bei 25 Firmen vergebens um Arbeit vorstellig geworden zu sein. Bei den »Vertrauensräte«-Wahlen vom März und April 1934 kassierte die Nationalsozialistische Betriebszellenorganisation für ihre Einheitsliste so empfindliche Absagen, daß in vielen Betrieben auf die Bekanntgabe der Ergebnisse verzichtet wurde.

Allerdings herrschte in der Arbeiterschaft eine weniger einheitliche Stimmung als im Mittelstand. Weiterhin Arbeitslose blieben skeptischer als Menschen, die inzwischen Arbeit gefunden hatten, und der Propagandarummel um »Arbeitsschlacht«, Arbeitsdienst und Landhilfe vermittelte immerhin das Gefühl, unter dem Nationalsozialismus werde etwas getan: »Der Arbeiter klagt über geringe Entlohnung. Dabei sind viele doch wieder froh, daß sie wenigstens Arbeit haben. Der Arbeiter bildet sich seine Meinung, die durchaus nicht günstig für die Machthaber ist, aber er behält sie für sich. Allgemein betrachtet, scheint die Arbeiterschaft gegenwärtig in einem Zustande der Unsicherheit und des Wartens zu verharren. Es fehlt ihr der Glaube.«[3]

Reichlich desillusioniert waren die Bauern, die (mit Ausnahme von Teilen der norddeutsch-protestantischen Landarbeiterschaft) den Nationalsozialisten ohnehin lange die kalte Schulter gezeigt hatten. Die zentralisierte neue Produktvermarktung durch den Reichsnährstand, als Maßnahme zur Ertragssteigerung gedacht, sorgte auf dem Land für beträchtliche Unruhe. Im katholisch-agrarischen Milieu Süddeutschlands stieß die NS-Landwirtschaftspolitik, ein ineffizientes Gemisch aus Autarkiebestrebungen und Blut- und Boden-Ideologie, auf klare, sehr konkret

---

[3] Deutschland-Berichte 1934, S. 107 (Schilderung aus Südbayern); die folgenden Zitate und Angaben S. 230 ff. bzw. 51 f.

begründete Ablehnung: »Eier, Butter und Schmalz müssen an die Einkaufszentralen abgeliefert werden. Die Einkaufszentralen funktionieren aber schlecht. Branchenkunde fehlt meist ... In der Stadt Cham, wo eine solche Bezirks-Eiersammelstelle ist, ist vor kurzem in der großen Hitze ein ganzer Waggon Eier unbrauchbar (stinkend) geworden. Der Leiter der Eierstelle wollte den Waggon erst abrollen lassen, wenn er voll Ware ist ... Das alles wissen die Bauern und werden wütend über diese unfähigen Bonzen, ›die nur Auto fahren können‹.«

Negativer noch als der Reichsnährstand, der in vielem ja nur die Aufgaben der früheren landwirtschaftlichen Genossenschaften weiterführte, schlug das Reichserbhofgesetz zu Buche. Mancher Bauer sah sich dadurch in seinem Recht am Eigentum und in seiner persönlichen Entscheidungsfreiheit beschnitten. Ein Bericht aus Brandenburg: »Nach dem Gesetz dürfen die Grundstücke nicht verschuldet werden, auch nicht zur Erbteilung und Aussteuer. Allein in dem Bezirk eines Notars sind in Auswirkung des Gesetzes 20 Verlöbnisse aufgehoben worden ... In einem Falle wurde dem Sohne durch das Erbhofgesetz die Vollendung des fast abgeschlossenen Studiums verboten, weil der Hof ohne Verschuldung die Kosten nicht aufbringen kann. Wo Ältestenrecht gilt, kehren älteste Söhne aus der Stadt zurück, verdrängen jüngere Geschwister und wirtschaften den Hof in Grund und Boden.«

Aus der Sicht der Reichsnährstands-Funktionäre waren das Übergangsschwierigkeiten, deretwegen Reichsbauernführer Darré Mitte April 1934 auf dem ersten bayerischen Bauerntag in München eher kleinlaut um Verständnis warb – vor kaum einem Drittel der erwarteten 50 000 Besucher. Doch das Mißtrauen in der bäuerlichen Bevölkerung blieb. Zwar zog man seinen Nutzen aus der verstärkten Zuweisung von Landhelfern – Auswahl und Verteilung der per Lastwagen aufs Dorf gekarrten Arbeitslosen erinnerte Sopade-Beobachter an einen Sklavenmarkt –, aber die Distanz zum Regime verringerten solche kleinen Wohltaten nicht: »Die Bauern sind samt und sonders über das Hitlersystem aufgebracht. Die Markttage in den Städten ... nehmen fast den Charakter von politischen Versammlungen an. Es fehlt nur der

Referent, dafür diskutiert und schimpft alles ... über den ›Saustall‹, über die Bonzenwirtschaft, über den Volksbetrug ... Die Gendarmen gebärden sich so, als hör(t)en sie die Marktbesucher nicht. Tauchen bekannte Nazispitzel auf, so wird höchstens in der nächsten Umgebung leiser gesprochen, aber die Stimmung der Bauern können die Spitzel ganz gut erkennen. Von einer Furcht vor den Nazis kann man bei den Bauern schon längst nicht mehr sprechen. Im Gegenteil, bekannte Nazis gehen den Bauern aus dem Weg, um von diesen nicht zur Rede gestellt zu werden, wann man denn endlich mit der Verwirklichung der Versprechungen beginnen wolle.«

Nicht allein Mittelstand, Arbeiter und Bauern waren aufgebracht; im Frühjahr 1934 zeigte das stilisierte Bild von der erfolgsgewohnten, dynamischen NS-Bewegung aus der Perspektive praktisch aller Bevölkerungsschichten deutliche Spuren der Abnutzung. Hausfrauen schimpften über die Versorgungsengpässe bei Milchprodukten, Eiern, Fett; gerade die billigen Margarinesorten waren oft überhaupt nicht zu bekommen. Statt dessen gab es Rezepte zur Eigenproduktion – und in einer der vielen Ministerbesprechungen zum Thema Fettkrise vom »Führer« den Rat, Sojabohnen anzubauen. (Ernährungs-Staatssekretär Backe führte dagegen »entbitterte Lupinen« ins Feld.) Der Industrie fehlten Kautschuk und Erdöl, aber statt der knappen Devisen erhielt sie Empfehlungen, auf Ersatzstoffe auszuweichen und die Anstrengungen zur synthetischen Produktion zu verstärken. Hitler: »Mit der Lösung der Rohstofffrage hätte man bereits im Jahre 1933 beginnen sollen.«[4]

Nicht nur um seine ehrgeizigen Autarkiepläne fürchtete der Reichskanzler, die gesamte wirtschaftspolitische Entwicklung sorgte ihn. In einer Konferenz mit den Reichsstatthaltern am 22. März 1934 geriet er geradezu in Panik. Vor den mutmaßlichen »Vizekönigen des Reichs« (deren ungeklärte Stellung im NS-Staat stand ebenfalls auf der Tagesordnung), aber auch

---

[4] Protokoll der Chefbesprechung vom 7. 6. 1934. In: Akten der Reichskanzlei. Regierung Hitler 1933–1938. Teil I: 1933/34. 2 Bände. Boppard 1983, hier I/2, S. 1310.

Reichsministern und ranghohen Parteigenossen wie Göring, Frick, Heß, Funk und Bormann, meinte Hitler zur jämmerlichen Devisenlage, es komme »auf die Verhinderung einer Katastrophe an«. Seine – groteske – Forderung, sämtliche Rohstoffe nur noch nach Billigung des Reichswirtschaftsministers zu bestellen, illustrierte der Kanzler am Beispiel eines Auftrags der Deutschen Arbeitsfront (DAF) für »Millionen Anzüge« aus importierter Baumwolle: »Wenn ein solches Experiment fünfmal gemacht wird, dann ist der Devisenbestand aufgebraucht.« Anschließend beklagte er die »Eingriffe in die Wirtschaft ... durch Partei- oder SA-Instanzen«. Den neuesten Warenhaus-Boykott der NS-Hago kommentierte er mit der Erklärung, die »Zusperrung der Warenhäuser würde zu einer Bankkatastrophe führen (und) dem wirtschaftlichen Wiederaufbau den Todesstoß versetzen«. Hitlers düstere Stimmung fing der Protokollant, vermutlich Bayerns Statthalter Franz Ritter von Epp, in Formeln wie dieser ein: »Jede Granate braucht einen Kupferring – wir haben kein Kupfer in Deutschland – vorstellen, was das bedeutet.«[5]

Wo selbst der »Führer« mäkelte und ranghohe Nationalsozialisten »die fraglos vorhandene schlechte Stimmung in den breiten Massen des Volkes« zum Ansatzpunkt ihrer eigenen Unzufriedenheit machten (so Bayerns Innenminister Adolf Wagner, der das Steckenbleiben der Reichsreform beklagte, von der er sich persönlich noch mehr Macht versprach[6]), da glaubte auch ein Wirtschaftsführer wie Fritz Thyssen beim Reichskanzler seine Beschwerden über den Organisationsmoloch Arbeitsfront und die »verhängnisvolle Verewigung des weltanschaulichen Kampfes« anbringen zu können. Einer der frühesten Förderer Hitlers aus den Kreisen der Industrie bemerkte nun immerhin auch die Nachteile der »publizistischen Eintönigkeit«: Über die verbreitete Kritik an Leys DAF finde sich in der NS-Presse »kein Sterbenswörtchen«, und der bürgerlichen Presse fehle dazu »natürlich der Mut«[7].

[5] Akten der Regierung Hitler I/2, S. 1197–1200.
[6] Vgl. ebenda, S. 1345–1351.
[7] Ebenda, S. 1322–1331.

Wie die Wirtschaft klagte auch die Beamtenschaft über störende Eingriffe von Parteistellen und SA-Kommissaren, die zwar über politische Macht, nicht aber über entsprechende Sachkenntnisse verfügten. Waren Hitlers Koalitionspartner von der Alten Rechten zunächst durchaus bereit gewesen, über unschöne »Begleiterscheinungen« der »nationalen Revolution« hinwegzusehen – insbesondere über die brutale Ausschaltung der Arbeiterbewegung und der linksliberalen Kultur- und Geisteswelt in den ersten Monaten nach der »Machtergreifung« –, so schien die Entwicklung nun doch immer mehr auch in der Sicht von Staatsdienern, Kirchenfürsten, Juristen, Rechtsintellektuellen, ja nahezu des gesamten bürgerlichen Establishments eine bedrohliche Richtung zu nehmen. Etliche hatten mittlerweile erkannt, daß sich, je fester das Regime im Sattel säße, sein totalitärer Anspruch unweigerlich auch gegen ihre eigenen Interessen wenden würde.

Was, so fragten sich schlichtere Gemüter, ist denn besser geworden unter der neuen Regierung? Immer weniger glaubten an die Singularität der »Hitler-Bewegung«, immer mehr hielten die NSDAP für »typisch Partei«, unfähig wie alle anderen auch. Der Rückgang des Denunziantentums und der Spendenfreudigkeit, die immer spärlichere Beflaggung der Privathäuser an staatlichen Feiertagen, halblaute Meckereien, die Freimütigkeit, in der Witze über »die da oben« gerissen und auf Kirchenkanzeln kritische Töne angeschlagen wurden – all das waren Signale eines dramatischen Stimmungsumschlags, dem Goebbels mit einem Versammlungsfeldzug beizukommen suchte.

Am 11. Mai 1934 eröffnete der Propagandaminister und Reichspropagandaleiter der NSDAP im Berliner Sportpalast den »Kampf gegen die Staatsschädlinge«[8]. Indigniert stellte er fest, es gebe »Menschen, die mögen sich selbst nicht leiden, und sie ärgern sich schon, wenn sie in den Spiegel schauen. Sie haben an allem etwas auszusetzen.« Aber auch Verdikte wie »Miesmacher« und »Kritikaster« konnten den auffallend defensiven Ton der Rede nicht kaschieren: Stets sei klar gewesen, »daß der Nationalsozia-

---

[8] So die Schlagzeile des ›Völkischen Beobachters‹ vom 13. 5. 1934; danach die folgenden Zitate.

lismus nur Zug um Zug verwirklicht werden könnte«, und »Krisenerscheinungen« müßten eben überwunden werden. Schuld daran trügen die nörgelnde »Reaktion«, die Juden (»Wir haben nichts gescheut, um das deutsche Volk von diesem Geschmeiß zu befreien.«) und die vorangegangenen Regierungen, von denen »wir die Erbschaft des Marxismus schweigend übernahmen«. Französische Kritik am militärähnlichen und damit den Versailler Vertrag verletzenden Status der SA veranlaßte ihn zur Verteidigung des Parteiheeres: »Und wenn man fragt, warum die SA in Deutschland weiterbesteht, so kann ich hierzu nur sagen, daß die SA letzten Endes auch Frankreich vor dem Bolschewismus gerettet hat ... Die SA ist nicht eine Kriegs-, sondern eine Friedenstruppe, eine Truppe der Ordnung und Disziplin, die junge Deutsche zu Bürgern des Staates macht und ein Garant dafür ist, daß Spannungen innen- und außenpolitischer Natur von dem gefestigten deutschen Volk beseitigt werden.«

Solche Sätze verrieten Goebbels' eigene Unsicherheit über den künftigen Kurs, und nicht weniger aufschlußreich war, worüber er sich ausschwieg: Kein Wort über die Unzufriedenheit in Teilen der »Bewegung« und besonders bei der SA, kein Wort über die sonst so gerne gepriesene Genialität des »Führers«. Hitler hielt sich einstweilen bedeckt, und Goebbels mußte das respektieren. Schon deshalb, weil dem Propagandaminister eine Entwicklung nicht verborgen geblieben sein konnte, die der Sopade-Bericht für Mai/Juni 1934 mit der Haltung des »gemütlichen Münchner Kleinbürgers und Spießers« umschrieb: »Ja, ja, unser Adoifi war scho recht, aber de um ean uma, de san lauter Bazi!«[9]

In nuce offenbarte diese weitverbreitete Auffassung – hochdeutsch verkürzt und auf alle Lebenslagen anwendbar stereotypisiert zum bekannten »Wenn das der Führer wüßte« – ein zentrales sozialpsychisches Funktionselement des »Führer«-Mythos, der sich bald ins schier Unglaubliche steigern sollte. Jetzt aber näherte sich die Volksstimmung erst einmal gefährlich einer pauschalen Verdammung des Regimes, bei der gerade die für Hitler existentiell wichtige Bereitschaft zur Differenzierung zwi-

[9] Deutschland-Berichte 1934, S. 101; dort auch das folgende Zitat.

schen dem »Führer« und dem fehlbaren Rest der »Bewegung« verlorenzugehen drohte. Die Miesmacher-Aktion hatte sich eindeutig als Fehlschlag erwiesen. Aus Südwestdeutschland meldete die Sopade: »Wenn der Vertrauensschwund auch nur noch Wochen weitergeht in diesem Tempo, dann muß etwas geschehen. Was geschieht, darüber läßt sich streiten. Die äußerste Grenze ist jedenfalls bald erreicht. Die Kritik macht auch vor Hitler nicht mehr halt.«

Die SA im Kreuzfeuer

Seitdem Reichswehrhauptmann a. D. Ernst Röhm, von Hitler aus Militärberater-Diensten in Bolivien zurückgerufen, vor gut drei Jahren erneut ihre Führung übernommen hatte, war die SA zu einer gigantischen braunen Parteiarmee herangewachsen. Bereits 1931 konnte sie sich in ihrer Gesamtstärke fast mit dem 100 000-Mann-Heer der Reichswehr messen. Nun, im Frühjahr 1934, umfaßte die Sturmabteilung annähernd drei Millionen Männer, nicht eingerechnet die Angehörigen der Veteranen- und Regimentsvereine und die über 45jährigen Mitglieder des gleichgeschalteten deutschnationalen Stahlhelms, die als SA-Reserve II rangierten. Doch mit den Mitgliederzahlen war nicht die Macht der SA gewachsen, eher im Gegenteil. Schon Anfang Juli 1933 hatte Hitler das Ende der nationalsozialistischen »Revolution« verkündet und für die Zukunft »Evolution« angesagt. Aus vielen angemaßten Positionen waren die Braunhemden daraufhin wieder hinausgedrängt worden. Ihre Willkürherrschaft als Hilfspolizei sowie als »Sonderkommissare« oder »Sonderbevollmächtigte« in Wirtschaft und Verwaltung war nicht mehr gefragt. Im Grunde war die größte Gliederung der NSDAP mittlerweile politisch obsolet.

Gewiß hatten der Terror und die schiere physische Präsenz einer organisierten Parteitruppe während der »Kampfzeit« und dann 1933 bei der Monopolisierung der politischen Macht unschätzbare Dienste geleistet. Die Zerschlagung der Gewerkschaften, die »Gleichschaltung« der Vereine und Verbände wäre ohne die SA gar nicht durchführbar gewesen. Jetzt aber waren ihr zielloses revolutionäres Gebaren, ihr seit Freikorps-Zeiten eingeübter Hang zur Gewalttätigkeit, die primitive Radau-Radikalität und die nagende Unzufriedenheit ihrer bei der Ämterverteilung zu kurz gekommenen Führer eigentlich nur noch schädlich. Zur *gesellschaftlichen* Durchsetzung und Machtentfaltung des Nationalsozialismus konnte die SA nichts mehr beitragen.

Wie die NS-Bewegung insgesamt, war auch die Sturmabteilung kein festgefügter, homogener Block. Die Masse der SA-Männer war zwischen 18 und 30 Jahre alt – zu jung, um vor Beginn der Wirtschaftskrise schon eine solide berufliche Existenz begründet zu haben. Jungarbeiter, Gesellen, Schüler und Studenten, allesamt ungedient, prägten mittlerweile das Erscheinungsbild; die Übriggebliebenen der Freikorps, die sozial gestrandeten Frontsoldaten des Ersten Weltkriegs, befanden sich bereits zur Zeit der Machtübernahme in der Minderheit. Auffallend war die hohe Fluktuation: Fast die Hälfte der SA-Männer des Jahres 1931 war bis Anfang 1934 wieder ausgeschieden[10]. Zehntausende junger Leute hatten in der SA gesucht, was ihnen die bürgerliche Gesellschaft, zumal in Krisenzeiten, nicht geben konnte: Geborgenheit, Solidarität, Kameradschaft, Vertrauen und Hoffnung auf eine bessere Zukunft. Im Dunstkreis von SA-Lokalen und Gulaschkanonen, bei Straßenkämpfen mit den Roten, »Wehrsport« und Massenaufmärschen schien ihr Verlangen nach Dazugehörigkeit vorübergehend erfüllt. Doch für das Gros der SA-Mitglieder, obwohl durchaus angetan von paramilitärischem Drill und Abenteurertum in der Männergemeinschaft, blieb die Zielperspektive eine gesicherte zivile Existenz, nicht das Soldatendasein.

Überzeugt davon, daß der Kapitalismus ihnen nichts zu bieten habe, und zugleich eingeschworen im Haß auf die »Marxisten«, projizierten viele dieser »zwischen die Klassen« geratenen Menschen ihre vagen Sehnsüchte auf einen »nationalen Sozialismus«,

---

[10] Vgl. Mathilde Jamin, Zur Rolle der SA im nationalsozialistischen Herrschaftssystem, in: Gerhard Hirschfeld/Lothar Kettenacker (Hrsg.), Der »Führerstaat«. Mythos und Realität. Studien zur Struktur und Politik des Dritten Reiches. Stuttgart 1981, S. 332.

den die NSDAP ja nicht nur im Firmenschild führte. Aber immer weniger der neuen SA-Mitglieder traten auch der Partei bei. Dadurch verschärfte sich der Eindruck, nach der Ausschaltung des linken Flügels um Otto Straßer 1930/31 und dem Rückzug seines Bruders Gregor Ende 1932 lebe die antikapitalistisch-revolutionäre Komponente der NS-Bewegung besonders in Röhms Bataillonen fort. Der Volksmund verglich die SA mit einem Beefsteak: »außen braun und innen rot«, und die Saftigkeit dieses Bildes resultierte nicht allein aus dem massenhaften Zustrom ehemaliger Anhänger der Arbeiterparteien, die im Sommer 1933 selbstverständlich keineswegs alle in der Absicht gekommen waren, die SA zu unterwandern. Ihre Größenordnung und Zusammensetzung hatte die Sturmabteilung wie von selbst zu einem Sammelbecken proletarischer Interessen und revolutionärer Hoffnungen werden lassen.

Zwar standen die Braunhemden den ideologischen (Kriegs-)Zielen Hitlers und der engeren NS-Führung schon damit in mancher Hinsicht entgegen. Was die Parteiorganisation (PO) aber besonders negativ registrierte, war die Beunruhigung, die von dem dauernden Revolutionsgerede ausging. Solches erschien einfach gefährlich in einer Situation, in der vor wirklich populären Erfolgen offenkundig noch eine längere Durststrecke zu überwinden war, vor allem in der Außenpolitik. Seit langem existente wechselseitige Ressentiments verschärften sich: Amtswalter der NSDAP, von unzufriedenen SA-Männern gelegentlich schon einmal als »Parteibonzen« oder »Postenjäger« geschmäht, schimpften ihrerseits auf die »undisziplinierten Horden« – und teilten immer öfter die Aversionen, die das prasserische, Frustration und Langeweile kompensierende Leben der SA-Führungsclique bei vielen braven Bürgern produzierte. Kam, wie bei Martin Bormann und einigen anderen, noch unverhüllte, bis zu Mordabsichten reichende Feindschaft mit dem Homosexuellen Röhm hinzu, dann las sich das schon 1932 so: »Gnade Gott meinem eigenen Bruder, wenn er sich auch nur einen Bruchteil dessen gegen die Bewegung leistete, was sich der Stabschef leistete.«[11]

[11] IfZ, Fa 88, Schreiben Bormanns an Heß vom 5. 10. 1932.

Je schwieriger im Frühjahr 1934 die Lage wurde, desto häufiger stichelten hohe Parteigenossen gegen die SA. Dazu gehörte, daß Göring, der in Preußen seit Monaten darum focht, die »wilden« Konzentrationslager der SA dem Machtbereich der Gestapo einzuverleiben, in der Runde der Reichsstatthalter detailliert von »Vorkommnissen« und »geheimen Lagern in den Händen der SA« berichtete. Fritz Sauckel, Gauleiter und Statthalter in Thüringen, sekundierte mit finsteren Bemerkungen zum Thema »SA und zweite Revolution« und kolportierte Worte wie »Schlappschwänze, die beseitigt werden müßten«, als Äußerungen von SA-Führern über die »politischen Organisationsführer der Partei«[12].

Doch erklärte Gegner der SA saßen beileibe nicht allein in den Parteibüros. Eine mindestens so lange Tradition wie die Spannungen zwischen SA und NSDAP hatten die Differenzen zwischen SA und Reichswehr. Hauptgrund dafür waren Röhms militärische Ambitionen. Seine in aller Öffentlichkeit beharrlich wiederholte Forderung nach einer braunen Volksmiliz konnte die Offiziere nicht ungerührt lassen. Schließlich ging es nicht nur um das Waffenmonopol; es ging, durfte man Röhms markigsten Reden Glauben schenken, um den Bestand des »grauen Felsen« Reichswehr, den der SA-Stabschef in der »braunen Flut untergehen« sehen wollte.

Immer öfter kam es zu Reibereien und Zusammenstößen. Mitte Januar 1934 hatte sich daraus bei der Reichswehr ein zentrales Thema von Kommandeurbesprechungen entwickelt. Unter dem Motto »Zwischenfälle vermeiden, aber nichts gefallen lassen!« erörterte der Wehrkreisbefehlshaber in Stuttgart Beispiele angeblich mangelnden Selbstbewußtseins von Angehörigen der Reichswehr: »a) Ein Offizier des Wehrkreises ging in bürgerlicher Kleidung mit einem Mädchen über die Straße und übersah hierbei eine SA-Fahne. Der Führer der SA-Abteilung ging auf den Offizier los und ohrfeigte ihn. Der Offizier hat sich nicht gewehrt, es war falsch. Auch wenn die anderen in der vielfachen Überzahl waren, so mußte er sich wehren, auch wenn

---

[12] Akten der Regierung Hitler I/2, S. 1200.

er zu Brei geschlagen wurde ... b) In einem Fliegerhorst außerhalb des Wehrkreises machten zwei junge Offiziere abfällige Bemerkungen über den Luftfahrtminister im Scherz. Sie wurden von einem SA-Führer über den Haufen geboxt, ohne daß sie sich gewehrt hätten. Beide Offiziere wurden aus dem Heer entlassen. c) Der Reichssportkommissar hat in einem Standort in einer Bar einen Fähnrich, von dem er meinte, er wäre vor ihm nicht aufgestanden, am Rockkragen ergriffen und ihm zugerufen: ›Kannst Du Rotzlöffel nicht aufstehen, wenn der Reichssportkommissar reinkommt?‹ Auch dieser Fähnrich hätte sofort dem Reichssportkommissar ins Gesicht schlagen müssen.«[13]

Wo kommandierende Generäle in diesen Wochen »Fälle« besprachen, diente das nicht allein der Klarstellung von »Disziplin, Kameradschaft, Vornehmheit in der Form und in der Gesinnung«. Man übte sich bereits im Unterscheiden zwischen Führung und Truppe der SA: »Die Überlegenheit des Offiziers und des einfachen Mannes des Heeres wird von allen Seiten anerkannt, zum größten Teil nicht neidlos. Viele Führer der SA und PO erkennen klar, daß sie zwar gute Kämpfer, aber auf die Dauer keine Führer sind und daß die Führerrolle automatisch in die Hände des Heeres zurückgleitet. In diesen Personen sehen wir in vielen Fällen Urheber des Hetzens gegen das Heer. Der junge SA-Mann erkennt klar und deutlich die Überlegenheit des Heeres an und neigt mit vollem Herzen zum Heer.« – Seit Jahresanfang 1934 arbeitete die Spitze der Reichswehr zielgerichtet und massiv darauf hin, den Konflikt mit der SA auszutragen.

Vergleichbare Entschlossenheit war bei der Sturmabteilung nicht zu finden. Ungeachtet der bewiesenen Fähigkeiten Röhms und seiner Führungsclique, das Land mit Terror zu überziehen und dabei Morde nicht zu scheuen, mangelte es der SA bereits früh an spezifischer Durchsetzungskraft gegenüber der Parteiführung. Das galt gerade im Verhältnis Hitler–Röhm. Ein Beispiel dafür war Röhms endloser Kampf um eine SA-Sonderge-

---

[13] IfZ, ED 1, Aufzeichnung Generalleutnant Curt Liebmanns über Kommandeurbespechungen in Stuttgart und Kassel am 15. und 18. 1. 1934; dort auch das folgende Zitat.

richtsbarkeit, mit der er nicht nur das Problem der nach Tausenden zählenden ungeahndeten Straffälle[14] aus der Zeit der »Machtergreifung« auf elegante Weise erledigen, sondern auch eine Parallele zum Status der Reichswehr entwickeln wollte. »Bestrebt, in jeder Richtung die Rechte der SA als staatlich anerkannter Truppe der nat.soz. Revolution zu sichern und zu wahren«, hatte der Stabschef Ende Juli 1933 die Schaffung der SA-Justiz in einem Runderlaß als »bevorstehend« angekündigt. Selbst für damalige Verhältnisse enthielt die Order Unglaubliches: »Ich decke auch und verantworte gerne jede Handlung von SA-Männern, die zwar den geltenden gesetzlichen Bestimmungen nicht entspricht, aber dem ausschließlichen Interesse der SA dient. Hierzu gehört z. B., daß als Sühne für den Mord an einem SA-Mann durch den zuständigen SA-Führer bis zu 12 Angehörige der feindlichen Organisation, von der der Mord vorbereitet wurde, gerichtet werden dürfen.«[15] Selbst ohne diese geheim gebliebene Passage wußten die Gegner der SA den sogenannten Disziplin-Erlaß effektvoll zu zitieren, drohte er doch mit Selbstjustiz gegen »Schurken« in den eigenen Reihen, die durch »Befriedigung persönlicher Rachebedürfnisse, unzulässige Mißhandlungen, Raub, Diebstahl und Plünderung« das »SA-Ehrenkleid« schändeten.

Aber Kritik schien an Röhm abzuprallen. Nach allem, was von seiner Einstellung und seinem Verhalten gegenüber dem »Führer« bekannt ist, verließ den Stabschef nie der Glaube, Hitler »letzten Endes« auf seiner Seite zu wissen. Damit hatte Röhms geradezu naives Selbstbewußtsein zu tun, seine fehlende Bereitschaft, aber auch seine Unfähigkeit zu taktischer Umsicht. Überflüssige Drohgebärden, unnötige Provokationen gegenüber der Reichswehr noch bis in seine letzten Tage zeigen an, wie weit der SA-Chef von einer realen Einschätzung der Machtverhältnisse und der Position Hitlers entfernt war. Im Verzicht auf leidenschaftslose Analyse lag wohl Röhms schwerster, sein letzten Endes tödlicher Fehler.

---

[14] Trotz vorangegangener Amnestien und Niederschlagungen standen im Mai 1934 gegen SA- und SS-Angehörige noch 4037 Verfahren an; IfZ, MA 108.
[15] IfZ, Fa 107/1, Runderlaß Röhms vom 31. 7. 1933.

Tatsächlich war Hitler zu keinem Zeitpunkt bereit, die eigenen Machtinteressen durch irgendwelche Ambitionen der SA gefährden zu lassen. Vor den Reichsstatthaltern hatte er bereits im Sommer 1933 allen Spekulationen auf eine »zweite Revolution« eine eindeutige Absage erteilt: »Wir lassen keinen Zweifel darüber, daß wir einen solchen Versuch, wenn nötig, in Blut ertränken würden.«[16] Natürlich bemühte sich Hitler um die Integration der Parteitruppe, und das ›Gesetz zur Sicherung der Einheit von Partei und Staat‹, das Röhm (und Heß) am 1. Dezember 1933 zu Reichsministern ohne Geschäftsbereich erhob, war ein Beispiel dafür. Auch Hitlers Dankesbrief an den »lieben Stabschef« zum Jahreswechsel – Röhm war einer der ganz wenigen, die den »Führer« noch duzen durften – konnte im Kontext der vielen Verhandlungen, Korrespondenzen und eines vordergründigen Aussöhnungszeremoniells zwischen Reichswehr und SA am 28. Februar 1934 über den Ernst der Lage hinwegtäuschen. Doch genaue Zuhörer hatten Hitlers Prioritäten schon im Laufe des Jahres 1933 sogar aus öffentlichen Reden heraushören können. In zahlreichen Ansprachen hatte der Oberste SA-Führer »seinen« Braunhemden gehuldigt, zugleich aber Abgrenzungs- und Klärungsversuche unternommen und keinen Zweifel daran gelassen, wer sich im Ernstfall nach wem zu richten habe.

Bereits Hitlers große Dankesrede an die SA vom 8. April 1933 brachte das zum Ausdruck. Per »Gemeinschaftsempfang« hörten rund 600 000 SA-Männer ihren »Führer« in einer Übertragung aus dem Berliner Sportpalast: »Ihr habt das Recht, Euch heute durch Euren Mut und Eure Beharrlichkeit als des Volkes und Vaterlandes Retter zu fühlen. Und Ihr müßt heute nun aber auch die unerschütterliche Kampftruppe sein der nationalen Revolution. Ihr müßt Euch auch für die Zukunft nun mit den Tugenden wappnen, die Ihr 13 und 14 Jahre gehabt habt … Wenn Ihr wie ein Mann in Treue und Gehorsam auch in der Zukunft hinter mir steht, wird keine Macht der Welt diese Bewegung zerbrechen können. Sie wird ihren Siegeszug weiter fortführen, wenn Ihr dieselbe Disziplin und denselben Gehorsam, dieselbe Kamerad-

---

[16] Akten der Regierung Hitler I/1, S. 631.

schaft und dieselbe grenzenlose Treue auch in der Zukunft bewahrt.«[17]

Nur einen Monat später in Kiel, anläßlich eines Massenaufmarsches der Sturmabteilung der »Nordmark«, kam Hitler auf das Verhältnis Reichswehr – SA zu sprechen: »Wenn das Heer der Waffenträger der Nation ist, dann müßt Ihr sein der politisch gestaltende Willensträger der deutschen Nation. Wenn das Heer Waffenschule ist des deutschen Volkes, dann muß in Euch die politische Schule liegen, so daß einst aus diesen beiden Faktoren – politische Willensbildung und Verteidigung des Vaterlandes – eine große Ergänzung wird. Es ist Eure Aufgabe, nicht der anderen großen Institution irgendwie Konkurrenz zu machen.« »Disziplin«, »unverbrüchliche Kameradschaft«, »unzerbrechliche Treue« – solche Vokabeln fehlten in kaum einer der Reden Hitlers zu »seiner SA«. Doch was nun immer stärker hervortrat, war die Forderung nach bedingungsloser Gefolgschaft: »... ich glaube, daß wir eine Einheit sind. So wie ich der Eure bin, so seid Ihr die Meinen! ... So muß Euer Wille sich mit dem meinen verschmelzen.«

Bei der Feier des »Treuebundes« zwischen Stahlhelm und SA Ende September 1933 sprach Hitler kaum noch von den Meriten speziell der SA, wohl aber von denen der Reichswehr, »denn wir alle wissen genau, wenn das Heer nicht am Tage der Revolution auf unserer Seite gestanden hätte, dann ständen (sic) wir heute nicht hier.« Und ausgerechnet zur Weihnachtsfeier »im Kreise seiner SA- und SS-Männer« fand der »Führer«, wie der ›Völkische Beobachter‹ vermeldete, »ernste Worte ... für seine alten Mitkämpfer der SA und SS und ermahnte sie, wie in früheren Jahren des Kampfes, so auch jetzt treu und standhaft hinter ihm zu stehen«.

In wenigen Monaten hatte sich Hitlers Ton gegenüber der Parteiarmee deutlich verändert. Es war zu spüren, daß sein Unbehagen wuchs, mit dem er im Grunde genommen seit der Machtübernahme die Frage vor sich herschob, was aus der SA

---

[17] Völkischer Beobachter vom 10. 4. 1933; die folgenden Zitate in den Ausgaben vom 8. 5., 25. 9., bzw. 27. 12. 1933.

werden sollte. Letztlich handelte es sich um das Problem der inneren Dynamik der »Bewegung«, die jetzt von ihrem »Führer« eigenhändig und überzeugend gestoppt werden mußte. Andernfalls lief er Gefahr, selbst von einer Allianz der Gegenkräfte überrollt zu werden. Denn neben der verbreiteten wirtschaftlichen und sozialen Unzufriedenheit und der Unsicherheit über die Haltung der Reichswehr angesichts Röhms unveränderten Festhaltens am Milizkonzept, hatte sich unterdessen ein schwer einzuschätzendes Konglomerat politischer Gegner aufgebaut. In Berlin blieb selbst Außenstehenden im Juni 1934 nicht verborgen, wie prekär die Situation für Hitler bereits war: »Die Stimmung ist in politischen Kreisen so, daß man überlegt, wie lange noch Hitler, welche Chancen hat er noch? Das Regime ist keine unbezwingbare Burg mehr, man witzelt auch nicht mehr soviel darüber, sondern man wird ernsthaft und untersucht die Aussichten des Regimes ... Die Spitzel- und Spionenfurcht ist geringer geworden. Man erwartet das Ende des Regimes und seine Überführung in eine Militärdiktatur mit oder ohne Hitler in kurzer Zeit.«[18]

Kritik von rechts

Katholisch-Konservative, Monarchisten, Ideologen der »konservativen Revolution« und Vertreter der Rechten, die verbittert vor den Resten des »Rahmens« standen, in dem sie Hitler hatten zähmen wollen, glaubten noch einmal ihre Stunde nahen. Sie spekulierten darauf, daß es ihnen gelingen könnte, bei einer weiteren Zuspitzung der innenpolitischen Lage die Reichswehr zum Eingreifen zu bewegen. Zentrum dieser Bestrebungen war Papens Vizekanzlei[19].

Dort führten Herbert von Bose, Wilhelm Freiherr von Ketteler, Friedrich Carl von Savigny, Hans Reinhard Graf von Kagen-

---

[18] Deutschland-Berichte 1934, S. 188.
[19] Zum folgenden Karl-Martin Graß, Edgar Jung, Papenkreis und Röhmkrise 1933/34. Diss. Heidelberg 1966, S. 50 ff.

eck und Fritz Günther von Tschirschky und Boegendorff die Geschäfte der »Reichsbeschwerdestelle« – allesamt, wie sie sich selbst nannten, »Jungkonservative« im Alter etwa zwischen dreißig und vierzig Jahren. Die Eingaben, Klagen und Hilfsersuchen ob nationalsozialistischer Willküraktionen, die in Papens Amtssitz einliefen (im Milieu des ostelbischen Landadels und des katholischen Bürgertums war das Netz informeller Beziehungen durchaus noch intakt), vermittelten ein eindrückliches Bild der politischen Situation. Unter dem beherrschenden Einfluß des Münchner Rechtsanwalts Edgar Julius Jung gelangte der Freundeskreis immer mehr zu der Überzeugung, daß es notwendig sei, eine verhängnisvolle Entwicklung zu stoppen. Die Gruppe um Jung, der 1927 mit seinem antidemokratischen Bestseller ›Die Herrschaft der Minderwertigen‹ zu einem prominenten Propheten der »konservativen Revolution« und 1932 zu Papens Ghostwriter aufgerückt war, geriet zur »Vorhut konservativen Widerstands«[20] gegen die Nationalsozialisten.

Die Chancen der Rechtsopposition standen freilich von Beginn an schlecht, und zwar keineswegs nur deshalb, weil Görings Gestapo über die Aktivitäten der »Reaktion« meist gut informiert war. Die wohl zentrale Schwachstelle der Hitler-Gegner lag in der Esoterik ihrer eigenen »revolutionären« Zukunftsvisionen, die eine auch breiteren Kreisen faßbare Abgrenzung gegenüber dem Nationalsozialismus verhinderte. Aus der Logik ihrer Konzeption war das jedoch kein Mangel, sondern Konsequenz: Noch im Sommer 1933 formulierte Jung als »Ziel deutscher Revolution die Entpolitisierung der Massen, ihre Ausschaltung aus der Staatsführung«[21]. Die »Volksbewegung« des Nationalsozialismus schien ihm auf dem Weg zum »antidemokratischen Herrschaftsprinzip« des ersehnten »Neuen Reiches« als vermeidbarer, vielleicht schädlicher »Umweg«. Zu der Schwierigkeit, eine in höchstem Maße elitäre und subtile Kritik zu verdeutlichen

---

[20] So der Titel eines Aufsatzes von Hermann Graml, in: ders. (Hrsg.), Widerstand im Dritten Reich. Probleme, Ereignisse, Gestalten. Frankfurt am Main 1984, S. 172–183.

[21] In seiner Schrift ›Sinndeutung der deutschen Revolution‹; zitiert nach Graß, Edgar Jung, S. 79 ff.

(geschweige denn eine Anhängerschaft zu rekrutieren), kam hinzu, daß für den Ernstfall mit Papen selbst nicht sicher gerechnet werden durfte. In letzterer Hinsicht blieb Jung, der Adel für eine »geistige Forderung« hielt, allerdings Realist. Er gab sich keinen Illusionen über die charakterliche Konstitution des Vizekanzlers hin und wußte wohl auch, daß die Hitler-Koalitionäre von 1933 in ihren Interessen alles andere als durchgängig düpiert und folglich zu geschlossener Gegnerschaft nicht veranlaßt waren.

Das galt gerade auch für die Reichswehr, der in den Plänen Jungs und seiner Verbündeten eine zentrale Rolle zukam. Der als unvermeidlich und bald bevorstehend angenommene Schlag der Militärs gegen die SA hätte zum Umsturz ausgeweitet, an dessen Ende eventuell sogar die Monarchie restauriert werden sollen. Den alten Ersatzkaiser Hindenburg hoffte man dafür gewinnen zu können.

Doch die Führer der Reichswehr, des neben dem Reichspräsidenten einzigen noch verbliebenen eigenständigen Machtfaktors, hatten an solch weitgehenden Staatsumbauten kein Interesse. Reichswehrminister Blomberg und besonders der Chef des Ministeramtes, General Walter von Reichenau, meinten den Wert einer Zusammenarbeit mit Hitler erkannt zu haben, der ihnen erst Ende Februar wieder demonstrativ seine Wertschätzung versichert und Röhms Milizkonzept hart zurückgewiesen hatte. Die Generäle wußten, daß Hitler für seine Eroberungspläne eine moderne, leicht aufrüstbare Kriegsmaschine benötigte, und umgekehrt war sich Hitler darüber im klaren, wie mühsam und zeitraubend es sein würde, die SA auf einen solchen Standard zu bringen. Vor allem aber wäre dieser Weg für ihn selbst – nicht nur, weil er dann mit der Gegnerschaft der Reichswehr rechnen mußte – der riskantere gewesen. Denn die innenpolitische Konsolidierung würde mit einer gestärkten SA noch schwerer zu bewerkstelligen, Hitlers Vorstellung von totalitärer Effizienz und Führerabsolutismus weiterhin und möglicherweise auf Dauer in Frage gestellt sein. In diesem Zusammenhang spielte der im SA-Milieu verankerte diffuse Antikapitalismus noch einmal eine gewisse Rolle. Gegen ihn richtete sich zwar nicht der Haupteinwand der Reichswehr, aber mit dem militärischen Rivalen SA auch gesellschaftspolitische Gestaltungsansprüche auszuschalten, die das gesamte Bürgertum irritierten, konnte den Offizieren nur willkommen sein. Für Hitler bestand der Vorzug eines Arrangements mit der Reichswehr zu Lasten der SA schließlich in der Vorentscheidung, die damit im Hinblick auf das absehbare Ende Hindenburgs verbunden werden konnte. Der »staatsmännische« Verzicht auf eine braune Volksmiliz mußte ihm zusätzliches Vertrauen eintragen.

Der Kühnheit einer gleichzeitigen Aktion gegen die »Revolutionäre« von rechts und links – im Grunde der einzigen Wahl, die Hitler im Frühjahr 1934 blieb – hielten die Strategen in der Vizekanzlei den »Führer« offensichtlich nicht für fähig. Am 17. Juni schickten sie ihren Chef nach wochenlanger Vorbereitung zu einer Veranstaltung des Universitätsbundes Marburg[22]. Im Auditorium Maximum nahm Papen in sensationeller Schärfe Stellung gegen »das Gerede von der zweiten Welle, welche die Revolutionen vollenden werde«. War es Zufall oder Absicht, daß Papen zum Teil fast wörtlich wiederholte, was Hitler zwölf Monate zuvor den Reichsstatthaltern gepredigt hatte? – Der Vizekanzler warnte: »Wer verantwortungslos mit solchen Gedanken spielt, der soll sich nicht verhehlen, daß einer zweiten Welle leicht eine dritte folgen kann, daß, wer mit der Guillotine droht, am ehesten unter das Fallbeil gerät.« Zwei Drittel seiner Redezeit benötigte Papen zur Darlegung von Edgar Jungs politischem Credo, doch auf den letzten Manuskriptseiten prasselte die Kritik dann unmißverständlich herab auf »all das, was an Eigennutz, Charakterlosigkeit, Unwahrhaftigkeit, Unritterlichkeit und Anmaßung sich unter dem Deckmantel der deutschen Revolution ausbreiten möchte«.

Goebbels untersagte der Presse selbstverständlich sofort jede Berichterstattung, doch die Mannschaft in der Vizekanzlei hatte an Gesinnungsfreunde und ins Ausland frühzeitig Sonderdrucke versandt. Im Reichssender Frankfurt wurde die Rede verlesen,

---

[22] Dazu Fritz Günther von Tschirschky, Erinnerungen eines Hochverräters. Stuttgart 1972, S. 164 ff.; Abdruck der »Marburger Rede« bei Edmund Forschbach, Edgar J. Jung. Ein konservativer Revolutionär. 30. Juni 1934. Pfullingen 1984, S. 154–174.

ehe das Verbot des Propagandaministers eintraf[23]. Wer daran interessiert war, fand Gelegenheit, den Text zu studieren und wußte solche Passagen zu deuten: »Kein Volk kann sich den ewigen Aufstand von unten leisten, wenn es vor der Geschichte bestehen will. Einmal muß die Bewegung zu Ende kommen, einmal ein festes soziales Gefüge, zusammengehalten durch eine unbeeinflußbare Rechtspflege und durch eine unbestrittene Staatsgewalt, entstehen. Mit ewiger Dynamik kann nichts gestaltet werden. Deutschland darf kein Zug ins Blaue werden, von dem niemand weiß, wann er zum Halten kommt.«

Nicht minder unerwartet wie die Härte dieser Attacke gestalteten sich ihre Folgen. Seit Papens Rede lief der Countdown gegen die SA. Nur lag die Initiative dabei nicht, wie die Jungkonservativen gehofft hatten, bei der Reichswehr, sondern bei Hitler, Himmler, Heydrich, Göring. Und was die Rechten nicht ahnten: Der »Führer« holte aus zu einem Doppelschlag.

Hitlers doppelter Coup

Monatelang hat Hitler sich um Zurückhaltung bemüht. Die Sache sollte »ausreifen«. Nun läßt er seinen Coup vorbereiten: ohne äußere Anzeichen von Hektik, systematisch, auf mehreren Ebenen, von verschiedenen Leuten. Heydrich stellt Listen mit den Namen der anvisierten Opfer zusammen. Gemeinsam mit Himmler klärt der SD-Chef in der letzten Juniwoche die nach Berlin beorderten SS- und SD-Oberabschnittsführer über die »bevorstehende Revolte der SA« auf. Am 21. Juni hat Hitler, dabei Papen übergehend, den Reichspräsidenten in Neudeck besucht und sich von Hindenburgs körperlicher und geistiger Hinfälligkeit überzeugt. Vier Tage darauf – die Gestapo wird an diesem Abend auf Befehl des »Führers« Edgar Jung verhaften – erteilt Rudolf Heß in Köln erneut allen Sympathisanten einer »zweiten

[23] Vgl. Ansgar Diller, Der Frankfurter Rundfunk 1923–1945 unter besonderer Berücksichtigung der Zeit des Nationalsozialismus. Diss. Frankfurt am Main 1975, S. 252.

Revolution« eine scharfe Absage. Im Unterschied zu seiner Rede im Januar, die Röhm wohl wirklich noch einmal warnen sollte, geben die Worte des »Stellvertreters des Führers« nun schon die direkte Begründung des Bevorstehenden: »Verantwortungsvolle, wirkliche Nationalsozialisten müssen verhindern, daß unser Volk samt den wirklichen Revolutionären schwersten Schaden leidet ... Armselig, die da glauben, auserwählt zu sein, durch agitatorisches Handeln von unten dem Führer revolutionär helfen zu müssen ... Adolf Hitler ist der große Stratege der Revolution. Er kennt die Grenzen des mit den jeweiligen Mitteln und unter den jeweiligen Umständen jeweils Erreichbaren. Er handelt nach eiskaltem Abwägen – oft scheinbar nur dem Augenblick dienend und doch weit vorausschauend im Verfolg der ferneren Ziele der Revolution ... Wehe dem, der plump zwischen die feinen Fäden seiner strategischen Pläne hineintrampelt im Wahne, es schneller machen zu können. Er ist ein Feind der Revolution – auch wenn er im besten Glauben handelt.«[24]

Auch Göring und Goebbels lassen sich in diesen Tagen mehrfach öffentlich vernehmen, und wie bei Heß steht neben der Kritik an der SA die Verurteilung der Konservativen und Monarchisten. »Reaktion überall am Werk«, begründet Goebbels im Reisetagebuch die Selbstdiagnose seiner trüben Seelenlage (»immer mehr Depression«)[25]. Es ist Donnerstag, der 28. Juni 1934.

Am 29. Juni reiht sich Reichswehrminister von Blomberg in die Propagandaschlacht ein und verkündet im ›Völkischen Beobachter‹: »Wehrmacht und Staat sind eins geworden.« Es ist das letzte in einer langen Kette überdeutlicher Signale. Vor vier Tagen hat der Reichsverband der Deutschen Offiziere Ernst Röhm aus seinen Reihen gestoßen. Die Wehrkreiskommandos sind inzwischen in erhöhte Alarmbereitschaft versetzt; selbstverständlich erfährt nicht jeder einzelne, daß die Putschgerüchte gezielt ausgestreut, der SS bereitwillig Waffen und Transportkapazitäten zur Verfügung gestellt werden. Doch neben Blomberg und dem

---

[24] Rundfunkrede von Heß am 25. 6. 1934 in Köln. In: Der Aufbau des deutschen Führerstaates. Das Jahr 1934. Berlin, 2. Aufl. 1937, S. 12–22.
[25] Elke Fröhlich (Hrsg.), Die Tagebücher von Joseph Goebbels. Sämtliche Fragmente. Teil I: Aufzeichnungen 1924 bis 1941. München 1987, Band 2, S. 473.

Chef des Ministeramts, Reichenau, ist auch der Chef der Heeresleitung, General Werner von Fritsch, im Bilde. Die Reichswehr hält sich zur Verfügung[26].

Hitler selbst stimmt sich in einer von autosuggestiven Elementen nicht freien Inszenierung zwei Tage lang auf die Mordaktion ein. Im Kreis einiger Getreuer fährt er am 28. Juni nach Essen, um an der Hochzeit von Gauleiter Joseph Terboven teilzunehmen. Abends telefoniert er mit seinem alten Duz-Freund Röhm, der in Bad Wiessee seinen Rheumatismus pflegt, und vereinbart für Samstag, den 30. Juni, ein Treffen mit ihm und den wichtigsten SA-Führern. Der Stabschef schöpft offenbar keinen Verdacht. Zum 1. Juli hat er die gesamte SA für einen Monat auf Urlaub geschickt.

Für den 29. Juni ist eine ausgedehnte »Inspektionsreise« des »Führers« durch Westfalen vorgesehen, bei der Einrichtungen des Reichsarbeitsdienstes besichtigt werden sollen. Doch um die Mittagszeit bricht Hitler das Programm vorzeitig ab – ganz programmgemäß, wie Goebbels' Tagebuch verrät: »Heute morgen: Anruf vom Führer: gleich nach Godesberg fliegen. Es geht also los.«[27] Noch immer scheint der ehemalige NS-Linke, fixiert auf das Treiben der »Reaktion«, allerdings nicht zu wissen, einen wieviel umfassenderen Schlag der »Chef« im Schilde führt.

Im Rheinhotel Dreesen in Bad Godesberg wartet, lauert Hitler auf seine Stunde. Am späten Abend kommen endlich die ersehnten Nachrichten von Aufmärschen der SA in München und, wohl dirigiert von Himmler, von Plänen für den nächsten Tag in Berlin. Der »Führer« braucht diese Meldungen gleichsam zur definitiven psychischen Selbsteinstimmung. Inzwischen ist Goebbels eingetroffen. Zusammen mit der subalternen Entourage bildet er das Publikum für Hitlers nun fälligen hysterischen Ausbruch und die gestellte Dramatik eines überstürzten nächtlichen Fluges nach München.

Im Morgengrauen landet die »Führer«-Maschine auf dem

---

[26] Vgl. Klaus-Jürgen Müller, Das Heer und Hitler. Armee und nationalsozialistisches Regime 1933–1940. Stuttgart 1969.
[27] Wie Anm. 25.

Oberwiesenfeld. Die ganze Nacht hindurch hat sich Hitler, die Vorstellung vom »Verräter Röhm« wie eine Droge inhalierend, selbst aufgeputscht. Im bayerischen Innenministerium reißt er den SA-Führern Wilhelm Schmid und August Schneidhuber, dem Münchner Polizeipräsidenten, die Rangabzeichen von den Uniformen. SS und Bayerische Politische Polizei überwachen den Hauptbahnhof, um die zur Tagung am Tegernsee anreisenden SA-Führer abzufangen. Das 19. Infanterie-Regiment wird in Alarmbereitschaft versetzt, das »Braune Haus« in der Brienner Straße von Polizei und SS umstellt, später auch von schwerbewaffneter Reichswehr gesichert.

Gegen halb sechs Uhr startet Hitler mit drei Wagen nach Bad Wiessee. Von Kaufering her bewegen sich 35 Lastwagen der Reichswehr mit 1300 Männern der SS-»Leibstandarte« in dieselbe Richtung. Zu der Einsatztruppe unter der Führung von Sepp Dietrich, am Abend zuvor von Berlin aus in Marsch gesetzt, stoßen noch Teile der Wachmannschaften des Konzentrationslagers Dachau hinzu. Doch die Kolonne ist noch unterwegs, als Hitlers Konvoi vor dem Kurheim Hanselbauer vorfährt. Sommerliche Morgenstille liegt über dem Tal. Die »Verschwörer« schlafen noch. Bewaffnete Polizeibeamte und SS-Leute stürmen das unbewachte Gästehaus, und Augenblicke später sieht sich Röhm einer Suada seines brüllenden, mit einer Pistole herumfuchtelnden »Führers« ausgesetzt, der ihn für verhaftet erklärt. Des Stabschefs designierter Nachfolger Viktor Lutze ist Zeuge der Aktion, ebenso Goebbels, der sich scheinheilig über »die widerlichsten und fast Brechreiz verursachenden Szenen« mokiert. Der Minister meint damit die längst bekannte Tatsache der Homosexualität des SA-Obergruppenführers und Breslauer Polizeipräsidenten Edmund Heines, Röhms und anderer SA-Größen, die seine Propaganda in den nächsten Tagen weidlich und wirkungsvoll auskosten wird.

Der Überfall nach Mafia-Manier ist eine Sache von Minuten. Auf dem Rückweg nach München läßt Hitler verdächtige entgegenkommende Wagen anhalten; dabei wird der SA-Führer Pommerns, Peter von Heydebreck, verhaftet und mit den anderen Gefangenen nach Stadelheim transportiert. Am Münchner

Hauptbahnhof, wo zahlreiche Festnahmen stattfinden, trifft Hitler den nach München beorderten Heß, und um zehn Uhr gibt Goebbels das Stichwort an Göring nach Berlin: »Kolibri«. Auch dort setzen sich nun die Häscherkommandos in Bewegung. Der zweite Teil des Coups beginnt.

Mit der vollziehenden Gewalt für Preußen beauftragt, betreibt Göring in der Reichshauptstadt zusammen mit Himmler und Heydrich gezielt die Ausschaltung der konservativen Opposition. Ihr organisatorischer Kopf, Herbert von Bose, stirbt noch am Vormittag in den Räumen der Vizekanzlei unter einer Garbe aus Maschinenpistolen der SS. Kurz nach dem Mord trifft Papen, den Göring bereits früh am Morgen zu sich zitiert hatte, an seinem Amtssitz ein. Die Tatsache, daß einer seiner engsten Mitarbeiter ermordet, etliche andere verhaftet worden sind, verdeutlicht dem Vizekanzler den Ernst der Situation und die eigene Privilegierung: Er hat Hausarrest.

Wie von Bose, wird auch Erich Klausener, ein hoher Beamter im Verkehrsministerium und Leiter der »Katholischen Aktion«, der mit dem Kreis um die Vizekanzlei in lockerer Verbindung steht, in seinem Büro von einem SS-Kommando getötet. Im Keller des Gestapo-Hauptquartiers in der Prinz-Albrecht-Straße holen Heydrichs Schergen Edgar Jung aus seiner Zelle; er stirbt in einem Wäldchen nahe Oranienburg. Um die Mittagszeit fährt eine rotbraune Limousine mit sechs jüngeren Männern vor einer Villa in Neubabelsberg vor. Zwei Angehörige der Gestapo stürzen an der Wirtschafterin vorbei in die Bibliothek des Hausherrn. Dieser hat sich noch kaum identifiziert, da fallen mehrere Schüsse. Kurt von Schleicher ist tot, der letzte Kanzler vor Hitler. Sekunden später schießen die Eindringlinge die Frau des Generals nieder, die den Mord mitangesehen hat; sie erliegt im Krankenhaus ihren Verletzungen[28]. Stunden später wird auch General Ferdinand von Bredow liquidiert, der einfluß- und kenntnisreiche ehemalige Mitarbeiter Schleichers.

In der nicht mehr allein von Hitler bestimmten Situation wird

[28] Vgl. Theodor Eschenburg, Zur Ermordung des Generals Schleicher. In: VfZ 1 (1953), S. 71–95.

manche alte Rechnung beglichen: Im Keller der Gestapo-Zentrale findet Gregor Straßer den Tod, in Dachau Hitlers Widersacher vom 9. November 1923, der ehemalige Generalstaatskommissar Gustav von Kahr, und Dr. Fritz Gerlich, ein glühender Anti-Nazi und Chefredakteur der katholischen Zeitschrift ›Der gerade Weg‹. Dort wird auch Pater Bernhard Stempfle erschossen, ein früher Förderer des »Führers«, der sich inzwischen distanziert hatte und wohl zuviel wußte. Der Musikkritiker der ›Münchener Neuesten Nachrichten‹, Dr. Willi Schmid, fällt der Namensverwechslung mit einem Freund Straßers zum Opfer. Der homosexuelle Wirt des »Bratwurst-Glöckls« am Dom, eines von Röhm gerne besuchten Lokals in der Münchner Innenstadt, wird von SS-Leuten verschleppt und ermordet.

Noch am Vormittag schildert Hitler den auf dem Weg zum Treffen in Bad Wiessee abgefangenen und inzwischen im »Braunen Haus« versammelten irritierten SA-Führern die angeblichen Putschpläne Röhms und Schleichers, die er soeben vereitelt habe. Die Hysterie, in die sich der »Führer« seit Godesberg immer mehr hineingesteigert hat, verschafft seinen rasenden Monologen Glaubwürdigkeit und macht vergessen, daß es sich nicht zuletzt um einen Akt der Rechtfertigung und Rückversicherung handelt. Aber auch in den nächsten Stunden, im Kreis der »Alten Kämpfer«, regt sich kein nennenswerter Widerstand. Im Gegenteil, die »Röhm-Clique« auszulöschen, bietet sich einer nach dem andern an. Heß: »Mein Führer, es ist meine Aufgabe, Röhm zu erschießen!«[29] Reichsstatthalter Epp, der seinen einstigen Stabsoffizier Röhm lieber vor einem Kriegsgericht sehen will, erfährt Hitlers Zorn. Nicht anders ergeht es später bei Heß dem bayerischen Justizminister Hans Frank, der, vom Gefängnisdirektor alarmiert, die verfahrenslosen Erschießungen in Stadelheim zu verhindern sucht.

Zu diesem Zeitpunkt hat Hitler München schon verlassen. Nachträgliche Überraschungen sind nicht zu befürchten; seine Mordaufträge weiß er bei Sepp Dietrich in zuverlässigen Hän-

---

[29] Zitiert nach Heinz Höhne, Mordsache Röhm. Hitlers Durchbruch zur Alleinherrschaft 1933–1934. Reinbek 1984, S. 273.

den. Sechsmal krachen an dem sommerlichen Samstagabend im Gefängnishof von Stadelheim die Gewehrsalven: für August Schneidhuber, Wilhelm Schmid, Peter von Heydebreck, Edmund Heines sowie für den SA-Gruppenführer von Dresden, Hans Hayn, und den Münchner SA-Standartenführer Hans Joachim Graf von Spreti-Weilbach. Den Namen Röhm hat Hitler auf der Todesliste nicht abgehakt.

In Berlin-Tempelhof erwarten Göring und Himmler den Kanzler. Eine Ehrenkompanie ist angetreten, als Hitler, »alles dunkel in dunkel«, aus dem Flugzeug klettert; »ein kreidebleiches, durchnächtigtes, unrasiertes Gesicht, das eingefallen und aufgedunsen zugleich erscheint«[30]. Noch läuft Heydrichs Maschinerie auf Hochtouren, und bis Montag sterben an vielen Orten im Reich weitere SA-Führer, Regimegegner und Menschen, die einem der Hauptakteure mißliebig sind. Außer im Konzentrationslager Dachau und in der ehemaligen Kadettenanstalt Lichterfelde bei Berlin, wo sich immer wieder die Pelotons gegen ranghohe Braunhemden formieren, kommt es vor allem in Schlesien zu einer Serie von Morden. Dort läßt der SS-Obergruppenführer Udo von Woyrsch seine Leute gewähren, die unter der SA im ehemaligen Machtbereich von Edmund Heines ein Blutbad anrichten und darüber hinaus regelrecht auf Kriegszug gegen ihre Privatfeinde gehen.

Ernst Röhm bleibt noch bis zum späten Nachmittag des 1. Juli 1934 am Leben. Für ein paar Stunden scheint es, als zögere Hitler, seinen letzten wirklichen Rivalen auch physisch auszuschalten. Röhm ist der einzige, der ihm in naiver Freundschaft über ein Jahrzehnt hinweg nahestand. Erst im Laufe des Sonntags, an dem er im Garten der Reichskanzlei eine Teegesellschaft für Kabinettsmitglieder und deren Familien gibt, erteilt Hitler den Befehl. Theodor Eicke, der Lagerkommandant von Dachau, reicht Röhm jetzt eine Pistole in die Zelle, zusammen mit der Sonderausgabe des ›Völkischen Beobachters‹. Dem Parteiorgan kann der Verstörte entnehmen, daß seine Entmachtung als Sieg

[30] Hans Bernd Gisevius, Adolf Hitler. Versuch einer Deutung. München 1963, S. 291.

Hitlers über Ausschweifung, Homosexualität und Untreue gefeiert wird. Von einem abgewehrten »Putsch« ist noch nicht die Rede, dieser Sprachregelung nähern sich erst die Meldungen vom nächsten Tag, als es über das Ende Röhms in dem Blatt lapidar heißt: »Dem ehemaligen Stabschef Röhm ist Gelegenheit gegeben worden, die Konsequenzen aus seinem verräterischen Handeln zu ziehen. Er tat das nicht und wurde daraufhin erschossen.«

Am 2. Juli geht das Massaker zu Ende, und tags darauf läßt Hitler es von der Justiz mit einem einzigen Gesetzessatz »legalisieren«: »Die zur Niederschlagung hoch- und landesverräterischer Angriffe am 30. Juni, 1. und 2. Juli 1934 vollzogenen Maßnahmen sind als Staatsnotwehr rechtens.«[31] Damit ist die kaltblütige Ermordung von insgesamt 89 Menschen der Bestrafung entzogen, und Deutschnationale wie Justizminister Gürtner hoffen, Hitler gerade so an die Rechtsordnung binden zu können. Das neue Gesetz, argumentiert Gürtner im Kabinett, schaffe kein neues, es bestätige »lediglich gültiges Recht«[32].

Die Folgen des 30. Juni

Fast scheint es, als habe Hitler in den folgenden Tagen mit einer gewissen Unsicherheit den Reaktionen auf seinen Coup entgegengesehen. Nach der Kabinettssitzung am 3. Juli, in der ihm Blomberg demonstrativ »für sein entschlossenes und mutiges Handeln« dankte, fand der »Führer« an der Ostsee und in Berchtesgaden Zerstreuung im Kreise der Familie Goebbels. Erst am 13. Juli trat er vor die Öffentlichkeit. Die annähernd zwei Wochen, in denen die Bevölkerung auf zusammenhanglose Radiomeldungen und teilweise widersprüchliche Zeitungsberichte angewiesen war, hatten sich als Nährboden unterschiedlichster Gerüchte erwiesen. Gerade deshalb stieß die vom Rundfunk übertragene, quälend lange Reichstagsrede auf große Auf-

---

[31] RGBl. I, 1934, S. 529.
[32] Akten der Regierung Hitler I/2, S. 1354–1358; zur Position Gürtners ausführlich Lothar Gruchmann, Justiz im Dritten Reich 1933–1940. Anpassung und Unterwerfung in der Ära Gürtner. München 1988, S. 448–455.

merksamkeit. Hitler gelang es erst gegen Ende, den Ton der Rechtfertigung zu überwinden: »Wenn mir jemand den Vorwurf entgegenhält, weshalb wir nicht die ordentlichen Gerichte zur Aburteilung herangezogen hätten, dann kann ich ihm nur sagen: In dieser Stunde war ich verantwortlich für das Schicksal der deutschen Nation und damit des deutschen Volkes oberster Gerichtsherr. Meuternde Divisionen hat man zu allen Zeiten durch Dezimierung wieder zur Ordnung gerufen ... Ich habe den Befehl gegeben, die Hauptschuldigen an diesem Verrat zu erschießen, und ich gab weiter den Befehl, die Geschwüre unserer inneren Brunnenvergiftung und der Vergiftung des Auslandes auszubrennen bis auf das rohe Fleisch. Die Nation muß wissen, daß ihre Existenz ... von niemandem ungestraft bedroht wird. Und es soll jeder für alle Zukunft wissen, daß, wenn er die Hand zum Schlage gegen den Staat erhebt, der sichere Tod sein Los ist.«[33]

Bayerische Bezirksamtsvorsteher bemerkten in ihren Monatsberichten, Hitlers Ansprache sei »von allen Volksgenossen, auch von denen, die immer noch abseits stehen, mit größtem Beifall aufgenommen« worden. Das war keineswegs untypisch: Nicht nur Goebbels' Presse, die Menschen waren voll von »Bewunderung und Dankbarkeit«, von »Hochachtung«, »Sympathie« und »Vertrauen in den Führer«, der »nur das Beste für sein Volk wolle«. Kritische Stimmen waren dünn gesät, und wo sie sich, wie etwa in Kempten, artikulierten, nahmen sie gerade den »Führer« aus: »Die Niederschlagung der Röhm-Revolte hat wie ein reinigendes Gewitter gewirkt. Dem auf dem Volk lastenden Alpdruck folgte ein befreiendes Aufatmen ... Tief betroffen hat jedoch weite Kreise der Bevölkerung die Erschießung von an der Röhm-Revolte völlig unbeteiligten Personen. Man ist sich bewußt, daß es sich dabei um Exzesse handelt, die ohne Wissen und gegen den Willen des Führers und der maßgebenden Persönlichkeiten erfolgt sind. Es sei jedoch zu befürchten, daß sich derartige Ausschreitungen auch bei anderen Gelegenheiten wiederholen

[33] Rede des Reichskanzlers Adolf Hitler vor dem Reichstag am 13. Juli 1934, Berlin o. J., S. 26.

könnten und daß hierbei das Leben jedes Nicht-Parteigenossen gefährdet sei.«[34]

Da der Öffentlichkeit die perfide Inszenierung der Meuchelmorde unbekannt blieb, war mit mehr als einer solchen halben Kritik kaum zu rechnen. Einzelheiten über die Verbrechen gelangten nur schwer über den lokalen Rahmen hinaus; sogar Todesanzeigen für die Opfer des 30. Juni waren verboten. Der Kampf der Hinterbliebenen um Rentenversorgung und Versicherungsansprüche – ein heikles Problem besonders im Fall Gregor Straßers, der offiziell »Selbstmord« begangen hatte – lief als Kleinkrieg zwischen Gestapo, SS und Staatsbürokratie[35] hinter den Kulissen ab. Weder aus der katholischen Kirche (auch nicht aus der evangelischen) noch aus der Reichswehr kamen irgendwelche Proteste wenigstens ob der Ermordung »eigener« Leute. Vor diesem Hintergrund sind vereinzelte Feststellungen von »Beunruhigung infolge Erschießung Dr. Klausener«, wie sie der Regierungspräsident aus dem katholischen Münsterland nach Berlin telegraphierte[36], doppelt bemerkenswert.

Die Reichswehr genoß ihren vermeintlich so uneingeschränkten Triumph. Mit erschreckender Intransigenz ignorierten die Militärs ihre langfristige Schwächung, die darin lag, daß sie die Gewaltmethoden der NS-Führung nicht nur hingenommen, sondern mit herbeigeführt hatten. »Es war unumgänglich notwendig, daß mit dem Schlag gegen die Meuterer der SA auch ein Schlag gegen die Kreise geführt wurde, die man heute mit ›Reaktion‹ zu bezeichnen pflegt. Dieser ›Griff nach Rechts‹ war auch im Interesse der Wehrmacht nötig. Wir, die Wehrmacht, sollten nach dem Willen dieser Kreise in ein Lager verschoben werden, in dem wir nicht stehen können. Bei Schleicher und seinen Mittelsleuten ist dieser Schlag mit größter Schärfe geführt worden. Auch in der Umgebung Papens ist ein Opfer gefallen (von Bo-

---

[34] Zitiert nach Ian Kershaw, Der Hitler-Mythos. Volksmeinung und Propaganda im Dritten Reich. Stuttgart 1980, S. 76 f.

[35] Vgl. Erlebnisbericht Werner Pünders über die Ermordung Klauseners am 30. Juni 1934 und ihre Folgen. In: VfZ 19 (1971), S. 404–431.

[36] IfZ, MA 198/2, Funktelegramm des Regierungspräsidenten in Münster an das RMdI vom 15. 8. 1934.

se).« Eindeutiger hätte sich der Reichswehrminister gegenüber seinen Befehlshabern am 5. Juli 1934 schwerlich äußern können. Blomberg begeistert: »Die Säuberungsaktion ist keineswegs abgeschlossen. Der Führer wird den Gesundungsprozeß mit eisernem Willen und Rücksichtslosigkeit weitertreiben. Er kämpft gegen Korruption, gegen perverse Moral, kriminellen Ehrgeiz und für Staat und Volk. Der sinnfälligste Ausdruck des Staates ist für den Führer die Wehrmacht. Nicht zum geringsten in ihrem Interesse hat er so gehandelt und es ist Pflicht der Wehrmacht, ihm dies durch womöglich noch größere Treue und Hingabe zu danken.«[37]

Die Rhetorik der »Säuberung« wurde für geraume Zeit zur probaten Argumentationskrücke aller, die sich nun anheischig machten, das mit der Abhalfterung der SA entstandene Machtvakuum zu füllen. Dabei blieb die Kritik nicht auf die SA beschränkt. Die »Befreiung des Parteiapparates von Elementen, an denen das Volk mit Recht Anstoß nimmt«, hielt Göring, der den »Parteiminister« Heß Ende August 1934 mit einem 90 Seiten starken, aus den Lageberichten der preußischen Regierungspräsidenten destillierten Mängelkatalog belieferte, dringend für erforderlich; scheine doch bereits »in weiten Kreisen des Volkes die Besorgnis zu entstehen, daß nach Durchführung der Aktion vom 30. Juni im wesentlichen alles beim Alten bleiben werde«[38]. Ähnlich argumentierte auch Himmler, der ausgerechnet auf einer Tagung im Herrschaftsbereich seines Breslauer SS-Obergruppenführers Woyrsch verkündete, »daß das Jahr 1935 weiterhin das Jahr der Reinigung der Bewegung und des Staates sein muß«. Dabei komme der SS, wie während der »furchtbaren zwei Tage« im Sommer, die »schwerste Aufgabe« zu: »im Auftrag des Führers diesen Schnitt zu vollziehen« und – die Parallele zu der berüchtigten Rede, die Himmler im Oktober 1943 in Posen halten wird, ist unübersehbar – »selbst sauber zu sein bis zum letzten«[39].

[37] IfZ, ED 1, Aufzeichnung Liebmanns über eine Befehlshaberbesprechung am 5. 7. 1934.
[38] IfZ, Parteikanzlei 101 212 55.
[39] IfZ, MA 311, Ansprache Himmlers in Breslau am 19. 1. 1935.

Längerfristig waren es tatsächlich im Grunde nur Himmler und Heydrich, die, nächst dem »Führer«, von den am 30. Juni bewirkten Veränderungen der Machtstruktur profitierten. Die letzten größeren Hindernisse auf dem Weg zum »SS-Staat« waren nunmehr ausgeräumt. Am 20. Juli 1934 wurde die formal bis dato noch als Teil der SA geführte SS eigenständig, ihr »Reichsführer« war fortan Hitler »persönlich und unmittelbar« unterstellt. Zutreffend leitete die ›Neue Zürcher Zeitung‹ den Hintergrundbericht eines »Kenners der Verhältnisse« ein: »Die Vorgänge des 30. Juni haben die schwarzen ›Schutzstaffeln‹ als erbarmungslos wirkendes Instrument der nationalsozialistischen Diktatur gezeigt. Die Bedeutung der SS und ihres Reichsführers Himmler kann kaum überschätzt werden.«[40]

Während sich das Ausland über das im Auftrag des deutschen Reichskanzlers angerichtete Blutbad empörte, hatte sich die deutsche bürgerliche Gesellschaft (in ihrer nach den Ereignissen des Jahres 1933 reduzierten politisch-kulturellen Bandbreite) gerade durch den Verzicht auf eine grundsätzliche Ablehnung von Methoden organisierten Gangstertums als Mittel der Politik definitiv der Möglichkeit moralischer Kritik begeben. Sie hatte ihr Einverständnis erklärt mit der Errichtung eines Führerabsolutismus, in dem für den Willen dieses »Führers« absolut alles disponibel war: Recht, Gesetz, Moral – der Staat selbst. Mit seinem Aufsatz ›Der Führer schützt das Recht‹ lieferte der Staatsrechtslehrer Carl Schmitt zu dieser Abkehr von aller Tradition moderner Rechts- und Verfassungsstaatlichkeit die »wissenschaftliche« Untermauerung: »Der wahre Führer ist immer auch Richter. Aus dem Führertum fließt das Richtertum ... In Wahrheit war die Tat des Führers echte Gerichtsbarkeit. Sie untersteht nicht der Justiz, sondern war selbst höchste Justiz.«[41]

Schneller als erwartet, schon einen Monat nach den Mordserien, konnte der letzte noch fehlende Baustein der Konstruktion des »Führerstaats« eingefügt werden: Ohne Hindenburgs

[40] Neue Zürcher Zeitung vom 13. 7. 1934.
[41] Carl Schmitt, Der Führer schützt das Recht. Zur Reichstagsrede Adolf Hitlers vom 13. Juli 1934. In: Deutsche Juristen-Zeitung 39 (1934), Sp. 945–950.

Tod abzuwarten, ließ Hitler am Abend des 1. August 1934 das ›Gesetz über das Oberhaupt des Deutschen Reiches‹ verabschieden, das die Ämter des Reichspräsidenten und des Reichskanzlers vom Zeitpunkt der Todesnachricht aus Neudeck vereinigte. Am 2. August starb der Generalfeldmarschall. Noch am selben Tag wurde die Reichswehr, deren Oberbefehl bisher beim Reichspräsidenten lag, auf den »Führer und Reichskanzler« vereidigt. Den Titel Reichspräsident sollte es nach dem Willen Hitlers »für alle Zukunft«[42] nicht mehr geben.

In wenigen Wochen hatte Hitler es vermocht, sich aller Anfechtungen zu entledigen und darüber hinaus seine Herrschaft in einer Weise zu stabilisieren, wie es im Frühjahr 1934 wohl kaum jemand für möglich gehalten hätte: Wäre jedes isolierte Vorgehen gegen SA oder Konservative im Grunde unmöglich, jedenfalls aber höchst gefährlich für ihn selbst geworden, so waren nun beide Unruheherde mit einem Schlag ausgeschaltet. Zur Zufriedenheit von Reichswehr und Bürgertum war scheinbar ein neues, solides Gleichgewicht hergestellt worden – unter der von niemandem mehr zu bestreitenden Führung von »Cäsar Hitler«[43], wie die sozialdemokratischen Deutschland-Berichte kommentierten.

Am 19. August 1934 gab es eine nachträgliche Volksabstimmung über Hitlers neue Omnipotenzstellung als Staatsoberhaupt, Regierungschef, Oberster Parteiführer und Oberbefehlshaber. Ihr Ergebnis zeigte mit 89,9 Prozent Ja-Stimmen (bei einer Wahlbeteiligung von 95,7 Prozent) bereits an, welchen Auftrieb das Regime, beflügelt durch wachsende innen- und außenpolitische Erfolge, nun bald nehmen sollte. In den folgenden Jahren wuchs die Integrationskraft des »Führer«-Mythos ins Phantastische. Deutschland ging seinen Weg mit Hitler.

---

[42] Akten der Regierung Hitler I/2, S. 1387.
[43] Deutschland-Berichte 1934, S. 356 f.

II. Die innere Entwicklung des Dritten Reiches

1. Formierung

»Es ist so weit. Wir sitzen in der Wilhelmstraße. Hitler ist Reichskanzler. Wie im Märchen! ... Uns allen stehen die Tränen in den Augen. Wir drücken Hitler die Hand. Er hat's verdient.« (Joseph Goebbels, Tagebuch vom 31. Januar 1933[1])

Hitler wurde Kanzler zu einem Zeitpunkt, als es mit der NSDAP abwärts und mit der Wirtschaft schon wieder etwas aufwärts ging. Der 30. Januar 1933 stand weder am Ende eines wahlpolitischen Triumphzuges der Nationalsozialisten, noch war er das Ergebnis der schweren Wirtschaftskrise, die seit 1929 auch Deutschland erfaßt hatte. Hitler war kein Zufall, aber er war auch keine Zwangsläufigkeit. Hitler war gewollt. Die Koalition der Kräfte und Interessen, die ihn zur Macht brachte, war nicht weniger vielschichtig und ambivalent als die nationalsozialistische Bewegung selbst. Wohin das führen würde, war trotz vielem Voraussehbaren offen.

Hindenburg, der altersmüde Reichspräsident, sah sich einer Mehrzahl vertrauter Gesichter gegenüber, als er am Vormittag des 30. Januar seinen siebten Kanzler vereidigte. Dieser gab sich bescheiden. Außer mit Hitler selbst war die NSDAP lediglich durch zwei Mitglieder im neuen Präsidialkabinett vertreten: Wilhelm Frick, der seit 1930 in Thüringen Regierungserfahrung hatte sammeln können, wurde Reichsinnenminister, Hermann Göring übernahm als Minister ohne Geschäftsbereich die Aufgaben eines Reichskommissars für den Luftverkehr und des kommissarischen preußischen Innenministers. Alfred Hugenberg als Reichsminister für Wirtschaft, Ernährung und Land-

[1] Elke Fröhlich (Hrsg.), Die Tagebücher von Joseph Goebbels. Sämtliche Fragmente. Teil I: Aufzeichnungen 1924 bis 1941. München 1987, Band 2, S. 357.

wirtschaft und Franz Gürtner als Reichsjustizminister (ab 1. Februar) vertraten die DNVP. Alle anderen waren parteilose Rechtskonservative, darunter, wie im Kabinett Schleicher, Außenminister Freiherr von Neurath, Finanzminister Graf Schwerin von Krosigk und Verkehrs- und Postminister Freiherr Eltz von Rübenach. Der Stahlhelm-Führer Franz Seldte avancierte zum Arbeitsminister. Franz von Papen fungierte als Vizekanzler und Reichskommissar für Preußen, dessen legale sozialdemokratische Regierung während Papens Kanzlerschaft im Juli 1932 abgesetzt worden war. Reichswehrminister wurde General von Blomberg, der sich ebenso wie der neue Chef des Ministeramts, General von Reichenau, als Hitler-Sympathisant zu erkennen gegeben hatte.

Die Verhandlungen über die Regierungsbildung waren dramatisch verlaufen, und im Vergleich dazu wirkte das Ergebnis auf den ersten Blick wenig spektakulär. Fast ließ es sich als Beginn einer Normalisierung interpretieren, wenn nun nicht mehr länger der Versuch gemacht wurde, gegen die stärkste Partei zu regieren. Doch war die NSDAP, die bei den Reichstagswahlen im November 1932 ziemlich genau ein Drittel aller Stimmen errungen hatte, nicht angetreten, um staatspolitische Mitverantwortung zu übernehmen. Ihr erklärtes Ziel war die Überwindung der Republik und die Errichtung eines »Führerstaates«, irgendwie vergleichbar dem faschistischen Italien.

Gegner wie Sympathisanten der NSDAP konnten sich darüber nicht im unklaren sein, denn immer wieder hatte Hitler betont, seine Partei werde die Macht auf legalem Wege erringen, um die Parteiendemokratie dann abzuschaffen. Aus dieser Kenntnis und aus Furcht vor dem sozialrevolutionären Potential, vor der Gewalt und der Dynamik der NS-Bewegung, erklärte sich denn auch das lange Taktieren der Alten Rechten, ehe sich schließlich eine Koalition unterschiedlicher Kräfte aus deutschnationalem Bürgertum, Großagrariern, Wirtschaft, Bürokratie und Reichswehr bereitfand, die Risiken einer Regierungsbeteiligung Hitlers zum Zwecke eines definitiven Umbaus der Staats- und Gesellschaftsverfassung in Kauf zu nehmen. Mit einer Leichtfertigkeit, zu der schwerlich die anspruchsvolle Terminologie von einem »Zähmungskonzept« paßt, wurde Skeptikern in den eigenen konservativen Reihen in diesem letzten Stadium der Auflösung der Weimarer Republik[2] entgegengehalten, man werde Hitler binnen zweier Monate in die Ecke drücken, »daß er quietscht« (Franz von Papen). Was hätte ein Reichskanzler Hitler sollen, mit dem solches möglich gewesen wäre?

Von der Regierungsübernahme bis zu den Märzwahlen

Erklärte gemeinsame Absicht der Koalition war die Befreiung der deutschen Politik vom »Marxismus«. Die Kommunisten, die bei der letzten Wahl mit fast 17 Prozent ihr höchstes Ergebnis erzielt hatten, sollten ausgeschaltet, die Sozialdemokraten (zuletzt 20 Prozent) und mit ihnen die Gewerkschaften zumindest jeder politischen Relevanz entledigt werden. Den Parlamentarismus war die reaktionäre Rechte satt. Ihr ging es um die Errichtung eines dauerhaften autoritären Präsidialregimes. Auch in dieser Hinsicht schien im neuen Kabinett Einigkeit zu bestehen, wie sich bei der Diskussion um die Ausschreibung von Neuwahlen zeigte. Der Vizekanzler konnte der Zustimmung Hitlers sicher sein, als er in der zweiten Kabinettssitzung am 31. Januar erklärte, »es sei am besten, schon jetzt festzulegen, daß die kommende Wahl zum Reichstag die letzte sein solle und eine Rückkehr zum parlamentarischen System für immer zu vermeiden sei«[3].

Papens Beitrag vorausgegangen war Hitlers Bericht über ein am Vormittag geführtes Gespräch mit Prälat Dr. Kaas und Dr. Perlitius vom Zentrum, dessen Regierungsbeteiligung eine parlamentarische Mehrheit und damit ein wichtiges Argument gegen die Reichstagsauflösung geliefert hätte. Eben deshalb hatte Hitler

[2] Vgl. dazu immer noch Karl Dietrich Bracher, Die Auflösung der Weimarer Republik. Eine Studie zum Problem des Machtverfalls in der Demokratie. Stuttgart u. a. 1955; Henry Ashby Turner, Hitlers Weg zur Macht. Der Januar 1933. München 1996.

[3] Akten der Reichskanzlei. Regierung Hitler 1933–1938. Teil I: 1933/34. Boppard 1983, Band 1, S. 6.

die Verhandlungen rasch zum Scheitern gebracht[4]; er wollte keine Erweiterung der Koalition, keine Tolerierung seiner Regierung durch das Zentrum und auch keine langfristige Selbstvertagung des Parlaments. Der Kanzler wollte Neuwahlen. Diese zu erreichen, war er sogar zu einer Bestandsgarantie gegenüber der DNVP bereit: Das Wahlergebnis solle keinen Einfluß auf die Zusammensetzung der Regierung haben, versprach er dem zu Recht um seine Wählerbasis fürchtenden Hugenberg. Kaum 48 Stunden nach der Regierungsbildung unterzeichnete der Reichspräsident das Auflösungsdekret für den erst am 6. November vergangenen Jahres gewählten Reichstag. Das Volk, so Hindenburg, solle zu der »Regierung des nationalen Zusammenschlusses« Stellung nehmen[5].

Zweifellos versprach sich Hitler von den Neuwahlen kräftige Gewinne für die NSDAP. 51 Prozent für die Regierungskoalition, so erfuhren seine Minister schon am Tag vor dem Beschluß, halte er für möglich. Den »Führer« lockte die Chance, erstmals einen Wahlkampf aus der Regierungsverantwortung heraus zu führen. Nach der Schlappe vom vergangenen Herbst und der anschließenden innerparteilichen Krise, die zum Rücktritt des letzten wichtigen Repräsentanten der nationalsozialistischen Linken, Gregor Straßer, geführt hatte, würde der NSDAP ein satter Wahlerfolg guttun. Aber das Hauptmotiv lag woanders: Hitler suchte die Zustimmung der Deutschen zu einer Politik der antiparlamentarischen und antimarxistischen Formierung. Die Monopolisierung der politischen Herrschaft sollte mit plebiszitärer Rückbindung eingeleitet werden.

So eindeutig und kalkuliert nahm sich das in dem sofort beginnenden Wahlkampf natürlich nicht aus. Neben die massive Propaganda, die sich ungehemmt aller technischen Mittel bediente, die einer Weimarer Regierung zur Verfügung standen – darunter auch der direkte Zugriff auf den Rundfunk –, trat der Terror. Staatliche Eingriffe in die Presse- und Versammlungsfreiheit, die der Reichs-

---

[4] Vgl. Rudolf Morsey, Die Deutsche Zentrumspartei. In: Erich Matthias/Rudolf Morsey (Hrsg.), Das Ende der Parteien 1933. Düsseldorf 1960, S. 339 ff.
[5] Akten der Regierung Hitler I/1, S. 10.

präsident mit der Notverordnung ›Zum Schutze des deutschen Volkes‹ ermöglichte, wurden flankiert von zunehmenden Gewaltaktionen der nationalsozialistischen Basis gegen Veranstaltungen und Einrichtungen von KPD und SPD, mitunter auch des Zentrums. Seit dem Fackelzug durch das Berliner Regierungsviertel am Abend des 30. Januar beherrschten die Braunhemden die Straße. Dennoch bestand auf der Linken die erbitterte Feindschaft zwischen Kommunisten und Sozialdemokraten fort. Ein ideologisch-theoretisch begründeter Attentismus (gegenüber dem »notwendig« im Kommunismus mündenden faschistischen Experiment des Monopolkapitals) begann sich teilweise schon mit Resignation zu vermischen. Die »Einheitsfront von den Gewerkschaften bis zur KPD gegen die jetzige Reichsregierung«, vor der Hitler seine Ministerkollegen warnte[6], blieb eine Schimäre.

Was tatsächlich beobachtet werden konnte, war ein rapider weiterer Verfall des politisch-kulturellen Selbstbewußtseins und vor allem der kritischen Vernunft im liberaldemokratischen Bürgertum und unter den Intellektuellen. Der »Faschisierung des öffentlichen Lebens«[7], die bereits Anfang der dreißiger Jahre mit der Verdrängung der SPD aus der Regierungsverantwortung eingesetzt hatte, hielten viele nicht mehr stand. Es war eine politische Desensibilisierung in Gang gekommen, die selbst das Kulturbürgertum kaum noch reagieren ließ, wenn etwa eine Veranstaltung wie der Kongreß »Das freie Wort« polizeilich geschlossen wurde, auf der Thomas Manns Bekenntnis gegen den Nationalsozialismus verlesen worden war. Und was tatsächlich ein selbstloser Verzicht zur Rettung einer in politische Gefahr geratenen Institution war, wie Mitte Februar das Ausscheiden von Heinrich Mann und Käthe Kollwitz aus der Preußischen Akademie der Künste, konnte als Eingeständnis und Resignation gewertet werden[8]. Denn der Sog einer jugendlich-dynamischen

---

[6] Ebenda, S. 9.

[7] Martin Broszat, Der Staat Hitlers. Grundlegung und Entwicklung seiner inneren Verfassung. München 1969, S. 83.

[8] Vgl. Hildegard Brenner, Ende einer bürgerlichen Kunst-Institution. Die politische Formierung der Preußischen Akademie der Künste ab 1933. Stuttgart 1972.

»Erneuerungsbewegung«, die nach jahrelangem »Kampf« endlich die Macht »errungen« hatte, wirkte stark. Ihr wollten sich nun auch Köpfe und Organisationen nicht entziehen, die bisher eher distanziert und abwartend geblieben waren. Die oft zu hörende nationalsozialistische Aufforderung, »nicht länger abseits zu stehen«, wurde in solchen Kreisen durchaus ernst genommen, und nicht immer aus opportunistischen Gründen. Noch bevor Joseph Goebbels sein Zensursystem errichten konnte, schwenkten wichtige Organe der öffentlichen Meinung auf demonstratives Wohlwollen gegenüber der Hitler-Regierung ein[9].

Ohne Zweifel gab es ein autoritäres politisches Verlangen, entsprach Hitler dem herrschenden Zeitgeist. Aber das Ausmaß der politischen Veränderungen noch vor der Wahl am 5. März 1933 ist daraus nicht zu erklären. Sie waren das Ergebnis gewiefter Taktik, politischen Geschicks – und des Zufalls.

So klein die Zahl der nationalsozialistischen Regierungsmitglieder auch erscheinen mochte: Alles Notwendige für den »Angriff gegen den Marxismus«, den Hitler im Kabinett als »Wahlparole« ausgegeben hatte[10], konnten seine Paladine Göring und Frick veranlassen. Zunächst am wichtigsten war der Zugriff auf die Polizei, besonders natürlich in der Reichshauptstadt und in Preußen. In seiner Eigenschaft als geschäftsführender preußischer Innenminister ernannte Göring bereits am 7. Februar, einen Tag nach der von Hindenburg verfügten Auflösung des preußischen Landtags, den SS-Gruppenführer Kurt Daluege zum »Kommissar zur besonderen Verwendung«. Die politische Säuberung, die Daluege praktisch als Privatperson im Innenministerium und besonders im Berliner Polizeiapparat vorbereitete, wurde zum Muster für spätere Aktionen in den Ländern.

Während die Öffentlichkeit einen hektischen Winterwahlkampf erlebte, wurden in Preußen die Weichen gestellt für die nationalsozialistische Penetration und Usurpation der inneren staatlichen Verwaltung. Der rigorose Regisseur dieses Vorgangs

[9] Vgl. Norbert Frei/Johannes Schmitz, Journalismus im Dritten Reich. München, 3. Aufl. 1999.
[10] Akten der Regierung Hitler I/1, S. 9.

hieß Göring. Sein sogenannter Schießerlaß vom 17. Februar wies die Polizeibeamten unter Androhung dienststrafrechtlicher Folgen an, »dem Treiben staatsfeindlicher Organisationen mit den schärfsten Mitteln entgegenzutreten ... und, wenn nötig, rücksichtslos von der Waffe Gebrauch zu machen«[11]. Umgekehrt wurde es nun zur Pflicht der Beamten, die »nationalen Verbände« und deren Propaganda zu unterstützen. Das beschränkte den politischen Handlungsspielraum der Linksparteien weiter und eröffnete SA und SS neuen Raum für terroristische Aktionen. Häufig blieben jetzt Überfälle auf Wahlversammlungen der Opposition in den Polizeiberichten unerwähnt, und bei Straßenschlachten hielt sich die Polizei zurück, sofern nur die »Marxisten« den kürzeren zogen. In den Wochen bis zur Wahl gab es in Deutschland 69 politische Morde, 18 der Opfer waren Nationalsozialisten[12]. Als SA, SS und Stahlhelm auf Weisung Görings schließlich rund 50 000 Mann in den Rang von »Hilfspolizisten« erheben konnten (angeblich, um zunehmenden Ausschreitungen der Kommunisten zu begegnen), eskalierte der Terror der Braunhemden so sehr, daß Hitler und Göring zur Disziplin mahnten.

Bürgerkriegsähnliche Auseinandersetzungen zwischen den Radikalen von rechts und links hatten Großstädte wie Berlin und Hamburg und das Ruhrgebiet in den letzten Jahren immer wieder erlebt, und nicht nur während der Wahlkämpfe. Aber aufs Ganze gesehen war das politische Klima jetzt noch gewaltsamer geworden. Zur Aggressivität der nationalsozialistischen Basis kamen die Möglichkeiten der »Gegnerbekämpfung« mit staatlichen Machtmitteln hinzu. So gelang es mit Hilfe der Notverordnung vom 4. Februar, die Kommunisten publizistisch fast mundtot zu machen und die preußischen Sozialdemokraten schwer zu behindern. Die Unverfrorenheit, mit der dabei vorgegangen wurde, stellte alles in den Schatten, was wenig zimperliche Vorgänger-Regierungen, denen seit 1930 das Republikschutzgesetz solche Möglichkeiten gab, an Zeitungsverboten ver-

---

[11] Ministerial-Blatt für die preußische innere Verwaltung. Teil I. Ausgabe A, 94 (1933), S. 169.
[12] Vgl. Hans-Ulrich Thamer, Verführung und Gewalt. Deutschland 1933 bis 1945. Berlin 1986, S. 256.

hängt hatten. Göring überstrapazierte seine Mittel allerdings auch nach Auffassung des Reichsgerichts, das mehrere gegen SPD-Blätter gerichtete Erscheinungssperren aufhob. Parallel dazu mußte Reichsinnenminister Frick erfahren, daß sich außerpreußische Länder Verbotsersuchen wiederholt widersetzten; nicht jedoch, wenn diese gegen KPD-Organe gerichtet waren. Als dann am 27. Februar 1933 der Reichstag brannte, war das politische Schicksal der Kommunisten besiegelt. Noch vor der Wahl ergaben sich dadurch für die Regierung Anlaß und Legitimation zu einem umfassenden Schlag gegen die KPD – und zur definitiven Außerkraftsetzung des Rechtsstaats.

Hitlers unmittelbare Reaktion am nächtlichen Brandort scheint sich wenig von der Görings unterschieden zu haben, der das Großfeuer sofort als Beginn eines kommunistischen Umsturzversuchs deutete und darauf auch erregt beharrte, als der festgenommene Marinus van der Lubbe, ein holländischer Rätekommunist, keine entsprechenden Indizien lieferte. Bei der Lagebeurteilung am nächsten Vormittag im Kabinett bekräftigte Göring seine Theorie. Der Kanzler hingegen kehrte jetzt, wie so oft in diesen Wochen, den überlegenen Staatsmann heraus: »Der psychologisch richtige Moment für die Auseinandersetzung sei nunmehr gekommen. Es sei zwecklos, noch länger hiermit zu warten. Die KPD sei zum Äußersten entschlossen. Der Kampf gegen sie dürfe nicht von juristischen Erwägungen abhängig gemacht werden.«[13] Der letzte Satz war auf konservative Zauderer zugeschnitten, an deren Zustimmung zur Zerschlagung der KPD zwar kein Zweifel bestand, die aber gegen allzu weitgehende Rechtsaufhebungen votieren mochten. Für diesen Fall sollte wohl der Weg angedeutet sein, der alternativ zu einer in rechtliche Formen gegossenen Kommunistenjagd beschritten werden könnte, der Weg der terroristischen SA-Gewalt. Doch Hitler erhielt die »gesetzliche« Handlungsgrundlage, die er, verpackt in einen Katalog von Bana-

---

[13] Akten der Regierung Hitler I/1, S. 128; zu der alten Kontroverse um die Urheberschaft des Reichstagsbrandes vgl. Uwe Backes u. a., Reichstagsbrand. Aufklärung einer historischen Legende. München 1986; zuletzt Jürgen Schmädeke/Alexander Bahar/Wilfried Kugel, Der Reichstagsbrand in neuem Licht. In: HZ 269 (1999), S. 603–651.

litäten (wie dem abzustattenden Dank an die Feuerwehrmänner), vorgeschlagen hatte. Bereits am Nachmittag des 28. Februar kam das Kabinett erneut zusammen und verabschiedete im Eilverfahren den von Frick eingebrachten Entwurf einer Verordnung ›Zum Schutz von Volk und Staat‹. Noch am gleichen Tag setzte der Reichspräsident seine Unterschrift darunter.

Unter Berufung auf den Artikel 48 der Weimarer Verfassung (Notverordnungsrecht des Präsidenten) traten damit die Grundrechte außer Kraft. Die Freiheit der Person, die Meinungs-, Presse-, Vereins- und Versammlungsfreiheit, das Post- und Telefongeheimnis sowie die Unverletzlichkeit von Eigentum und Wohnung waren mit einem Schlag aufgehoben. Außerdem war die Reichsregierung jetzt ermächtigt, »zur Wiederherstellung der öffentlichen Sicherheit und Ordnung« in den Ländern die Befugnisse der obersten Behörden »vorübergehend wahrzunehmen«. Damit hatte man noch vor der Wahl die juristischen Begründungsschemata geschaffen für die unmittelbar danach einsetzende nationalsozialistische Eroberung der Länder. Durch die Möglichkeit einer faktisch unbegrenzten Erweiterung ihrer ursprünglichen Begründung, der »Abwehr kommunistischer staatsgefährdender Gewaltakte«, erfüllte die Reichstagsbrandverordnung im Prozeß der nationalsozialistischen Machtdurchsetzung eine zentrale Funktion. Nach Belieben konnten jetzt politische Gefangene ohne gerichtliche Prüfung auf unbestimmte Zeit festgehalten werden. Bis zum Ende der NS-Herrschaft sollte dieser unerklärte Ausnahmezustand gelten. Ernst Fraenkel nannte die Verordnung vom 28. Februar deshalb auch die »Verfassungsurkunde« des Dritten Reiches[14].

Die systematische Verfolgung der Kommunisten begann noch in der Brandnacht. Im bereits gleichgeschalteten Preußen wurden in den nächsten Tagen die Abgeordneten und viele Funktionäre der KPD verhaftet, darunter auch ihr Vorsitzender Ernst Thälmann. Zwar gab es seit Hitlers Ernennung und dem erfolglosen Aufruf zum Generalstreik am 31. Januar Vorbereitungen für eine Arbeit im Untergrund, aber man hatte das Tempo der politischen

---

[14] Ernst Fraenkel, Der Doppelstaat. Köln 1974, S. 26.

Veränderung unterschätzt und wohl auch das Ausmaß der Observierung durch die Politische Polizei[15]. Selbstverständlich erstreckten sich die Maßnahmen auch auf die Parteibüros, die besetzt, zerstört oder geschlossen, und auf die kommunistischen Zeitungen, die verboten wurden. Auch die SPD-Presse durfte in Preußen nun zwei Wochen lang nicht erscheinen und verschwand damit de facto für immer.

Außerhalb Preußens hielt sich die Hitler-Regierung, trotz der durch die Reichstagsbrandverordnung eröffneten Eingriffsmöglichkeiten, einstweilen zurück. Zwar war das Vorgehen der süddeutschen Länder gegen die Kommunisten aus NS-Perspektive alles andere als befriedigend, aber eine offene Reich-Länder-Kontroverse wenige Tage vor der Wahl hätte dem Prestige der neuen Regierung, die für ihr »entschiedenes Durchgreifen« im Bürgertum und in bäuerlichen Kreisen jetzt so viel Lob erntete, nur schaden können. So blieben die aktuellen politischen Bedingungen, unter denen am 5. März gewählt wurde, uneinheitlich. In Preußen erstreckten sich die politischen Behinderungen von der KPD über die SPD bis hin zum Zentrum, während letztere in den nicht nationalsozialistisch mitregierten Ländern ihren Wahlkampf halbwegs normal zu Ende führen konnten. Der Suggestivität der Hitler-Propaganda wußten die demokratischen Oppositionsparteien jedoch nichts entgegenzusetzen. Anderes als einen Wahlsieg der Rechtskoalition erwartete niemand. Schon vor dem Reichstagsbrand faßte ein oberbayerischer Gemeindebeamter Volkes Stimme in diesem Sinne zusammen: »Hitler räume nun in Preußen ordentlich auf, er werfe die Schmarotzer und die Volksaussauger sauber auf die Straße. Auch in Bayern, insbesonders in München, dürfe er mal antreten ... Wenn Hitler so weiter arbeite wie seither, wird er auf die kommende Reichstagswahl das Vertrauen des größten Teiles des Deutschen Volkes erhalten.«[16]

[15] Exemplarisch dazu Hartmut Mehringer, Die KPD in Bayern 1919–1945. In: Martin Broszat u.a. (Hrsg.), Bayern in der NS-Zeit. 6 Bände. München 1977–1983, hier Band 5.

[16] Zitiert nach Ian Kershaw, Der Hitler-Mythos. Volksmeinung und Propaganda im Dritten Reich. Stuttgart 1980, S. 9 (Abkürzungen von mir aufgelöst, Interpunktion ergänzt).

Um so verblüffender war, wie richtig Hitler mit seiner vorsichtigen Prognose von 51 Prozent gelegen hatte: Das tatsächlich nur um 0,9 Prozent höhere Ergebnis reichte zwar zur absoluten Mandatsmehrheit der Koalition, aber die NSDAP für sich genommen blieb von einem Triumph weit entfernt. Das gilt selbst im Vergleich mit ihrem schlechten Ergebnis vom vergangenen November, gegenüber dem sie sich um 10,8 auf 43,9 Prozent verbessert hatte. Begeisterung für Hitler hatte sich keineswegs überall in Stimmen für die NSDAP verwandelt. Weiterhin lagen deren stärkste Bastionen in den Agrargebieten Nord- und Ostdeutschlands. Aber besonders zugenommen hatten die Nationalsozialisten im katholischen Bayern und in Württemberg, wo sie durch das Aufsaugen der antiklerikalen und mittelständischen Parteien nun fast an den Reichsdurchschnitt herankamen. Den Löwenanteil ihrer Gewinne schöpfte die NSDAP allerdings nicht bei den anderen Parteien ab, sondern aus dem Reservoir bisheriger Nichtwähler. Überhaupt lag in der für Weimarer Verhältnisse extrem hohen Wahlbeteiligung von 88,7 Prozent eines der bemerkenswertesten Ergebnisse des 5. März. Die Mobilisierung zusätzlicher Wähler hatte den Nationalsozialisten etwa die Hälfte ihres Zuwachses von fünfeinhalb Millionen Stimmen eingetragen. Insgesamt votierten rund 17,3 Millionen Deutsche für Hitler[17].

Hatte die NSDAP auch nicht ihr eigentliches Wahlziel erreicht, so doch den angestrebten Zweck: Prozentual wie politisch standen alle anderen Parteien als Verlierer da. Das traf sogar auf die Deutschnationalen (jetzt unter dem Namen »Kampffront Schwarz-Weiß-Rot«) und auf das Zentrum zu, die zwar jeweils rund 200 000 Stimmen hinzugewonnen hatten, damit aber nicht den Anstieg der Wahlbeteiligung ausgleichen konnten. Die SPD blieb in absoluten Zahlen fast konstant, die KPD hingegen verlor mehr als 1,1 Millionen Stimmen. Während das Ergebnis von Zentrum und SPD ein letztes Mal die hohe Geschlossenheit von

---

[17] Einzelheiten bei Jürgen W. Falter/Thomas Lindenberger/Siegfried Schumann, Wahlen und Abstimmungen in der Weimarer Republik. München 1986; als Zusammenfassung der neueren Wahlforschung vgl. Jürgen W. Falter, Hitlers Wähler. München 1991.

weltanschaulichen Blöcken demonstrierte, denen auch massivste Propaganda wenig anhaben konnte, spricht das Abschneiden der Kommunisten für erhebliche Wählerbewegungen über die Ränder hinweg, worin sich sowohl eine gewisse »unterschwellige Affinität«[18] der Extremparteien manifestierte wie ein gemeinsamer Rekrutierungsgrund im Bereich der Hauptleidtragenden der Wirtschaftskrise. Angesichts der besonders in Preußen schon weit fortgeschrittenen Unterdrückung der KPD konnte ideologisch nicht festgelegten, in erster Linie sozialen Protest bekundenden Wählern ein Wechsel von den Kommunisten zu den Nationalsozialisten als die pragmatische Entscheidung für die effektivere Kraft erscheinen. Und ein »Argument« war gewiß der Einfluß, den die SA bereits in vielen Betrieben bei der Vergabe von Arbeitsplätzen hatte.

An der Taktik gegenüber den Kommunisten und an deren Wahlergebnis hatte sich gezeigt, wie groß Hitlers Vorsicht und seine Rücksichtnahme gegenüber den konservativen Partnern in den ersten Wochen seiner Kanzlerschaft tatsächlich noch war: Bei einem vollständigen Verbot der KPD vor der Wahl hätte die NSDAP wahrscheinlich die absolute Mehrheit erzielt, mithin die DNVP nicht mehr benötigt. Die »Verschränkung«[19] der NS-Bewegung mit den etablierten politischen Herrschaftsgruppen mußte aber bis auf weiteres demonstriert werden, gerade um den Wahlerfolg ohne Irritation von Wirtschaft und Militär auch in entsprechenden staatlichen und gesellschaftlichen Einfluß umsetzen zu können. Der Weg zur Monopolisierung der politischen Macht war länger als die nur noch auf ein paar Monate begrenzte Existenz der Parteien.

[18] Broszat, Staat Hitlers, S. 106.
[19] Hans Mommsen, Zur Verschränkung traditioneller und faschistischer Führungsgruppen in Deutschland beim Übergang von der Bewegungs- zur Systemphase. In: Wolfgang Schieder (Hrsg.), Faschismus als soziale Bewegung. Deutschland und Italien im Vergleich. Hamburg 1976, S. 157–181.

Kaum anders als die nationalsozialistische Presse, die das Wahlergebnis triumphierend-drohend feierte, gab Hitler sich in der ersten Ministerbesprechung zwei Tage nach der Entscheidung. »Die Ereignisse des 5. März betrachte er als Revolution. Am Ende werde es in Deutschland keinen Marxismus mehr geben«, bemerkte der Kanzler fürs Protokoll. Eher pflichtschuldig bestritt er, »daß viele Kommunisten zu den Nationalsozialisten herübergewechselt seien«. Sein Interesse galt nicht der Wahldiagnose, sondern den zu ziehenden Konsequenzen: »Nunmehr müsse eine großzügige Propaganda- und Aufklärungsarbeit einsetzen, damit keine politische Lethargie aufkomme.« Und: »Notwendig sei eine kühne Inangriffnahme des Reich-Länder-Problems.«[20] Ersteres kündigte die Einrichtung eines Reichsministeriums für Volksaufklärung und Propaganda an, das zweite bezog sich auf die Gleichschaltung der nicht nationalsozialistisch regierten Länder. Sie hatte bereits begonnen.

In Hamburg waren die Dinge schon am Wahltag in Bewegung gekommen, als nationalsozialistische Polizeibeamte auf öffentlichen Gebäuden die ersten Hakenkreuzfahnen hißten. Das nun sich ergebende Wechselspiel zwischen NS-Gauleitung und Reichsinnenministerium wurde zum Charakteristikum des überall ähnlich verlaufenden Gleichschaltungsprozesses[21]. Gezielt ließen die örtlichen Parteiführer ihre SA durch Aufmärsche, Behördenbesetzungen und Drohungen den »Unwillen der Bevölkerung« angesichts »unhaltbarer politischer Verhältnisse« demonstrieren. Damit schufen sie für den nationalsozialistischen Reichsinnenminister die Gelegenheit zum Eingreifen. Unter Berufung auf die Reichstagsbrandverordnung verfügte Frick, meist telegrafisch, die Einsetzung sogenannter Polizeikommissare; in der Freien Hansestadt, wo der bürgerlich-sozialdemokratische Koalitionssenat über dem von der Reichsregierung verlangten

---

[20] Akten der Regierung Hitler I/1, S. 159 f.
[21] Das Folgende nach Broszat, Staat Hitlers, S. 130–140.

Verbot einer SPD-Zeitung gerade zerbröckelt war, noch am Abend des 5. März.

Der nächste Tag brachte Ähnliches in Lübeck, Bremen und Hessen. In Baden, Württemberg, Sachsen und Schaumburg-Lippe (dort war tags zuvor die Regierung zurückgetreten) übernahmen am 8. März Reichskommissare die Kontrolle über die Polizei. Am 9. März schließlich ernannte Frick einen mit allgemeiner Reichsvollmacht ausgestatteten Kommissar für Bayern, den ehemaligen Freikorps-Führer Franz Xaver Ritter von Epp. Der Machtwechsel in München geriet nicht zuletzt deswegen am zähesten, weil die geschäftsführende BVP-Regierung schon seit Wochen Rückenstärkung durch den Reichspräsidenten suchte. Gleichzeitig hatte es Separatismus-Gerüchte gegeben und die Drohung, ein Reichskommissar werde bei Überschreiten der Mainlinie verhaftet. Wenn nichts dergleichen geschah, so zum einen deshalb, weil sich Katholisch-Konservative, Monarchisten, Separatisten, Föderalisten, Antiklerikale und weiß-blaue Etatisten zur gemeinsamen Sache, vielleicht gar mit den bayerischen Sozialdemokraten, als unfähig erwiesen; zum anderen aber auch, weil der Gegner nicht von außen kam, aus Preußen, sondern selbst in der »Hauptstadt der Bewegung« saß.

Die Vorgänge in Bayern und anderswo offenbaren erneut den Unterschied zwischen den traditionellen Parteien mit ihrer in vieler Hinsicht starr gewordenen Führungsklasse und den dynamischen Kräften der Hitler-Bewegung. Den radikalen Aktionsformen der Nationalsozialisten waren die »Systempolitiker«, trotz persönlicher Courage im Einzelfall, einfach nicht gewachsen. Das galt auch für den bayerischen Ministerpräsidenten Held, der sich noch am 8. März von Hindenburg versichern ließ, einen Reichskommissar in Bayern werde es nicht geben – zu einem Zeitpunkt, als die Braunhemden längst das Erscheinungsbild der Landeshauptstadt beherrschten. Immerhin widersetzte sich Held auch jetzt noch dem Verlangen der Münchner Parteigrößen Adolf Wagner, Ernst Röhm und Heinrich Himmler, die ultimativ Epps Ernennung zum Generalstaatskommissar forderten und mit einem SA-Aufstand drohten. Als aber am nächsten Abend eine entsprechende Weisung des Reichsinnenministers eintraf, gab die Staatsregierung nach. Dazu beigetragen hatte die (nach Lage der Dinge zu erwartende) Ablehnung des Reichswehrministeriums, der bereits mobilisierten bayerischen Landespolizei gegebenenfalls Unterstützung gegen die SA zu gewähren. Reichskommissar Epp ernannte Röhm und Hermann Esser zu Staatskommissaren zur besonderen Verwendung, Wagner zu seinem »Beauftragten« im Innenministerium und den SS-Reichsführer Himmler zum kommissarischen Leiter der Polizeidirektion München. Am 16. März trat das Kabinett Held als letzte der gleichgeschalteten Landesregierungen formell zurück. Es wurde durch ein fast rein nationalsozialistisches Ministerium ersetzt[22].

Der Umbildung der Landesregierungen folgte Ende März die der Landesparlamente. Ein ›Vorläufiges Gesetz zur Gleichschaltung der Länder‹ verfügte die Anpassung der Mandatsverteilung in den Landtagen an die Ergebnisse der Reichstagswahl (außer in Preußen, wo gleichzeitig eine Neuwahl zum Landtag stattgefunden hatte). Da die Sitze der Kommunisten nicht berücksichtigt werden durften, fiel der Regierungskoalition oder der NSDAP alleine überall die Mehrheit zu. Aber von nun an waren die Landtage ohnehin politisch bedeutungslos, denn das Gleichschaltungsgesetz ermächtigte die Landesregierungen, ohne Beteiligung des Parlaments Gesetze selbst verfassungsändernder Natur zu erlassen.

Eine Woche später setzte ein ›Zweites Gesetz zur Gleichschaltung der Länder‹ den machtpolitisch gerade gestärkten Landesregierungen die neue Institution der Reichsstatthalter vor. Das war nicht der Auftakt zu der in Weimar lange diskutierten Reichsreform, die auch das NS-Regime nicht verwirklichen sollte, sondern faktisch der Schlußstrich unter die Souveränität der Länder. Vom Reichspräsidenten auf Vorschlag des Kanzlers berufen, sollten die elf Reichsstatthalter die »Beobachtung der vom Reichskanzler aufgestellten Richtlinien der Politik« garantieren. Eine

[22] Einzelheiten bei Falk Wiesemann, Die Vorgeschichte der nationalsozialistischen Machtergreifung in Bayern 1932/33. München 1975; Ortwin Domröse, Der NS-Staat in Bayern von der Machtergreifung bis zum Röhm-Putsch. München 1974; Jochen Klenner, Verhältnis von Partei und Staat 1933–1945. Dargestellt am Beispiel Bayerns. München 1974.

Ausnahme bildete Preußen, wo die Funktion des Reichsstatthalters vom Reichskanzler wahrgenommen wurde, der damit die unter Bismarck herrschenden Verfassungsverhältnisse wiederhergestellt zu haben schien. Tatsächlich bootete Hitler auf diese Weise seinen Vizekanzler weiter aus, denn Papen mußte nun das Amt des preußischen Reichskommissars niederlegen. Der Weg für einen preußischen Ministerpräsidenten Göring war dadurch frei.

In den anderen Ländern bestimmte sich die tatsächliche Macht der Reichsstatthalter sehr nach ihrer jeweiligen Stärke als Gauleiter oder SA-Führer. Das zeigte sich gerade am Sonderfall Bayern, wo Hitler keinen der sechs Gauleiter, sondern den innerhalb der NSDAP einflußlosen bisherigen Reichskommissar Epp ernennen ließ. Wie zu erwarten, gelang es dem »Muttergottes-General« nicht, eine wirkliche Machtstellung zu begründen. Aber mit der Wahl Epps hatte Hitler die Heraushebung eines der Gauleiter vermieden – und damit die allzu frühe Entwicklung einer eindeutigen Vormachtstellung, wie sie Adolf Wagner dann erreichte. Das war kein schlechter Schachzug angesichts der Potenz, die die in Bayern konzentrierten »Alten Kämpfer« im Frühjahr 1933 noch darstellten; dort am ehesten hätten gegen Berlin gerichtete, mit dem bisherigen Verlauf der Machtergreifung unzufriedene und stärker revolutionäre Strömungen innerhalb der Partei zusammenfließen können.

Hatte die braune Basis bis zur Wahl vor allem der massenwirksamen Ausstaffierung der Hitler-Auftritte gedient, so war ihr bei der Eroberung der Länder erstmals eine aktive politische Rolle zugefallen. Es war evident: Ohne den Druck der Parteibasis wäre dieser Prozeß kaum innerhalb von nur vier Tagen bis zur durchgehenden Gleichschaltung der Regierungen gediehen. Aus dem Erfolg erwuchsen Forderungen. Von jetzt ab verkörperten nicht mehr allein der durch Verhandlungen hinter den Kulissen zum Zug gekommene Reichskanzler und ein paar Minister die staatliche Machtstellung der NSDAP. Nun beanspruchten auch nationalsozialistische Reichskommissare, Ministerpräsidenten, Gauleiter und SA-Führer direkten politischen Einfluß. Das bewirkte einen ersten großen Schub in der nationalsozialistischen

Durchdringung des staatlichen Bereichs bis hinab auf die Gemeindeebene.

Zum Symbol dieser »Parteirevolution von unten«[23] wurden die Sonderkommissare und Sonderbeauftragten der SA und die nun auch außerhalb Preußens aufgestellten SA- und SS-Hilfspolizeitruppen. In Bayern gelang es SA-Chef Röhm in seiner Eigenschaft als Staatskommissar z. b. V., die gesamte innere Verwaltung mit SA-Kommissaren zu durchsetzen. Rabiate Gauleiter brüsteten sich damit, eine »morsche« Bürokratie für die politischen Wünsche der Partei gefügig zu machen. Die Ziele des Terrors von unten lagen nicht mehr allein im »marxistischen« Milieu, wo Arbeiterfunktionäre verhaftet und mißhandelt wurden und Parteibüros, Zeitungsverlage, Konsumgenossenschaften und Gewerkschaftshäuser hemmungsloser Verwüstung zum Opfer fielen. In Städten und Gemeinden begann die »Abrechnung« auch mit bürgerlichen Einzelgegnern und jüdischen Geschäftsleuten. Orientiert am Geschehen auf Landesebene, beanspruchten Kreis- und Ortsgruppenleiter der NSDAP die lokale politische Führung, und bei der »Säuberung« der Kommunalverwaltungen übernahmen SA-Führer häufig die Kontrolle über die Ortspolizeien. Unliebsame Beamte wurden abgesetzt. Die »Bewegung« kontrollierte die Straße und zunehmend den öffentlichen Raum. Aber ihre Macht leitete sich aus dem angerichteten Chaos her und aus der allgemeinen Einschüchterung, nicht aus einer besonderen Planmäßigkeit des Vorgehens. Vieles war weniger von Kalkül bestimmt als von der wilden Entschlossenheit zahlloser »Unterführer«, ihren Teil zur »nationalen Erhebung« beizutragen – und davon auch persönlich zu profitieren.

Die Machtergreifung von unten war nicht Teil einer klassischen Revolution. So gab es, allen Verhaftungen, Folterungen und politischen Morden zum Trotz, auch keine Nacht der langen Messer. Das festzustellen, nimmt den Ereignissen nichts von ihrer Brutalität: Allein in Berlin hielten SA-Trupps in 50 sogenannten Bunkern politische Opfer fest. Im Vergleich zu diesen namenlosen Gefangenen konnten sich die etwa 25 000 »Schutz-

[23] Broszat, Staat Hitlers, S. 108.

häftlinge«, die im März und April 1933 in preußischen Gefängnissen einsaßen, beinahe in Sicherheit fühlen. Die Situation war gekennzeichnet durch ein Nebeneinander von offen terroristischer Gewalt und pervertierter, in manchen Bereichen aber auch unverändert funktionierender rechtsstaatlicher Ordnung. Im teilweise außer Kraft gesetzten »Normenstaat« wurden die Anfänge des »Maßnahmenstaats« (Fraenkel) erkennbar.

So wenig die Weimarer Verfassung jemals aufgehoben wurde, so wenig mochte man auf die formale Legalität der illegalen Aktionen verzichten. Sogar die Einrichtung der Konzentrationslager stützte sich »rechtlich« auf die Verordnung ›Zum Schutz von Volk und Staat‹, und die Eröffnung des ersten offiziellen Lagers unter der Regie der SS in einer ehemaligen Munitionsfabrik am Stadtrand von Dachau gab der Münchner Polizeipräsident Himmler am 20. März 1933 in einer Pressekonferenz bekannt[24].

Der »Doppelstaat« aus Maßnahmen und Normen war Ausdruck faschistischer Herrschaft, kein spezifischer Trick zu ihrer Verschleierung. Im Hinblick auf die Mehrheitsmeinung in der Bevölkerung hätte dazu im Frühjahr 1933 auch wenig Anlaß bestanden, und selbst die Deutschnationalen in der Regierung neigten weiterhin dazu, aufkommende eigene Bedenken zu verjagen mit der Redensart, daß Späne fallen, wo gehobelt wird. Hatte nicht Hitler von seinen Männern schon am 12. März im Rundfunk »strengste und blindeste Disziplin« verlangt und vor »Störungen unserer Verwaltung oder des geschäftlichen Lebens« gewarnt?[25] War nicht damit zu rechnen, daß die »Exzesse« gegen das bürgerliche Lager verschwänden, daß Ruhe und Ordnung einkehrten, wenn die so sehr gewünschte Abrechnung mit dem »Marxismus« erst einmal vollzogen und die Arbeiterbewegung diszipliniert sein würde?

Der »Tag von Potsdam« nährte solche Erwartungen. Unter Goebbels' meisterhafter Regie geriet die Konstituierung des neu-

---

[24] Vgl. Sybille Steinbacher, Dachau – die Stadt und das Konzentrationslager in der NS-Zeit. Die Untersuchung einer Nachbarschaft. München 1993, S. 85.
[25] Akten der Regierung Hitler I/1, S. 208, Anm. 9.

en Reichstags in der Potsdamer Garnisonskirche am 21. März 1933 zur Begegnung des »alten« mit dem »neuen Deutschland«. Millionenfach reproduzierten die Massenmedien, was in dem gemeinsamen Auftritt des greisen Nationalsymbols Hindenburg und des jugendlichen »Volkskanzlers« Hitler am Grabe Friedrichs des Großen verkörpert schien: die »nationale Wiedererhebung«, die »Einswerdung« von Preußentum und Nationalsozialismus, die Verschmelzung von politischer Tradition und »revolutionärer« Dynamik. Das war keine »Rührkomödie«[26], wie ein ernüchtertes Bürgertum sich später gerne erklären ließ, sondern nach der Wahl vom 5. März ein weiteres jener plebiszitären Stimulantien, deren das NS-Regime in kurzen Abständen bedurfte. Die Fehleinschätzung der Wirkung politischer Symbolik führte viele zeitgenössische Gegner Hitlers dazu, den tatsächlichen Rückhalt zu verkennen, den die nationalsozialistische Herrschaft bereits genoß.

Die suggestive Wirkung der Nationalfeierlichkeiten war noch längst nicht verklungen, als der Reichstag zwei Tage später in der Kroll-Oper erneut zusammentrat. Im Schatten der Garnisonskirche erlebte die deutsche Parlamentsgeschichte ihren schwärzesten Tag. Mit der Verabschiedung des sogenannten Ermächtigungsgesetzes wurde erreicht, was sich Hitler und seine Koalitionspartner im Januar gegenseitig versprochen hatten: den Parlamentarismus auf Dauer auszuschalten.

Weil aber auch dieses verfassungswidrige Vorhaben auf halbwegs legal erscheinendem Wege erreicht werden sollte, war eine verfassungsändernde »doppelte Zweidrittel-Mehrheit« erforderlich: Zwei Drittel der 647 Reichstagsmitglieder mußten anwesend sein, und zwei Drittel der Anwesenden mußten mit Ja stimmen. NSDAP und »Kampffront Schwarz-Weiß-Rot« hatten am 5. März zusammen 340 Sitze errungen, blieben also selbst dann noch unter der erforderlichen Stimmenzahl, wenn man die 81 Mandate der verhafteten oder untergetauchten KPD-Abgeordneten von der Gesamtzahl der Gewählten einfach abzog. Unter der

---

[26] Friedrich Meinecke, Die deutsche Katastrophe. Betrachtungen und Erinnerungen. Wiesbaden 1946, S. 25.

Annahme, daß die SPD das ›Gesetz zur Behebung der Not von Volk und Reich‹ ablehnen würde, schien es deshalb auf die Unterstützung wenigstens eines Teils von Zentrum/BVP anzukommen. Denkbar war aber auch, daß die Sozialdemokraten der Reichstagssitzung fernblieben. Für diesen Fall wäre zwar nicht die Zustimmung, wohl aber die Anwesenheit der Katholisch-Konservativen notwendig gewesen, um eine Beschlußunfähigkeit zu vermeiden. Durch einen Trick ging die NS-Führung in der etwas unklaren Situation[27] jedem Risiko einer Niederlage aus dem Weg: Unmittelbar vor der entscheidenden Abstimmung wurde mit Billigung des Zentrums eine Änderung der Geschäftsordnung in Kraft gesetzt, derzufolge es im Ermessen des Reichstagspräsidenten (Göring) lag, die »Anwesenheit« unentschuldigt fehlender Abgeordneter festzustellen. Damit ließ sich die Zahl der anwesenden Mandatsträger nach Bedarf bestimmen, und rein machtpolitisch waren jetzt nicht einmal mehr die Stimmen des Zentrums erforderlich. Dessen Geneigtheit hatte Hitler allerdings schon durch eine Reihe kultur- und kirchenpolitischer Versprechungen besorgt, die dann im Sommer im Abschluß des Reichskonkordats mündeten. Außerdem hatte sich der Kanzler im Gespräch mit Prälat Kaas und zwei weiteren Zentrumspolitikern einverstanden erklärt, ein »kleines Gremium« zu bilden, das fortlaufend über die Maßnahmen der Reichsregierung auf Grund des Ermächtigungsgesetzes unterrichtet werde; vier Tage später machte Hitler im Kabinett unmißverständlich klar, daß der Ausschuß nur zusammentreten werde, »wenn es der Reichsregierung zweckmäßig erscheine«[28].

Zu diesem Zeitpunkt war das Ermächtigungsgesetz freilich schon verabschiedet, hatte das Parlament der Regierung die Gesetzgebungskompetenz und selbst das Recht zur Verfassungsän-

[27] Dazu ausführlich Karl Dietrich Bracher, Stufen der Machtergreifung. Frankfurt am Main 1979, S. 218–236; die verbreitete Annahme, die Zustimmung des Zentrums sei erforderlich gewesen, übersieht die vorangegangene Änderung der Geschäftsordnung; davon unabhängig falsch ist die Behauptung Thamers (Verführung und Gewalt, S. 274), die SPD hätte das Ermächtigungsgesetz durch Abwesenheit scheitern lassen können.
[28] Akten der Regierung Hitler I/1, S. 239 bzw. 252.

derung erteilt. Auf vier Jahre, bis zum 1. April 1937, sollte die Selbstentmachtung gelten.

Ein Gemisch aus resignativen Stimmungen, »nationalem Pflichtgefühl«, illusionären Hoffnungen auf spätere Anerkennung der Anpassungs- und Kooperationsbereitschaft sowie taktischen Erwägungen zur Rettung der jeweils eigenen Organisation hatte alle bürgerlichen Oppositionsparteien zur Zustimmung bewogen. Beim Zentrum und bei der Deutschen Staatspartei waren fraktionsinterne Meinungsverschiedenheiten vorangegangen, aber am Ende stimmten außer den Sozialdemokraten alle Anwesenden mit Ja. Der SPD-Vorsitzende Otto Wels begründete das Nein seiner – durch Verhaftungen und Untertauchen bereits um 26 Abgeordnete verminderten – Fraktion in der letzten von demokratischem Geist getragenen Rede, die in dem mit Hakenkreuz geschmückten und mit SA-Männern aufgefüllten Theater gehalten wurde. Noch niemals sei ein Reichstag in solchem Maße von der Kontrolle der öffentlichen Angelegenheiten ausgeschaltet worden, wie es bereits der Fall sei und wie es durch das Ermächtigungsgesetz noch mehr geschehen solle. »Wir Sozialdemokraten wissen, daß man machtpolitische Tatsachen durch bloße Rechtsverwahrungen nicht beseitigen kann. Wir sehen die machtpolitische Tatsache Ihrer augenblicklichen Herrschaft. Aber auch das Rechtsbewußtsein des Volkes ist eine politische Macht, und wir werden nicht aufhören, an dieses Rechtsbewußtsein zu appellieren.« Wels schloß mit einem verhaltenen Gruß an die »Verfolgten und Bedrängten«. Unüberhörbar sprach daraus die Erkenntnis, daß die Arbeiterbewegung den Zeitpunkt für einen offenen Kampf gegen das Regime versäumt hatte. Hitlers Replik kostete das aus: »... ich will auch gar nicht, daß Sie dafür stimmen! Deutschland soll frei werden, aber nicht durch Sie!«[29]

Verglichen mit der Reichstagsbrandverordnung war das Ermächtigungsgesetz im eigentlichen Prozeß der nationalsozialistischen Machtdurchsetzung bereits von geringerer Bedeutung. Jedoch brachte es die politische (Selbst-)Ausbootung der Parteien

[29] Zitiert nach Verhandlungen des Reichstags, Stenographische Berichte der 2. Sitzung vom 23. 3. 1933, S. 33 f. bzw. 37.

zu einem vorläufigen Abschluß, und vor der Nation wie vor der Weltöffentlichkeit unterstrich der Gesetzgebungsakt noch einmal den »Legalitätskurs« der neuen Herren. »Die Annahme des Ermächtigungsgesetzes auch durch das Zentrum«, hatte Hitler dem Kabinett schon im Vorfeld prophezeit, werde »eine Prestigestärkung gegenüber dem Auslande bedeuten«[30].

Im Kontrast zur Situation in Deutschland, wo die Zahl der »Märzgefallenen« in die Hunderttausende ging und sich die NSDAP Anfang Mai mit einer Mitgliedersperre des unkontrollierten Zustroms der Hitler-Begeisterten und Opportunisten zu erwehren suchte[31], gab es mit der öffentlichen Meinung des Auslands in der Tat Probleme. Besonders die amerikanische Presse, in Berlin mit einem sehr aktiven Korrespondentenkorps vertreten, hatte über die »revolutionären« Ereignisse in Deutschland extensiv und folglich wenig schmeichelhaft berichtet. Die Verhaftung Tausender politischer Gegner und die zunehmenden Ausschreitungen gegen jüdische Ärzte, Beamte und Geschäftsleute beschrieben die Journalisten, im Kontext der Reichstagsbrandverordnung völlig zutreffend, als Ausdruck eines herrschenden Belagerungszustandes.

Öffentliche Erklärungen sozialistischer und jüdischer Emigranten verschlechterten das Image der Hitler-Regierung weiter. Ende März telegrafierte der deutsche Generalkonsul in New York nach Berlin, im Madison Square Garden sei eine »Massenversammlung gegen die angeblichen deutschen Greuel« geplant[32]. Während Außenminister Neurath nicht ohne Erfolg versuchte, den katholischen Klerus der USA von einer Teilnahme an den auch in anderen Städten angesetzten Protestkundgebungen abzuhalten, übernahm es Göring, die Auslandspresse über die wahren »Zustände in Deutschland« zu informieren: Es gebe »nicht einen Menschen, dem ein Fingernagel abgehackt oder ein Ohrläppchen abgezwickt worden sei, und das Augenlicht hätten alle behalten. Die Zahl der Toten sei täglich nicht höher gewesen als die der

[30] Akten der Regierung Hitler I/1, S. 239.
[31] Vgl. Übersicht 1, S. 323.
[32] Akten der Regierung Hitler I/1, S. 251.

politischen Zwischenfälle der vergangenen Jahre.« Zwar seien vereinzelt Juden festgenommen und geschlagen worden, aber es sei auch »eine ganze Reihe Angehöriger nationaler Verbände, die sich Übergriffe hätten zuschulden kommen lassen, bestraft und entlassen worden«. Letzteres war natürlich nichts als Propaganda, und eine glatte Lüge war Görings Versicherung, »die Regierung und ich selber dulden niemals, daß jemand einer Verfolgung ausgesetzt ist, nur deshalb, weil er Jude ist«. Im selben Atemzug kündigte der preußische Ministerpräsident »Maßnahmen gegen eine Überwucherung des jüdischen Elements« an und erinnerte daran, »daß im Volke eine starke antisemitische Stimmung vorhanden ist. Aber wenn trotzdem die Geschäfte offen sind, dann ist das ein Beweis für die eiserne Disziplin, von der die nationale Erhebung begleitet war.«[33]

Goebbels und Hitler teilten diese Logik. In ähnlicher Verdrehung von Ursachen und Wirkung begründete der Kanzler ein paar Tage später in der Ministerrunde die Notwendigkeit von »Abwehrmaßnahmen« gegen das negative Auslandsecho, mit deren Vorbereitung ein eigens eingerichtetes NSDAP-»Zentralkomitee zur Abwehr der jüdischen Greuel- und Boykotthetze« unter der Leitung des Nürnberger Gauleiters und ›Stürmer‹-Herausgebers Julius Streicher bereits begonnen hatte. Ungeachtet einer Loyalitätsbekundung der jüdischen Gemeinde von Berlin und der Reichsvertretung der Juden in Deutschland gab die NS-Führung am 31. März das Startsignal für den Boykott. Am nächsten Morgen zogen vor jüdischen Geschäften, Arzt- und Anwaltspraxen SA- und SS-Posten auf. Nach den Vorstellungen der Organisatoren sollte die Aktion »bis in das kleinste Bauerndorf hinein vorgetragen werden, um besonders auf dem flachen Lande die jüdischen Händler zu treffen«[34].

Die Kampagne wurde in doppelter Hinsicht zum Fehlschlag: Weder ließ sich die unabhängige ausländische Presse dadurch das Wort verbieten, noch identifizierte sich die schweigende Mehr-

---

[33] Zitiert nach Schulthess' Europäischer Geschichtskalender. Neue Folge 49 (1933), S. 77 f.
[34] Akten der Regierung Hitler I/1, S. 271, Anm. 3.

heit der Deutschen damit. Natürlich berichteten die amerikanischen Zeitungen auch über die neuen Diskriminierungen ausführlich, und die deutschen Hausfrauen erledigten ihre Einkäufe in den jüdischen Warenhäusern und Textilgeschäften im Zweifelsfall noch vor Boykottbeginn. Beides war abzusehen gewesen, und so bleibt die Frage nach den tieferen Gründen der Aktion. Den entscheidenden Hinweis lieferte einer ihrer Hauptorganisatoren, Joseph Goebbels, in seiner Rundfunkrede am Abend des 1. April. Darin rechtfertigte der frischgebackene Propagandaminister die zentral vorbereitete Aktion mit dem Hinweis, andernfalls sei mit einem Ausbruch unkontrollierter »Volkswut« zu rechnen gewesen. Das war schwer überbietbarer Zynismus – mit einem Körnchen Wahrheit.

Denn tatsächlich entsprach Hitler mit der Entscheidung für die Aktion genuinen Bedürfnissen im Partei-»Volk«: Das alte radikal-antisemitische Lager, verkörpert durch Streicher als Leiter des Boykott-Komitees, sollte befriedigt, dem »revolutionären« Aktivitätsdrang der SA ein Betätigungsfeld gegeben, und zugleich etwas für die traditionelle Parteiklientel im NS-Kampfbund für den gewerblichen Mittelstand getan werden, deren ökonomische Ressentiments sich vor allem gegen die jüdische Warenhaus-Konkurrenz richteten. Dem Bedürfnis durchaus heterogener Kräfte innerhalb der NS-Bewegung, Macht und Gewalt auszukosten, wurde in den ersten Apriltagen 1933 gezielt Raum gewährt. Zugleich jedoch wurde damit der zentrale Lenkungsanspruch einer Parteiführung untermauert, die nun Staatsautorität beanspruchen konnte, aber auch auszufüllen hatte.

Eine solche Doppelfunktion kam in ähnlicher Weise dem wenige Tage später erlassenen ›Gesetz zur Wiederherstellung des Berufsbeamtentums‹[35] zu, das die »rechtliche« Handhabe für die Säuberung der Verwaltung von politisch »unzuverlässigen Elementen« lieferte. Ein »Arierparagraph« ermöglichte gezielt die Entlassung jüdischer Beamter und Mitarbeiter im öffentlichen Dienst. Handhabung und zeitliche Befristung des Gesetzes zei-

---

[35] Dazu Hans Mommsen, Beamtentum im Dritten Reich. Mit ausgewählten Quellen zur nationalsozialistischen Beamtenpolitik. Stuttgart 1966.

gen, daß es in erster Linie »praktische« Zwecke erfüllen sollte. Konkret ging es um die Ausschaltung zahlenmäßig relativ kleiner Beamtengruppen, mit der eine schon von der Regierung Papen eingeleitete Zurückdrängung der in der Weimarer Republik begonnenen vorsichtigen »Republikanisierung« der Beamtenschaft fortgesetzt wurde. Die Loyalität der Beamtenmehrheit gegenüber dem »neuen Staat« sollte jedoch nicht herausgefordert werden. Indem das Gesetz und seine späteren Durchführungsverordnungen die Säuberung bei aller Härte in ordnungsstaatliche Bahnen lenkte, Kriterien für die Behandlung jüdischer Frontkämpfer entwickelte (sie wurden auf Intervention Hindenburgs nicht in den Ruhestand versetzt) und Pensionsansprüche regelte, begrenzte es faktisch auch den Einfluß der Partei- und SA-Basis, die durch die Ausschreitungen der letzten Tage und Wochen große Unsicherheit und zum Teil chaotische Verhältnisse herbeigeführt hatte.

Über den aktuellen, politisch-taktischen Anlaß hinaus brachten das Berufsbeamtengesetz und der Aprilboykott erstmals seit der Machtübernahme klare Elemente des spezifisch nationalsozialistischen Rassenantisemitismus zur Geltung. Auch danach ging die »Einengung des jüdischen Lebensbereiches«[36] weiter, doch erst die »Nürnberger Gesetze« vom September 1935 verwirklichten eine der NS-Rassenideologie entsprechende staatsrechtliche Diskriminierung der deutschen Juden. Wie schon in der Aufstiegsphase der NSDAP zur Massenpartei seit 1929/30, stand der Rassenantisemitismus auch in den Anfangsjahren des Dritten Reiches nicht im Vordergrund von Politik und Propaganda. Steigender Popularität erfreute sich das Regime nicht wegen, sondern eher trotz der judenfeindlichen Elemente seiner Politik, der es kaum gelang, den weitverbreiteten »traditionellen« Volks-Antisemitismus zu verschärfen. Gleichwohl wurden die ersten Maßnahmen gegen die Juden – wie jene gegen die »Marxisten« – als Zeichen entschlossenen »Aufräumens« weithin begrüßt. Sie bewirkten sowohl ein Fortschreiten der politisch-moralischen Abstumpfung wie der auf Einschüchterung beruhenden gesellschaftlichen Formierung.

[36] Uwe Dietrich Adam, Judenpolitik im Dritten Reich. Düsseldorf 1972.

Aber nur selten in seiner zwölfjährigen Geschichte herrschte das Regime allein mit Druck und Terror. Ideologie und Propaganda vermochten Durststrecken zu überbrücken, Ersatz für greifbare politische Erfolge (oder was dafür ausgegeben werden konnte) waren sie nicht. Wenige wußten das so gut wie Hitler.

Ausschaltung der Arbeiterbewegung und Arrangement mit der Wirtschaft

Das Ende der ökonomischen Talfahrt war für Fachleute um die Jahreswende 1932/33 erkennbar geworden. Als der Trendwende dann der politische Wechsel folgte, beeilte sich der Deutsche Industrie- und Handelstag (DHI), den neuen Kanzler darüber aufzuklären, nun sei die »*Vertrauensfrage* von höchster Bedeutung«. Alles komme darauf an, so die Denkschrift vom 1. Februar, »daß unter einer starken Regierung neben einer Staatspolitik der Überbrückung der Parteigegensätze und der Heranholung aller aufbauwilligen Kräfte ein zielklares wirtschaftspolitisches Programm verfolgt wird, das den Lebensbedürfnissen der privaten Wirtschaft entspricht«[37]. Doch Hitler dachte gar nicht daran, sich von den Experten zeitlich oder programmatisch unter Druck setzen zu lassen. In den Wochen bis zur Märzwahl geschah wirtschaftspolitisch wenig, und zwar mit Bedacht. Wohl konnte »Wirtschaftsdiktator« Hugenberg einiges zu Gunsten der Landwirtschaft unternehmen; als aber der Reichsfinanzminister ankündigte, die Einführung einer (gerade in NS-Kreisen als antijüdische Maßnahme populären) Warenhaussteuer prüfen zu lassen, pfiff Hitler ihn zurück. Während des Wahlkampfs seien »alle genaueren Angaben über ein Wirtschaftsprogramm zu vermeiden«. Des Kanzlers Begründung laut Kabinettsprotokoll: »Die Reichsregierung müsse 18–19 Millionen Wählerstimmen hinter sich bringen. Ein Wirtschaftsprogramm, das die Zustimmung einer derartig großen Wählermasse finden könne, gebe es auf der ganzen Welt nicht.«[38]

[37] Akten der Regierung Hitler I/1, S. 17 ff.; Hervorhebung im Original.
[38] Ebenda, S. 55.

Hitlers wirtschaftspolitische Zurückhaltung gründete freilich nicht allein in Taktik. Auch eine gewisse Ratlosigkeit kam darin zum Vorschein, vor allem aber die Priorität der Politik: Dem Machtausbau im staatlichen Bereich hatte sich alles andere unterzuordnen. Selbst gegenüber der Großwirtschaft, zu der seit Beginn der dreißiger Jahre enger werdende Kontakte bestanden, machte Hitler daraus keinen Hehl. Eine »ruhige Zukunft«, Aufrüstung und für die »nächsten zehn, ja vielleicht hundert Jahre« keine Wahlen mehr, versprach Hitler, sekundiert von Göring und im Beisein von Reichsbankpräsident Schacht, am 20. Februar 1933 vor einem illustren Kreis von Spitzenmanagern der Industrie (IG Farben, Krupp, Vereinigte Stahlwerke, AEG, Siemens, Opel und andere). Offensichtlich genügte das als wirtschaftspolitisches »Konzept«, denn am Ende des geheimen Treffens war der Wahlkampffonds der NSDAP um mindestens drei Millionen Reichsmark größer[39].

Die Massenarbeitslosigkeit spielte zwar in der nationalsozialistischen Wahlpropaganda eine gewisse Rolle, tatsächlich aber blieb die Koalitionsregierung in der Beschäftigungspolitik monatelang untätig. Nicht einmal mit dem freiwilligen Arbeitsdienst, dessen »Entfaltung« der Industrie- und Handelstag »aus staatssittlichen, sozialen wie wirtschaftlichen Gründen« empfohlen hatte[40], ging es voran. Lediglich das noch vom Kabinett Schleicher beschlossene Ausgabenpaket in Höhe von 600 Millionen Mark wurde durchgeführt (nicht ohne störende Intervention Hitlers, der forderte, die öffentlichen Investitionen müßten in erster Linie der Reichswehr zugute kommen, deren Beschaffungsplanung aber kurzfristig gar nicht entsprechend zu erweitern war). Die Tatsache, daß die Arbeitslosenzahlen nun ohnehin deutlich fielen – im ersten Jahr der Hitler-Regierung von 6 auf 3,7 Millionen –, ließ weitere staatliche Initiativen zur Arbeits-

[39] Vgl. Karl Dietrich Bracher, Stufen der Machtergreifung. Frankfurt am Main 1979, S. 112–115; Dirk Stegmann, Zum Verhältnis von Großindustrie und Nationalsozialismus 1930–1933. Ein Beitrag zur Geschichte der sog. Machtergreifung. In: Archiv für Sozialgeschichte 13 (1973), S. 399–482, hier 440 und 477–480.
[40] Akten der Regierung Hitler I/1, S. 17 ff.

beschaffung allerdings auch weniger dringlich erscheinen. Vorrang hatte die politische Formierung, die jedoch wirtschaftliche Impulse auslösen konnte; so etwa, wenn gelänge, was die DHI-Denkschrift vornehm als »Auflockerung des Tarifvertragswesens« charakterisierte. Im Kern war das die Forderung nach einer effektiven Zurückdrängung der Macht der Arbeitnehmerseite, die seit Jahren auf dem wirtschaftspolitischen Wunschzettel der Industrie stand. Unter Hitler wurde daraus der vernichtende Schlag gegen die Gewerkschaften.

Bei aller Aggressivität, mit der die Nationalsozialisten seit den Märzwahlen die Sozialdemokratie und die politisch mit ihr verbundenen Freien Gewerkschaften verfolgten, glaubten zunächst nur Pessimisten, das Ziel könne die völlige Zerstörung der deutschen Gewerkschaftsbewegung sein. Allein schon die Existenz einer eigenen quasi-gewerkschaftlichen Gliederung, der Nationalsozialistischen Betriebszellenorganisation (NSBO), schien dem entgegenzustehen. Auch die Tatsache, daß der linke Flügel der NSDAP bis zum Rückzug Gregor Straßers im Dezember 1932 ernsthaft an Verhandlungen über die von Schleicher angestrebte Regierung einer »Gewerkschaftsachse« teilgenommen hatte, konnte Hoffnungen nähren, der nationalsozialistische Kampf gegen den »Marxismus« werde sich nicht in voller Härte gegen die organisierte Arbeiterschaft richten.

Falls die NS-Führung noch nach der Machtübernahme erwogen haben sollte, einem entpolitisierten Allgemeinen Deutschen Gewerkschaftsbund (ADGB) ein Existenzrecht einzuräumen, so kam die Wende mit dem für sie enttäuschenden Ergebnis der Betriebsrätewahlen im März 1933. Zwar holte die NSBO, die im Vergleich zu den Freien Gewerkschaften bisher nur eine Randposition eingenommen hatte, kräftig auf, aber ein Durchschnitt von rund einem Viertel der Mandate ließ sich nicht als Siegeszug interpretieren. Nach wie vor machte die Hitler-Begeisterung vor den Betriebstoren Halt. Das Regime reagierte mit einem eilig verabschiedeten Betriebsvertretungsgesetz, das die Arbeitgeber autorisierte, Mitarbeiter ohne weiteres zu entlassen, wenn auch nur der Verdacht einer »staatsfeindlichen Betätigung« vorlag; alle noch anstehenden Betriebsrätewahlen wurden für sechs Monate ausgesetzt. Vorgesehen war außerdem, bei den Landesarbeitsämtern »Reichsbeauftragte« einzusetzen, wodurch die Rechte der Gewerkschaften weiter geschmälert worden wären. Bei der Kabinettsberatung am 31. März wurde der entsprechende Artikel jedoch zurückgestellt – bis zu dem »in Aussicht genommenen Neuaufbau der Gewerkschaften«, wie es hieß[41]. Das klang bereits nach Countdown.

In der Tat produzierte der kraftlose Opportunismus, den der ADGB seit dem Regierungswechsel an den Tag legte, wachsende Entschlossenheit auf Seiten der Nationalsozialisten. In der Hoffnung, ein Bekenntnis zu politischer Neutralität und eine Selbstbeschränkung auf wirtschaftliche und soziale Fragen würden anerkannt, ging der Gewerkschaftsbund unter der Führung des altgedienten Sozialdemokraten Theodor Leipart öffentlich auf Distanz zur SPD. Gegen die »Leben und Eigentum der deutschen Arbeiterschaft« bedrohenden »Terrorakte« von »Anhängern der herrschenden Parteien« erflehte Leipart, vergeblich, den Schutz Hindenburgs (»in dem Vertrauen, daß Sie auch heute Hüter und Bürge der in der Verfassung verankerten Volksrechte sind«)[42]. Die Erosion der politischen Macht der Gewerkschaften, die unter dem Druck der Massenarbeitslosigkeit begonnen hatte, setzte sich, erkennbar für Gegner wie für Anhänger, als Verfall auch des institutionellen Selbstbewußtseins fort. Darin lag ein wesentlicher Grund, warum die ADGB-Spitze auf eine Mobilisierung der vier Millionen Mitglieder verzichtete. Demonstrativ erklärte sich der Gewerkschaftsbund am »Tag von Potsdam« zur Kooperation bereit, »gleichviel welcher Art das Staatsregime ist«[43]. Die gewerkschaftliche Organisation und ihre sozialen Einrichtungen sollten gerettet werden, fast um jeden Preis.

---

[41] Ebenda, S. 280.
[42] Ebenda, S. 188; vgl. insgesamt Heinrich August Winkler, Der Weg in die Katastrophe. Arbeiter und Arbeiterbewegung in der Weimarer Republik 1930 bis 1933. Berlin, Bonn 1987, bes. S. 867–949.
[43] Zitiert nach Gotthard Jasper, Die gescheiterte Zähmung. Wege zur Machtergreifung Hitlers 1930–1934. Frankfurt am Main 1986, S. 166; vgl. Bernd Martin, Die deutschen Gewerkschaften und die nationalsozialistische Machtübernahme. In: GWU 36 (1985), S. 605–631; Manfred Scharrer (Hrsg.),

Aber die Rechnung ging nicht auf. Während der ADGB noch seine »nationale Zuverlässigkeit« zu beweisen suchte, plante ein nationalsozialistisches »Aktionskomitee zum Schutze der deutschen Arbeit« in aller Heimlichkeit den entscheidenden Schlag für »Dienstag, den 2. Mai 1933, 10 Uhr«. Das war aber nur die zweite Hälfte eines sorgfältig inszenierten Coups. Dem Gewaltstreich gegen die Gewerkschaften voraus gingen Streicheleinheiten für die Arbeiterschaft. Kaum je hat Hitler das Prinzip von Zuckerbrot und Peitsche perfekter angewandt.

Was die Republik den Arbeitern versagt hatte, gewährte das neue Regime mit ostentativer Geste: Umstandslos, wie solches nun möglich war, erklärte es den symbolträchtigen 1. Mai zum gesetzlichen Feiertag. Die Vorbereitung der Premiere legte der »Führer«, wie schon beim »Tag von Potsdam«, in die Hände seines kongenialen Propagandaministers; Arbeitsminister Seldte blieb bezeichnenderweise am Rande. Gleichsam über Nacht wurde aus dem internationalen Kampftag der Arbeiterbewegung der »Tag der nationalen Arbeit«, dessen Sinn Goebbels vor Hunderttausenden auf dem Tempelhofer Feld präzis formulierte[44]: »Am heutigen Abend findet sich über Klassen, Stände und konfessionelle Unterschiede hinweg das ganze deutsche Volk zusammen, um endgültig die Ideologie des Klassenkampfes zu zerstören und der neuen Idee der Verbundenheit und der Volksgemeinschaft die Bahn freizulegen.«

Hitlers Hauptrede breitete diesen Gedanken in ungewöhnlich blumig-milder Sprache aus. Vokabeln wie Bruderkampf und Brudermord, Haß, Leid und Zank setzte er Einigung, Insichkehren, Zusammenfinden, Erhebung entgegen. »Das deutsche Volk muß sich wieder gegenseitig kennenlernen! Die Millionen Menschen, die in Berufe zerrissen, in künstlichen Klassen auseinandergehalten sind, die, von Standesdünkel und Klassenwahnsinn befallen, einander nicht mehr verstehen lernten, sie müssen den Weg wie-

Kampflose Kapitulation. Arbeiterbewegung 1933. Reinbek 1984; Klaus Schönhoven, Die deutschen Gewerkschaften. Frankfurt am Main 1987, bes. S. 179–183.
[44] Die folgenden Zitate nach Schulthess' 1933, S. 110–117.

der zueinander finden!« Ausgestattet mit einer Art Unbedenklichkeitsbescheinigung des ADGB, der zur Teilnahme an den reichsweiten Feierlichkeiten aufgerufen hatte, hielt der Kanzler konkrete Erläuterungen über die künftige Arbeitnehmerpolitik für entbehrlich. »Ehret die Arbeit und achtet den Arbeiter!« laute das Motto des Tages, und bei solcher Sympathiewerbung beließ es Hitler, weil er wußte, alles andere würde der vom Rundfunk übertragenen Massenveranstaltung nur das Stimmungsvolle nehmen. Das war wohl richtig kalkuliert: »Ja, es ist wirklich ein schönes, ein wundervolles Fest!«, notierte Frankreichs Botschafter François-Poncet, »ein Hauch der Versöhnung und der Einigkeit (weht) über das Dritte Reich.[45]«

Keine zwölf Stunden später wurde der eben postulierte neue soziale Konsens auf eine harte Probe gestellt, und dabei zeigte sich die Nützlichkeit gekonnter politischer Symbolik. Fast ohne auf Gegenwehr zu treffen, besetzten SA- und SS-Hilfspolizisten, angeführt von Funktionären der NSBO, am Morgen des 2. Mai 1933 im gesamten Reich die Häuser und Einrichtungen der Freien Gewerkschaften. Die völlig überraschte Spitze des ADGB, die leitenden Funktionäre der Einzelgewerkschaften, aber auch die Direktoren der Gewerkschaftsbank und die Redakteure der Gewerkschaftspresse kamen in Schutzhaft. Die mittleren und unteren Gewerkschaftsangestellten hingegen konnten unter NSBO-Regie meist auf ihren Posten bleiben. Die Aktion begrenzt zu halten, war schon aus praktischen Gründen geboten, und ihr Zweck war ja auch weniger die institutionelle Zerschlagung als die definitive politische Ausschaltung der Gewerkschaften. Für den Aufbau der von Robert Ley angekündigten »Deutschen Arbeitsfront« (DAF) war das alte Organisationsgerüst durchaus brauchbar.

Eingeschüchtert durch das Vorgehen gegen die Freien Gewerkschaften, schlossen sich auch der Hirsch-Dunckersche Gewerkschaftsring und der Deutschnationale Handlungsgehilfen-Verband Leys Aktionskomitee an. Bereits nach drei Tagen hatten

---

[45] André François-Poncet, Als Botschafter in Berlin 1931–1938. Mainz 1948, S. 116.

sich fast alle Arbeiter- und Angestelltenverbände (mit insgesamt acht Millionen Arbeitnehmern) dem Komitee unterstellt; nur die christlichen Gewerkschaften genossen noch eine Schonfrist bis zum Sommer.

Im Gegensatz zu dem gründlich geplanten Verlauf des 2. Mai lag die Zukunft der DAF bei ihrer Gründung noch ziemlich im Nebel, aus dem aber rasch divergierende Interessen auftauchten[46]. So hatte die anfangs geläufige Zweckbehauptung, wonach die DAF den alten Traum einer Einheitsgewerkschaft realisieren werde, durchaus ernsthafte Verfechter innerhalb der NSBO, deren Führungsfiguren um Walter Schuhmann wichtige Positionen in der DAF einnahmen. Aber selbst nachdem Ley diese NSBO-»Linken«, hauptsächlich aus machtpolitischen Gründen, im Gefolge des 30. Juni 1934 ausgeschaltet hatte, blieben in der Arbeitsfront gewisse gewerkschaftliche Neigungen erhalten, und zumal in den von der Rüstungskonjunktur begünstigten Industrien machte die DAF bald auch sozial- und tarifpolitische Interessen geltend.

Zunächst und in erster Linie war die DAF jedoch ein Instrument zur Formierung der Arbeiterschaft. Das zeigte sich nur neun Tage nach ihrer offiziellen Gründung, als mit dem »Gesetz über Treuhänder der Arbeit« am 19. Mai staatlicher Zwang an die Stelle der bisherigen Tarifautonomie trat. Formal wurden Kapital und Arbeit dadurch in gleicher Weise eingeschränkt, in Wirklichkeit aber bedeutete das Gesetz eine Stärkung der Arbeitgeber, denn die 13 hohen Beamten, die künftig als »Reichstreuhänder der Arbeit« wirkten, standen der Wirtschaft meistens näher als der Arbeitnehmerseite oder der NSBO, mit der es in den kommenden Monaten nicht selten zu regionalen Konflikten kam[47].

Das »Gesetz zur Ordnung der nationalen Arbeit« vom 20. Januar 1934 bestätigte die Rolle der Reichstreuhänder und ver-

---

[46] Vgl. Martin Broszat, Die Ausbootung der NSBO-Führung im Sommer 1934. In: Manfred Funke u. a. (Hrsg.), Demokratie und Diktatur. Bonn 1987, S. 198–215; Volker Kratzenberg, Arbeiter auf dem Weg zu Hitler? Die Nationalsozialistische Betriebszellen-Organisation. Ihre Entstehung, ihre Programmatik, ihr Scheitern 1924–1934. Frankfurt am Main usw. 1987.

[47] Einzelheiten bei Broszat, Staat Hitlers, S. 186 f.

schob die Machtverhältnisse weiter zugunsten der Arbeitgeber. An Tarifverhandlungen und an der Gestaltung von Arbeitsverträgen wirkte die DAF künftig nur noch beratend mit, die bisherige Arbeitnehmer-Mitbestimmung wurde abgeschafft. Analog zur Volksgemeinschaft postulierte das Gesetz die »Betriebsgemeinschaft«, die dem Unternehmer die Rolle des »Führers«, den Mitarbeitern die der bloßen »Gefolgschaft« zuwies. Konflikte sollten künftig von »sozialen Ehrengerichten« geregelt werden. An die Stelle der Betriebsräte traten machtlose »Vertrauensräte«, die nach einer vom Betriebsführer und dem NSBO-Obmann aufgestellten Einheitsliste zu »wählen« waren; die Arbeiterschaft quittierte diese Farce im April 1934 und noch einmal im folgenden Frühjahr mit Zustimmungsquoten von teilweise weniger als 50 Prozent, woraufhin keine Wahlen mehr stattfanden.

Zweifellos verfolgten die Nationalsozialisten mit der DAF weitergehende Ziele als die von der Wirtschaft begrüßte Ausschaltung der Gewerkschaftsmacht. Neben der sozialpolitischen Zwangsbefriedung ging es um die Erfassung und Kontrolle der Arbeiterschaft, schließlich um die ideologische Durchdringung der gesamten Arbeitswelt. Aber das scharfe Instrument nationalsozialistischer Sozial- und Gesellschaftspolitik, das Volksgemeinschafts-Ideologen vorschweben mochte, war die DAF deshalb noch nicht. Einstweilen war sie vor allem ein organisatorischer Moloch mit der – eminent politischen – Funktion eines »Verbandes ohne Interessen«[48].

Sinnfällig zum Ausdruck brachte das im Herbst 1933 der »Aufruf an alle schaffenden Deutschen«, in dem DAF-Führer Ley gemeinsam mit den Reichsministern für Arbeit und Wirtschaft und dem Wirtschaftsbeauftragten der NSDAP »die Zusammenfassung aller im Arbeitsleben stehenden Menschen ohne Unterschied ihrer wirtschaftlichen Stellung« postulierte. In der DAF solle »der Arbeiter neben dem Unternehmer stehen, nicht mehr getrennt durch Gruppen und Verbände, die der Wahrung besonderer wirtschaftlicher oder sozialer Schichtungen und Interessen dienen«.

---

[48] David Schoenbaum, Die braune Revolution. Eine Sozialgeschichte des Dritten Reiches. München 1980, S. 121.

Noch einmal wurden der DAF jegliche arbeits- und sozialpolitischen Kompetenzen abgesprochen: »Nach dem Willen unseres Führers Adolf Hitler ist die Deutsche Arbeitsfront nicht die Stätte, wo die materiellen Fragen des täglichen Arbeitslebens entschieden, die natürlichen Unterschiede der Interessen der einzelnen Arbeitsmenschen aufeinander abgestimmt werden.«[49] Damit war den Bedenken aus dem Arbeitgeberlager Rechnung getragen, die Arbeitsfront könne zu mächtig werden. Gustav Krupp von Bohlen und Halbach, der »Führer« des neugebildeten »Reichsstandes der Deutschen Industrie«, konnte seinen Unternehmerkollegen nun ruhigen Gewissens den DAF-Beitritt empfehlen.

Schon die nationalsozialistische »Gleichschaltung« der Wirtschaftsvereinigungen war Kosmetik geblieben. Wohl hatte der Parteibeauftragte für Wirtschaftsfragen, Otto Wagener, während des Aprilboykotts den Geschäftsführer und mehrere jüdische Präsidiumsmitglieder des Reichsverbandes der Deutschen Industrie zum Rücktritt gezwungen, aber einer dauerhaften Präsenz von NS-Kommissaren entging der RDI. Dazu genügte, daß Krupp dem Kanzler versprach, als neuer Verbandschef für eine straffe Zentralorganisation zu sorgen[50]. Auf beiden Seiten waren die Hoffnungen und Erwartungen groß, wechselseitig glaubte man sich zu brauchen. In keinem anderen Bereich hielt Hitler die »Parteirevolution« selbst so klar nieder wie gegenüber der Wirtschaft oder ließ zumindest Reichsbankpräsident Schacht in diesem Sinne gewähren. Umgekehrt schwiegen die Industrieführer zur Diskriminierung ihrer jüdischen Kollegen. Nur der alte Hitler-Förderer Emil Kirdorf sprach öffentlich von einem »Dolchstoß«, als RDI-Präsidiumsmitglied Paul Silverberg gehen mußte, der sich 1932 selbst für eine Regierungsbeteiligung der Nationalsozialisten eingesetzt hatte.

Doch solches beeinträchtigte nicht den Honeymoon von NS-Führung und Großindustrie, wie die am 1. Juni 1933 auf Anregung Krupps nachgelieferte stattliche Hochzeitstorte namens

---

[49] Zitiert nach Broszat, Staat Hitlers, S. 192.
[50] Vgl. Reinhard Nebe, Die Industrie und der 30. Januar 1933. In: Karl Dietrich Bracher u. a. (Hrsg.), Nationalsozialistische Diktatur 1933–1945. Eine Bilanz. Düsseldorf 1983, S. 155–176.

»Adolf-Hitler-Spende der deutschen Wirtschaft« bewies: Einen Betrag in Höhe von fünf Promille der jährlichen Lohn- und Gehaltssumme sollten die Betriebe künftig an die NSDAP abführen. Das war als Dank gemeint für die Ausschaltung der Gewerkschaften, die in Aussicht genommene konjunkturfördernde Aufrüstung und den Aufbruch in die Autarkiewirtschaft, die der Großindustrie hervorragende Profite und Entwicklungsmöglichkeiten versprach. Zugleich aber schützte sich die Wirtschaft mit der selbst auferlegten Spendenregelung vor ausufernden Forderungen der Partei und setzte ein Zeichen ihrer Eigenständigkeit.

Nicht nur gelang es, den Typus des ideologischen Alt-Nationalsozialisten aus den Vorstandsetagen fernzuhalten; das Regime war, um die Kooperationsbereitschaft der privaten Wirtschaft nicht zu gefährden, sogar zu Zugeständnissen auf dem politischen Terrain bereit: Mit Allianz-Generaldirektor Kurt Schmitt machte Hitler im Juli 1933 einen Repräsentanten der Großwirtschaft zum Nachfolger Hugenbergs als Reichswirtschaftsminister, und wenig später warf er ständestaatlichen Ballast ab, indem er seinen Wirtschaftsbeauftragten Wagener durch den Chemiefabrikanten Wilhelm Keppler ersetzte. Keppler, der seit 1932 als erfolgreicher Kontaktmann der NSDAP zur Großindustrie gedient hatte, residierte direkt in der Reichskanzlei. Zumindest in den ersten Jahren des Dritten Reiches penetrierte die private Großwirtschaft das politische System, nicht umgekehrt.

Für die mittelständische Wirtschaft galten andere Spielregeln[51]. Obwohl die NSDAP in Handwerk, Handel und Kleingewerbe traditionelle Zielgruppen besaß und Hitler dem erst Ende 1932 gegründeten »Kampfbund für den gewerblichen Mittelstand« nach der Machtübernahme eine Zeitlang freie Bahn zur Eroberung von Innungen und Berufsverbänden ließ, blieben alle wesentlichen politischen Erwartungen der NS-Mittelstandspolitiker

[51] Vgl. Heinrich August Winkler, Der entbehrliche Stand. Zur Mittelstandspolitik im »Dritten Reich«. In: Archiv für Sozialgeschichte 17 (1977), S. 1–40; Adelheid von Saldern, Mittelstand im »Dritten Reich«, Handwerker, Einzelhändler, Bauern. Frankfurt am Main/New York 1979; vgl. auch die direkte Kontroverse Winkler/von Saldern. In: Geschichte und Gesellschaft 12 (1986), S. 235–243 bzw. 548–557.

unerfüllt. Das zeichnete sich bereits im Sommer 1933 ab, als die Parteiführung die ressentimentgeladenen Aktionen des »Kampfbunds« gegen jüdische Warenhausketten und gegen die vormals gewerkschaftseigenen, nun der DAF einverleibten Konsumgenossenschaften nach Protesten aus der Wirtschaft und mit Rücksicht auf die Arbeitsplätze zu unterbinden begann. Die Eingliederung des »Kampfbunds« in die »Nationalsozialistische Handwerks-, Handels- und Gewerbe-Organisation« im August 1933 markierte das Ende romantischer Mittelständlerträume, die wahrzumachen das Parteiprogramm der NSDAP verheißen hatte. In der modernen Industriegesellschaft, auch nationalsozialistischer Prägung, gab es dafür keinen Platz. Die Pseudo-Titulaturen des neuen »Reichsstandes des Deutschen Handels« und des »Reichsstandes des Deutschen Handwerks« konnten darüber nicht lange hinwegtäuschen. Anstelle der erhofften materiellen Aufwertung erlebte der Mittelstand eine straffe staatsnahe Organisierung, die in den späteren Jahren allerdings auch wirtschaftlich sinnvolle Maßnahmen zur Strukturbereinigung erleichterte.

Schneller als in den Mittelstandsorganisationen und effektiver als in jedem anderen Wirtschaftssektor kam die nationalsozialistische Gleichschaltungspolitik in der Landwirtschaft voran. Ein wesentlicher Grund dafür war gewiß das größere sachliche Engagement, mit dem die NSDAP durch ihren »Agrarpolitischen Apparat« unter der Leitung von Richard Walther Darré auf diesem Feld seit Jahren präsent gewesen war. Die Hinwendung zur Scholle hatte keine wahltaktischen Gründe gehabt. Sie gehörte zum ideologischen Grundbestand des Nationalsozialismus und war insofern authentischer als etwa das Werben um den in der Wirtschaftskrise für radikale Parolen anfällig gewordenen Mittelstand. Darrés rasche Formierungserfolge im Frühjahr 1933 wurden aber auch dadurch begünstigt, daß seit langem Bestrebungen im Gange waren, das breit aufgefächerte landwirtschaftliche Verbandswesen zu vereinheitlichen. Die demonstrative regierungsamtliche Wertschätzung von »Blut und Boden« und die großzügige Förderung der Landwirtschaft, die Hugenberg nun – einseitig zugunsten der Großagrarier – betrieb, lieferten den nationalsozialistischen Fürsprechern einer Zentralisierung gute Argumente.

Gleichwohl war zusätzlicher Druck vonnöten. Die NS-Agrar-strategen erzielten ihn auf eine schon vielfach in anderen Berei-chen bewährte Weise: Andreas Hermes, der gegen die National-sozialisten wie gegen eine Zusammenfassung der Landwirt-schaftsverbände eingestellte Präsident der christlichen Bauernvereine, wurde wegen angeblicher Veruntreuung verhaf-tet. Im großagrarischen Reichslandbund bereiteten inzwischen zwei Mitarbeiter des »Agrarpolitischen Apparates« den Boden für Fusionsverhandlungen mit den Bauernvereinen, und nur zwei Wochen nach der Verhaftung von Hermes wurde Darré »gebe-ten«, die Leitung der neuen »Reichsführergemeinschaft« zu über-nehmen. Weitere zwei Wochen später sicherte sich der diplo-mierte Kolonialwirt auch den Vorsitz des Raiffeisenverbandes und meldete seinem »Führer« pünktlich zu dessen Geburtstag am 20. April »die Übernahme der Führung von 40 000 ländlichen Genossenschaften durch mich«[52]. Mit dem Deutschen Landwirt-schaftsrat, der sich, voller Zuversicht über die autarkiewirtschaft-lichen Verheißungen, schon mehrfach zur neuen Regierung be-kannt hatte, unterstellte sich kurz darauf auch das Spitzengre-mium der Landwirtschaftskammern Darrés Kommando. Ende Mai 1933 hatte der kaum 38jährige Blut- und Boden-Ideologe die Kontrolle über sämtliche landwirtschaftlichen Organisationen errungen. Sein neuer Amtstitel »Reichsbauernführer« sollte das zum Ausdruck bringen. Nach diesem Erfolg war es nicht ver-wunderlich, daß ihm auch die Position des Reichslandwirt-schaftsministers zufiel, als Hugenberg Ende Juni von allen Äm-tern zurücktrat. Im Agrarsektor kam es damit zu einer Zusam-menballung parteiamtlicher, berufsständischer und staatlicher Macht in einer Hand. Solche Stringenz gab es in keinem anderen Bereich der Wirtschaft. Sie suchte selbst im NS-System ihresglei-chen.

---

[52] Vgl. Horst Gies, Die NS-Machtergreifung auf dem agrarischen Sektor. In: Zeitschrift für Agrargeschichte und Agrarsoziologie 16 (1968), S. 210–232, hier 212.

Die innere Unfähigkeit der bürgerlichen Parteien, sich dem Sog der nationalsozialistischen Formierungspolitik entgegenzustemmen, war durch ihre einhellige Zustimmung zum Ermächtigungsgesetz so offenkundig geworden, daß Weiterungen nicht ausbleiben konnten[53]. Allen, vom Zentrum bis zu den Deutschnationalen, liefen in Scharen die Anhänger davon, zum Teil aus Enttäuschung, zum Teil aus Angst vor Repressalien, oft aber auch, um die Mitgliedschaft der NSDAP zu erwerben. Zunehmender Druck von Seiten der »Bewegung« verstärkte diesen Auflösungsprozeß, der inzwischen auch die einzige Partei erfaßt hatte, die sich, wenngleich unter Betonung ihres Patriotismus, noch zur Opposition bekannte, die SPD.

Nach dem faktischen, aber niemals in Gesetzesform gekleideten Verbot der KPD und der weitgehenden Ausschaltung der sozialdemokratischen Kampforganisation »Reichsbanner« schon im März 1933 wuchs in den Reihen der SPD die Sorge vor einer Zerschlagung ihres Parteiapparats und vor wachsendem Terror gegen die Mitglieder. Die Aktion gegen die Freien Gewerkschaften am 2. Mai mußte den Befürchtungen neue Nahrung geben. Gleichwohl bestanden innerhalb der Parteiführung unterschiedliche Auffassungen über die Frage, was die Sozialdemokratie auf mittlere Sicht zu erwarten hatte. Das äußerte sich darin, daß nun ein Teil des Vorstands als »Auslandsvertretung« in das vom Völkerbund verwaltete Saargebiet (Ende Mai dann nach Prag) ging, um die eventuelle Emigration vorzubereiten, während Optimisten hofften, durch konsequentes Festhalten am »Legalitätskurs« die Partei retten zu können. Letztere glaubten die Situation mit der Zeit des Bismarckschen Sozialistengesetzes vergleichen zu können, als die SPD zwar innenpolitisch, nicht aber im Parlament unterdrückt worden war, um am Ende organisatorisch gestärkt dazustehen.

Offenkundig wurde die innerparteiliche Kontroverse durch die von Hitler veranlaßte Einberufung des Reichstags für den

---

[53] Grundlegend zum folgenden Matthias/Morsey (Hrsg.), Ende der Parteien.

17. Mai. Entgegen den Warnungen der Vorstandsmehrheit, zu der neben ›Vorwärts‹-Chefredakteur Friedrich Stampfer nun auch Otto Wels zählte, und trotz der gerade eine Woche zurückliegenden Beschlagnahme des Parteivermögens, nahm eine knappe Hälfte der Fraktion an der Reichstagssitzung teil. Mit einer Drohung gegen das Leben der sozialdemokratischen Konzentrationslagerhäftlinge hatte Reichsinnenminister Frick noch kurz zuvor klargestellt, daß etwas anderes als eine Zustimmung zu der außenpolitischen Fensterrede, die Hitler vor dem Plenum zu halten gedachte, nicht in Frage komme. Tatsächlich bot des Kanzlers Erklärung wenig Grund zur Ablehnung: Unter den Augen der mit aggressiven Forderungen rechnenden Weltöffentlichkeit bekannte sich Hitler zum Lebensrecht aller Völker und zu einer friedlichen Vertragspolitik. Zum Zeichen ihrer Zustimmung hatten sich die Abgeordneten am Ende der »Führer«-Rede zu erheben; niemand versagte sich der effektvollen Geste. Deutschland, so konnte es scheinen, stand loyal und einig hinter Hitler.

An diesem Eindruck, der die standhafte Haltung der SPD bei der Abstimmung über das Ermächtigungsgesetz zu verwischen drohte, machte sich die Kritik der emigrierten Vorstandsmitglieder fest, die eine entschlossene Vorbereitung auf die Illegalität verlangten. Mit einem Aufruf zum Sturz des Hitler-Regimes kam am 18. Juni in Prag die Erstausgabe des ›Neuen Vorwärts‹ heraus. Zwar bestritt die Berliner Führung den Emigranten sofort das Recht, im Namen der SPD zu sprechen, aber dem Verlangen des Regimes, die Prager aus der Partei auszuschließen, gab sie nicht nach. Damit besaß Frick einen willkommenen Berufungsgrund. Unter Hinweis auf die Reichstagsbrandverordnung erklärte er die SPD am 22. Juni 1933 zur »volks- und staatsfeindlichen Organisation« – auch, weil sie es versäumt habe, ihre emigrierten Vorstandsmitglieder »wegen ihres landesverräterischen Verhaltens abzuschütteln«. Die Replik aus Prag offenbarte wenig mehr als hilflosen Zorn: »Verbot schafft klare Bahn!« überschrieb der ›Neue Vorwärts‹ die Meldung; jetzt sei der »letzte Schein demokratischer Legalität vernichtet«[54].

---

[54] Neuer Vorwärts vom 25. 6. 1933.

Das waren schwache, die Lage eher verharmlosende Worte. Doch allzu vieles in der politischen Wirklichkeit Deutschlands hatten die Nationalsozialisten in den letzten Monaten schon zu verändern vermocht, ohne auf Gegenwehr zu stoßen, als daß sie nun noch mit Widerstand rechnen mußten. Mit der SPD wurde auch die letzte Institution der deutschen Linken auf dem Verordnungswege beseitigt, und die Unbedingtheit ihrer Ausschaltung ließ es so gut wie sicher erscheinen, daß die politische Formierung damit noch nicht zum Abschluß gekommen war.

Die Vertreter der bürgerlichen Parteien sahen sich nun mit der bisher verdrängten Erkenntnis konfrontiert, daß sie mit der Zustimmung zum Ermächtigungsgesetz nicht nur ihre politische Funktion, sondern auch ihre institutionelle Existenzberechtigung dementiert hatten. Die Deutschnationalen, im Januar Hitlers Ermöglicher und im Juni seine Gefangenen, konnten mit der Selbstliquidierung ihrer Organisation immerhin noch die Aufnahme ihrer Mandatsträger in die NSDAP-Fraktionen des Reichstags, der Landtage und der Gemeindeparlamente erkaufen, und für die Eingliederung ihres Kampfverbands »Stahlhelm« in die SA wurde ebenfalls ein formelles Abkommen geschlossen. Das war nicht wenig angesichts der Tatsache, daß DNVP-Chef Hugenberg, seit Wochen im Schußfeld nationalsozialistischer Kritik, am 26. Juni nach groben Ungeschicklichkeiten auf der Londoner Weltwirtschaftskonferenz seine sämtlichen Ministerposten zur Verfügung stellte. Das »Zähmungskonzept« war kläglich gescheitert, jedenfalls auf der Ebene der Staatspolitik. Am 27. Juni beschloß auch die Deutsche Staatspartei (die frühere DDP), deren Landtagssitze in Preußen wegen einer vor der letzten Wahl mit der SPD eingegangenen Listenverbindung kassiert worden waren, ihre Selbstauflösung. 24 Stunden später tat die DVP den gleichen Schritt.

Ganz ungeniert forderte Propagandaminister Goebbels jetzt auch das Zentrum auf, seinen »Laden zuzumachen«. Tatsächlich sollte die Katholikenpartei noch vor der Paraphierung des Reichskonkordats, das der ehemalige Zentrumsführer Prälat Kaas in Rom vorzubereiten half, resigniert die Konsequenz ziehen aus der Einwilligung des Vatikans in Hitlers Forderung, Geistlichen künftig jede parteipolitische Tätigkeit zu verbieten.

Zugunsten einer – nicht einmal klar definierten – Bestandsgarantie für die kirchlichen Einrichtungen hatte der Vatikan damit den politischen Katholizismus aufgegeben, denn sowohl im Zentrum wie in der Bayerischen Volkspartei hielten die Mitglieder des Klerus traditionell einen wesentlichen Teil der Führungspositionen. Die BVP, die Himmlers Bayerische Politische Polizei trotz der noch laufenden Konkordatsverhandlungen Ende Juni mit einer Welle von Verhaftungen heimgesucht hatte, löste sich am 4. Juli auf. Tags darauf folgte als letzte Partei das Zentrum. Noch ehe es in Kraft getreten war, hatte das Konkordat schon Früchte erbracht, bittere und süße: Enttäuschung bei der Zentrumsführung über die Politik des Vatikans stand ein kräftiger Popularitätsgewinn des Regimes im kirchlichen Milieu gegenüber und eine Aufwertung seines Prestiges im Ausland.

Vom undramatischen Ende des Parteienstaates schien selbst Hitler überrascht. »Wir stehen in der langsamen Vollendung des totalen Staates«, kommentierte er die Ereignisse der letzten Tage in einer Konferenz mit den Reichsstatthaltern am 6. Juli[55]. Nun gelte es, den erreichten Zustand gesetzlich zu verankern. »Ein Versuch, ihn etwa durch Wiederbildung von Parteien zu verändern, müßte von uns geradezu als ein Angriff auf das Wesen des heutigen Staates angesehen und wie Hochverrat behandelt werden.« Die »Aussichten für einen solchen Gegenangriff« seien allerdings gering. »Den Mitgliedern der verschwundenen Parteien«, so Hitler in realistischer Einschätzung der Lage, »ist keine besondere Aktivität zuzutrauen.«

Dennoch lag schon zur nächsten Kabinettssitzung am 14. Juli ein ›Gesetz gegen die Neubildung von Parteien‹ vor. Exakt den Erläuterungen des »Führers« vor den Reichsstatthaltern folgend, wurde darin mit einer Bestrafung als »Hoch- und Landesverräter« bedroht, wer es unternehme, eine Partei aufrecht zu erhalten oder neu zu bilden. Aber in dem Entwurf fehlte, wie der Reichsjustizminister bemerkte, eine konkrete Strafandrohung. Auch schien Gürtner zweifelhaft, »ob der jetzige Zeitpunkt für die

55 Zitiert nach dem vermutlich von Reichsstatthalter Epp gefertigten Protokoll. In: Akten der Regierung Hitler I/1, S. 629–636.

Annahme des Gesetzes psychologisch richtig sei«. Hitler blieb davon unbeeindruckt, und mit dem Auftrag an Frick und Gürtner, ein Strafmaß noch einzufügen, wurde das Gesetz verabschiedet. In der Endfassung lautete es auf Zuchthaus oder Gefängnis bis zu drei Jahren. Die Einparteienherrschaft war besiegelt.

Entgegen dem Eindruck von Effizienz und Tüchtigkeit, den eine Kabinettssitzung in der Öffentlichkeit erwecken sollte und konnte, in der 43 Tagesordnungspunkte und nicht weniger als 38 Gesetze – zum Teil höchst folgenreiche wie das ›Gesetz zur Verhütung erbkranken Nachwuchses‹ – beraten wurden, verstärkte sich nun eine Entwicklung, die schließlich zur vollständigen Auflösung normaler Regierungstätigkeit führte: Die Frequenz der Ministerbesprechungen, die im Frühjahr 1933 durchschnittlich noch zweimal pro Woche stattfanden, nahm drastisch ab, der diktatorisch bekundete »Wille des Führers« trat an die Stelle kollegialer Beratung, und immer häufiger kamen Gesetzesentwürfe nur noch zur eiligen Verabschiedung auf den Kabinettstisch. Wo interne Abklärung noch stattfand, vollzog sie sich schließlich im wuchernden Dickicht konkurrierender Instanzen. Der »Führerstaat« begann Konturen anzunehmen. Symbol dafür war auch das »Heil Hitler«, das Frick allen Staatsbediensteten nun zur Pflicht machte: »Nachdem der Parteienstaat in Deutschland überwunden ist und die gesamte Verwaltung im Deutschen Reiche unter der Leitung des Reichskanzlers Adolf Hitler steht, erscheint es angebracht, den von ihm eingeführten Gruß allgemein als deutschen Gruß anzuwenden. Damit wird die Verbundenheit des ganzen deutschen Volkes mit seinem Führer auch nach außen hin klar in Erscheinung treten. Die Beamtenschaft muß auch hierin dem deutschen Volke vorangehen.«[56]

Auf der Ebene von Regierung, Parlament und Parteien konnte der Prozeß der nationalsozialistischen Machtmonopolisierung im Juli 1933 als abgeschlossen gelten. In knapp fünf Monaten hatte die NS-Bewegung die realen politischen Machtverhältnisse völlig verändert. Aber noch war die Verfassungswirklichkeit des Dritten Reiches nicht die der unanfechtbaren Führerdiktatur.

[56] Ebenda, S. 658.

Viele Fragen waren noch offen, darunter auch jene nach dem Status der NSDAP im Staate Hitlers. Weder die Vollendung des Einparteienstaates noch das am 1. Dezember 1933 verkündete ›Gesetz zur Sicherung der Einheit von Partei und Staat‹ brachten hier eine Klärung. Zwar erhob das Gesetz die NSDAP zur »Trägerin des deutschen Staatsgedankens«, eine autonome Vormachtstellung der Partei gegenüber der staatlichen Verwaltung etablierte es jedoch nicht. Konflikte zwischen Partei und Staatsbürokratie zu entscheiden, behielt sich der »Führer« vor, und sukzessive wurde deutlich, daß das jederzeitige Eingriffs- und Entscheidungsrecht zu den Grundprinzipien des »Führerstaats« Hitlerscher Prägung zählte.

Glanzvolle Massenveranstaltungen, wie Anfang September der »Parteitag des Sieges« in Nürnberg, vermochten den Funktionsverlust der Parteibasis (und besonders der SA) nur kurzfristig zu kaschieren, der sich aus dem Abschluß der politischen Formierung ergeben hatte. Schon im Sommer 1933 rumorte es in der Bewegung, wie Hitler vor den Reichsstatthaltern zugab. Eindringlich warnte er davor, in der »Revolution« einen »Dauerzustand« zu sehen. Ungezügelte Machtambitionen unterer Partei- und SA-Führer drohten besonders in Wirtschaft und Verwaltung die zur Krisenüberwindung so notwendige Leistungsbereitschaft der Fachleute zu lähmen. »In der Wirtschaft darf nur das Können ausschlaggebend sein«, lautete des »Führers« veröffentlichte Quintessenz. Die auf weitergehende Veränderung drängenden Kräfte der Bewegung suchte Hitler nun auf die Durchsetzung der »nationalsozialistischen Staatsauffassung« in der Gesellschaft zu lenken: »Der Erringung der äußeren Macht muß die innere Erziehung der Menschen folgen.«[57]

Damit bestätigte der »Führer« den totalitären Anspruch seiner Bewegung, berücksichtigte aber zugleich taktische Notwendigkeiten. Hitler wußte: Die gesellschaftliche Wirklichkeit Deutschlands war nicht im selben Tempo und mit derselben Radikalität zu verändern wie die politische Verfassung, ohne den bisherigen Erfolg zu gefährden. Mit der Errichtung des Politikmonopols

[57] Völkischer Beobachter vom 8. 7. 1933.

war nicht schon eine gesellschaftliche Hegemonie verbunden, auch wenn es den Nationalsozialisten aufgrund ihrer bedenkenlosen Energieentfaltung bereits in einem erstaunlichen Maße gelungen war, alte Grundüberzeugungen und Verhaltenssicherheiten sowohl des Bürgertums wie der Arbeiterschaft in Frage zu stellen. Mißliebige Traditionsbestände der Gesellschaft und geistige Strömungen ließen sich zwar nicht, wie Parteien und Gewerkschaften, einfach verbieten, aber ein entsprechender Einsatz staatlicher Macht schuf eine Atmosphäre der Verunsicherung und Einschüchterung, in der auch das kulturelle Leben reglementiert werden konnte.

Das vielleicht spektakulärste Beispiel dafür bildeten die Bücherverbrennungen am 10. Mai 1933[58]. Auf dem Opernplatz in Berlin und in den meisten Universitätsstädten errichteten an diesem Abend Aktivisten der Deutschen Studentenschaft und des Nationalsozialistischen Studentenbunds, unterstützt von manchem deutschen Professor, die Scheiterhaufen. An den Hochschulen hatten die Nationalsozialisten besonders früh und intensiv Fuß gefaßt, und der Drang, endlich einmal loszuschlagen gegen alles »Undeutsche« und »Zersetzende«, konzentrierte sich hier wie selbstverständlich auf Literatur und Lehre. Seit Wochen hatte man Listen mit den Namen linker, demokratisch-pazifistischer und jüdischer Autoren zusammengestellt, deren Werke nicht länger in öffentlichen Bibliotheken und Universitätsseminaren geduldet werden sollten. Der Bannstrahl traf zeitgenössische Schriftsteller und Publizisten wie Erich Maria Remarque, Alfred Döblin, Kurt Tucholsky, Carl von Ossietzky, Heinrich Mann und Ernst Glaeser, und neben sozialistischen Theoretikern waren Wissenschaftler wie Albert Einstein, Sigmund Freud und Magnus Hirschfeld betroffen. Begleitet von rituellen »Feuersprüchen«, wurde eine Auswahl der verbotenen Bücher den Flammen »übergeben«, und tonnenweise verschwand unerwünschtes Schrifttum in polizeilichem Gewahrsam. Auf dem Weg ins Exil, den in den nächsten Jahren etwa 5000 Literaten, Künstler und

---

[58] Vgl. Ulrich Walberer (Hrsg.), 10. Mai 1933. Bücherverbrennung in Deutschland und die Folgen. Frankfurt am Main 1983.

Wissenschaftler gingen, rief Oskar Maria Graf den Nationalsozialisten zu, auch seine Bücher zu verbrennen; Erich Kästner, der dem Schauspiel unerkannt in der Menge beiwohnte, tat gut daran zu schweigen, als sein Name fiel.

Mochte das Autodafé viele Deutsche schon aus Mangel an Kenntnissen gleichgültig lassen, so gab es im Bildungsbürgertum doch auch Zeichen der Zustimmung zu einer Politik, die sich als »Reinigung des deutschen Geistes« interpretieren ließ[59]. Die »Klassiker« blieben ja unangetastet (mit Ausnahme von Heinrich Heine, dessen dunkle Prophezeiung, verbrannten Büchern würden Menschen folgen, wohl nur wenigen gegenwärtig war). Daß Intellektuelle und Schriftsteller der zweiten Garnitur sich von der Abhalfterung jener etwas versprachen, die den literarisch-geistigen Diskurs der Weimarer Republik beherrscht hatten, war kaum verwunderlich; schwerer mußte wiegen, daß auch in der ersten Garnitur der Nichtbetroffenen, bei Nichtjuden und Nichtlinken also, wenig Solidarität zu verspüren war, wohl aber mancher befreite Seufzer. Es war das Aufatmen über das vermeintliche Ende der Moderne.

Weniges an der Revolte gegen die moderne Literatur und Geistesentwicklung, von der die bildenden Künste, Malerei und Musik nicht ausgenommen blieben, war spezifisch nationalsozialistisch; das Unbehagen an der technisch-industriellen Welt und ihren kulturellen Hervorbringungen war so alt wie diese selbst und hatte immer schon Sehnsüchte nach dem einfachen Leben produziert. Neu allerdings war die Entschiedenheit, mit der das Regime politische Feindschaft und ästhetische Ressentiments denunziatorisch verknüpfte. Mit dem politischen System von Weimar sollte, wie Goebbels im Flammenschein der brennenden Bücher verkündete, auch die »geistige Grundlage der Novemberrepublik« untergehen.

Presseverbote und journalistische Selbstzensur hatten eine weitgehende Lähmung der öffentlichen Meinung schon bewirkt, noch ehe Goebbels unmittelbar nach seiner Ernennung zum

---

[59] Jan-Pieter Barbian, Literaturpolitik im »Dritten Reich«. Institutionen, Kompetenzen, Betätigungsfelder. Frankfurt am Main 1993.

Propagandaminister die Formierung der Bewußtseinsindustrie auf institutioneller Ebene einleiten konnte. Im Rundfunk, dessen organisatorische Gleichschaltung aufgrund seiner staatsnahen Verfassung reibungslos vonstatten ging, rückten rasch NS-Parteigenossen an die Stelle der als »Kultur- und Salonbolschewisten« verschrieenen Redakteure und Programmverantwortlichen. In keinem anderen Bereich von Kultur und Massenkommunikation war der Zugriff der neuen Machthaber vergleichbar effizient. Die radikale personelle Säuberung des jungen Mediums Rundfunk führte zu einer solchen Einförmigkeit, daß sich Goebbels im Frühjahr 1934 veranlaßt sah, einer allzu »energischen Politisierung« entgegenzutreten. Dennoch traf das Selbstlob zu, demzufolge erst die Nationalsozialisten die enormen Möglichkeiten des Hörfunks zu nutzen verstanden. Mit der Produktion billiger Volks- und Kleinempfänger und der Propagierung des »Gemeinschaftsempfangs« entwickelten sie den Rundfunk zu einem zentralen Instrument der ideologisch-politischen Indoktrination.

Der totalitäre Kontroll- und Lenkungsanspruch, den das NS-Regime von Beginn an im gesamten öffentlichen Leben und besonders gegenüber der Publizistik erhob, unterschied es wie wenig anderes von einer »normalen« Einparteiendiktatur. Zu denen, die das besonders früh zu spüren bekamen, gehörten die Berliner Zeitungskorrespondenten, denen Goebbels in täglichen Pressekonferenzen seine – verbindliche – Definition der Wirklichkeit bekanntgab. Bezeichnenderweise beschränkten sich die Nationalsozialisten nicht auf die inhaltliche und personelle Reglementierung der Medien, sondern betrieben ihre Verstaatlichung (Nachrichtenagenturen, Film) oder die Übernahme in Parteibesitz (Presse). Nach dem Verbot aller kommunistischen und sozialdemokratischen Publikationen, deren Verlagshäuser und Druckereien sich die NS-Blätter sofort parasitär bemächtigt hatten, begann die wirtschaftliche Eroberung der bürgerlichen Zeitungen, bei der neben dem NSDAP-Reichsleiter für die Presse, Max Amann, Gau- und Kreisleiter oft eine wichtige Rolle spielten[60].

[60] Vgl. Norbert Frei, Nationalsozialistische Eroberung der Provinzpresse. Gleichschaltung, Selbstanpassung und Resistenz in Bayern. Stuttgart 1980.

Im Anschluß an das Schriftleitergesetz vom Oktober 1933, das die Redakteure dem Weisungsrecht der Verleger weitgehend entzog und in die Pflicht des Staates nahm (natürlich enthielt es auch einen Arierparagraphen), besiegelte die Einrichtung einer Reichskulturkammer die Formierung des geistig-kulturellen Lebens[61]. An der Spitze dieser Körperschaft des öffentlichen Rechts stand Joseph Goebbels. Die Mitgliedschaft in einer der sieben Einzelkammern für Film, Musik, Theater, Presse, Rundfunk, Schrifttum und bildende Künste war für die entsprechenden Berufsgruppen obligatorisch.

Materiell wichtigste Funktion der Reichskulturkammer, die als korporatives Mitglied der Deutschen Arbeitsfront angehörte, war eine koordinierte Vertretung der sozialen und wirtschaftlichen Interessen aller »Kulturschaffenden«. Viele Angehörige der freien künstlerischen Berufe standen der Idee durchaus aufgeschlossen gegenüber, schien das Dritte Reich damit doch Forderungen aufzugreifen, die in vielen Branchen, etwa im Journalismus, von den Berufsverbänden seit langem erhoben worden waren (Schutz der Berufsbezeichnung, geregelte Altersversorgung etc.). Mancher mochte den Reiz der neuen Großorganisation auch in einem der zahlreichen prestigeträchtigen Amtstitel erblicken, die nun zu vergeben waren; sie reichten vom Präsidenten der Reichsmusikkammer, der zunächst Richard Strauss vorstand, bis zum »Reichsbeauftragten für künstlerische Formgebung« in der Reichskammer der bildenden Künste, als der Hans Schweitzer fungierte, ein bekannter NS-Karikaturist (»Mjölnir«).

Die regimespezifische Absicht bei der Gründung der Reichskulturkammer kam zunächst nur vage in der Bestimmung zum Ausdruck, »die deutsche Kultur in Verantwortung für Volk und Reich zu fördern«. Aber wie auf anderen Gebieten, ging es auch im Kultur- und Medienbereich nicht zuletzt um die Zurückdrängung eines »revolutionären« Aktivismus, der außer Kontrolle zu

[61] Vgl. Volker Dahm, Anfänge und Ideologie der Reichskulturkammer. Die »Berufsgemeinschaft« als Instrument kulturpolitischer Steuerung und sozialer Reglementierung. In: VfZ 34 (1986), S. 53–84.

geraten drohte. Den ganzen Sommer über hatte der »Kampfbund für Deutsche Kultur« die »Säuberung« und Gleichschaltung von Akademien, Museen und anderen Kultureinrichtungen betrieben, und angesichts der dadurch bewirkten chaotischen Zustände konnte es fast als eine Rückkehr zur Normalität erscheinen, wenn nun eine Zentralinstanz die Kompetenzen für die personelle und teilweise auch inhaltliche Steuerung auf sich vereinigte. Die Einzelkammern entschieden über Berufsverbote, verfügten die Einstellung von Zeitungen und Zeitschriften, kontrollierten Theaterspielpläne, begutachteten Drehbücher und genehmigten oder verweigerten Kunstausstellungen.

Art und Ausmaß der Kontrolle waren nicht in allen Kulturbereichen gleich, und auch in zeitlicher Hinsicht gab es Schwankungen. Die Bandbreite des kulturell Geduldeten in den ersten Jahren des Dritten Reiches unterschied sich von jener der Kriegsjahre, aber letztere war nicht unbedingt schmaler. Besonders deutlich zeigte sich das wechselnde Maß kultureller Toleranz, zu der das NS-Regime fähig oder gezwungen war, am Beispiel der Kirchen. Schon nach einigen Monaten stießen die Nationalsozialisten hier an die Grenzen ihrer Formierungskraft. Dabei hatte sich ihre Kirchenpolitik recht hoffnungsvoll angelassen, sowohl gegenüber Protestanten wie gegenüber Katholiken[62].

Ende März 1933, Hitler hatte eben die Anerkennung der Länderkonkordate versprochen, nahmen die katholischen Bischöfe ihre seit Jahren geltenden Verbote und Warnungen vor der NS-Bewegung zurück; Abschluß und Ratifizierung des Reichskonkordats im Sommer führten dann eine Zeitlang zu überraschend freundlichen Beziehungen zwischen Episkopat und Reichsregierung. In der katholischen Laienbewegung jedoch stieß das Lob der Bischöfe für die nun vertraglich garantierte Bekenntnisfreiheit nur auf verhaltenes Echo. Die Enttäuschung darüber, daß Rom den politischen Katholizismus aufgegeben und das dichte Netz katholischer Organisationen keineswegs eindeutig abgesi-

---

[62] Zum folgenden Klaus Scholder, Die Kirchen und das Dritte Reich. Band 1: Vorgeschichte und Zeit der Illusionen 1918–1934. Frankfurt am Main 1977. Band 2: Das Jahr der Ernüchterung 1934. Barmen und Rom. Berlin 1985.

chert hatte, war im Zentrums- und BVP-Milieu noch nicht überwunden. Auch konnten und wollten viele Gläubige ihr lange
eingeübtes tiefes Mißtrauen gegen den weltanschaulichen Totali-
tätsanspruch und die schroffe Kirchenfeindlichkeit zumindest
von Teilen der NS-Bewegung nicht plötzlich vergessen – um so
weniger, je heftiger mit lokalen Nationalsozialisten weiterhin um
das Existenzrecht religiöser Vereine, katholischer Kindergärten,
Sozialeinrichtungen oder Jugendgruppen gestritten werden
mußte. Mochte mancher Gemeindeseelsorger auch versuchen,
darüber fromm hinwegzureden: Kurie und Episkopat hatten sich
mit der Zustimmung zum Konkordat von Kirchenvolk und nie-
derem Klerus entfernt. Ohne es zu wollen, hatte die Amtskirche
damit Barrieren beseitigt, die der Einverleibung des treukatholi-
schen Deutschland in Hitlers Volksgemeinschaft noch im Wege
standen. Das anschließende politische Taktieren der Bischöfe
schwächte die Resistenzkraft des katholischen Milieus weiter. Bei
der Reichstagswahl im November 1933 sollte sich das zeigen.

Zu diesem Zeitpunkt vollzog die nationalsozialistische Kirchenpolitik gegenüber dem Protestantismus gerade ihre erste
Wende. Wegen der Aufsplitterung in unabhängige Landeskirchen
war die Ausgangslage hier in vielem komplizierter gewesen, in
einem aber auch einfacher: Prinzipielle Bedenken gegen den
Nationalsozialismus hatte es auf evangelischer Seite kaum gegeben, hingegen starke Zeichen der Affinität. Schon seit Jahren
waren die Hochburgen des Protestantismus auch Hochburgen
der NSDAP gewesen. Die in den Landeskirchen herrschende
antirepublikanisch-deutschnationale Grundstimmung äußerte
sich in dem Wunsch nach einer geeinten protestantischen
»Reichskirche« mit einem »Reichsbischof« an der Spitze. Nicht
allein, aber besonders vehement, strebte die NS-nahe Bewegung
der »Deutschen Christen« im Frühjahr 1933 eine Änderung der
Kirchenverfassung an. Zum Konflikt kam es, als die mehrheitlich
konservativen Vertreter der Landeskirchen nicht Hitlers »Bevoll-
mächtigten in Angelegenheiten der Evangelischen Kirche«, den
vormaligen Königsberger Wehrkreispfarrer Ludwig Müller, für
das Amt des Reichsbischofs designierten, sondern den Leiter der
Betheler Anstalten, Friedrich von Bodelschwingh. Daraufhin er-

öffneten die Deutschen Christen einen Protest- und Propaganda-feldzug, in dessen Verlauf sich schließlich auch der »Führer« eindeutig für Müller erklärte. Zur Überwindung des innerkirchlichen Kampfes, der in Preußen bereits zur Einsetzung eines Kirchenkommissars geführt hatte, fanden im Juli allgemeine Kirchenwahlen statt, bei denen die Deutschen Christen, von der Parteimaschinerie nach Kräften unterstützt, eine Zweidrittel-Mehrheit davontrugen. Auf der Generalsynode Ende September 1933 in Wittenberg kürte die »SA Jesu Christi« dann Müller zum Reichsbischof.

Kurz zuvor allerdings hatte sich ein Pfarrernotbund konstituiert, der Stellung gegen die deutschchristliche »Theologie« bezog, die unter anderem einen kirchlichen Arierparagraphen forderte. Das Aufkommen der Bekenntnis-Opposition, der sich in nur einer Woche 2000 und in wenigen Monaten fast die Hälfte aller evangelischen Pfarrer anschlossen, markierte bereits den Anfang des Niedergangs der Deutschen Christen. Unter dem Eindruck der neuen Bewegung bemühte sich Reichsbischof Müller um einen vermittelnden Kurs; »Führer«-Stellvertreter Heß ermahnte die NSDAP zur Neutralität in kirchlichen Fragen. An einer Verschärfung des Konflikts war dem Regime nicht gelegen. Als der deutschchristliche »Stoßtrupp der Kirche« die Auseinandersetzung dennoch mit Forderungen anheizte, die auf eine absurde Nazifizierung der protestantischen Theologie hinausliefen, entzog ihm der Reichsbischof seine Schirmherrschaft. Danach verloren die Deutschen Christen, schließlich der Reichsbischof selbst, bald an Einfluß, während aus dem Pfarrernotbund die Bekennende Kirche hervorging.

Für die Entwicklung des Verhältnisses von evangelischer Kirche und NS-Regime sollte diese Anfangserfahrung nachhaltige Bedeutung haben. Trotz großer nationalpolitischer Gemeinsamkeiten war der Versuch einer vollständigen, Kirchenverfassung und Theologie umschließenden Gleichschaltung gescheitert und hatte überdies eine dauerhafte Teilopposition hervorgerufen. Zwar hielt der Kirchenkampf noch jahrelang an, aber ein weiterer Frontalangriff unterblieb. Wie gegenüber der katholischen Kirche, wo ein solcher nie versucht worden war, verlegte sich das

Regime seitdem auf Maßnahmen zur gesellschaftspolitischen Neutralisierung. Das schloß Versuche eines aggressiveren Kurses von Zeit zu Zeit nicht aus, wohl aber die Totalkonfrontation, die Parteiideologen wie Alfred Rosenberg und später Martin Bormann anstrebten. Hoffnungen auf die »große Abrechnung« vertröstete Hitler auf die Zeit nach dem Krieg. Die Fähigkeit des Regimes, seinen Machtanspruch in bestimmten Bereichen begrenzt zu halten, totalitären Ambitionen eben keinen freien Lauf zu lassen, bildete eine der Voraussetzungen für Hitlers Wahlerfolg im November 1933.

Mitte Oktober hatte der »Führer« überraschend Deutschlands Austritt aus dem Völkerbund verkündet und damit das Signal für den Beginn einer Außenpolitik gegeben, die mit den laufenden Genfer Abrüstungsverhandlungen nichts mehr verband. Das Ende der bisherigen Revisionsdiplomatie war damit postuliert. Hitler suchte Handlungsfreiheit für den radikalen Kampf gegen das Versailler Vertragssystem. In einem »Aufruf an das deutsche Volk« und einer halbstündigen Rundfunkansprache erklärte der Kanzler den Schritt aus Gründen der nationalen Ehre für notwendig, denn Ziel der Abrüstungskonferenz sei es gewesen, Deutschland die militärische Gleichberechtigung vorzuenthalten. Zugleich kündigte er die erste jener Volksbefragungen an, für die im Juli (zusammen mit dem Gesetz über das NSDAP-Monopol) die rechtliche Grundlage geschaffen worden war.

Nach einer Mobilisierungskampagne, die trotz ihrer Kürze alle Register zog und die Unterstützung der Bischöfe beider Konfessionen und anderer Repräsentanten des öffentlichen Lebens geschickt nutzte, hatten 45 Millionen Deutsche am 12. November Gelegenheit zur Antwort auf die Frage: »Billigst Du, deutscher Mann, und Du, deutsche Frau, diese Politik Deiner Reichsregierung, und bist Du bereit, sie als den Ausdruck Deiner eigenen Auffassung und Deines eigenen Willens zu erklären und Dich feierlich zu ihr zu bekennen?« 40,6 Millionen (95,1 Prozent) akklamierten, knapp drei Millionen verneinten oder gaben ungültige Stimmzettel ab.

Gleichzeitig mit dem Plebiszit fand eine Neuwahl zum Reichstag statt. Den Vorwurf der Inkonsequenz angesichts erneuter Parlamentswahlen, die abzuschaffen Hitler geneigten Gesprächspartnern ja im Frühjahr versprochen hatte, wagte öffentlich niemand. Der Vorgang diente dazu, unliebsame DNVP- oder Zentrumsabgeordnete loszuwerden, die nach der Auflösung ihrer Parteien als »Hospitanten« zur NSDAP-Fraktion gekommen waren. Auf der Einheits-»Liste des Führers« (auch diese Bezeichnung, wie der Wortlaut des Plebiszits, ein Indiz für die gezielte Emotionalisierung) standen hauptsächlich verdiente Parteigenossen. Wie es in seiner Außenpolitik zur Regel werden sollte, setzte Hitler mit der Doppel-Abstimmung erstmals innenpolitisch alles auf eine Karte – und erzielte einen triumphalen Erfolg: Bei einer Wahlbeteiligung von 95,2 Prozent billigten im Reichsdurchschnitt 92,2 Prozent der Wähler die Einheitsliste; in einem protestantisch-kleinbäuerlichen Wahlkreis Kurhessens wurden sogar 99,8 Prozent erreicht. Selbst das schlechteste Ergebnis, das aus Hamburg gemeldet wurde, lag noch bei 78,1 Prozent[63].

Entgegen wiederholten Warnungen an die Parteigliederungen, alles zu vermeiden, was von der »deutschfeindlichen Propaganda« als »Fälle von ›Wahlterror‹« ausgelegt werden könnte[64], kam es an vielen Orten zu Verletzungen des Wahlgeheimnisses und zu Repressalien gegen einzelne Wähler. Eine systematische Manipulation des Wahlergebnisses gab es jedoch nicht. Trotz einer von vielen empfundenen Atmosphäre psychologischen Druckes spiegelte das Ergebnis im wesentlichen die zu dem Zeitpunkt tatsächlich in Deutschland herrschende Stimmung. Die Politik der »nationalen Erhebung« mit dem unentwegt propagierten Ziel innerer Befriedung und außenpolitischer »Wehrhaftmachung«, die beginnende wirtschaftliche Besserung und der allgemeine Eindruck dynamisch-entschlossener Zukunftsbewältigung hatten dem »Führer« inzwischen ein beträchtliches Prestige verschafft; nun glückte auch der Einbruch in das katholische Milieu und in die sozialdemokratische Arbeiterschaft. Die bei der Reichstagswahl im März 1933 noch ganz deutlichen konfessionellen Unterschiede, die etwa im kleinräumig gemischten Mittelfranken in

---

[63] Einzelanalysen bei Bracher, Machtergreifung, S. 485–498.
[64] Akten der Regierung Hitler I/2, S. 938.

protestantischen Gemeinden 90-Prozent-Ergebnisse für die NSDAP, in katholischen Nachbargemeinden aber nach wie vor eine BVP-Mehrheit erbracht hatten, waren jetzt eingeebnet. Die plebiszitäre Rückbindung der Formierungspolitik war geschafft.

Zwei Tage nach dem Triumph zollte das Kabinett Hitler Tribut. Vizekanzler von Papen bekundete Benommenheit: »Wir, Ihre nächsten und engsten Mitarbeiter, stehen noch vollkommen unter dem Eindruck des einzigartigen, überwältigendsten Bekenntnisses, das jemals eine Nation ihrem Führer abgelegt hat. In neun Monaten ist es dem Genie Ihrer Führung und den Idealen, die Sie neu vor uns aufrichteten, gelungen, aus einem innerlich zerrissenen und hoffnungslosen Volk ein in Hoffnung und Glauben an seine Zukunft geeintes Reich zu schaffen. Auch die, die bisher noch abseits standen, haben sich nun eindeutig zu Ihnen bekannt ...«[65]

Hitlers vormalige Koalitionspartner hatten allen Anlaß, sich die Augen zu reiben: In einem nur von wenigen – am wenigsten von ihnen – für möglich gehaltenen Tempo, das selbst einen Teil des Erfolgs ausmachte, waren den Nationalsozialisten Formierungsprozesse gelungen, die nicht nur das politische System von Grund auf verändert, sondern auch kaum einen Bereich von Wirtschaft, Kultur und Gesellschaft unbeeinflußt gelassen hatten. Wesentliche Merkmale der nationalsozialistischen Herrschaft waren jetzt ausgebildet. Rechtsstaat und Demokratie waren aufgehoben, Parlamentarismus, Parteien und Gewerkschaften beseitigt, die Länder und die meisten gesellschaftlichen Organisationen gleichgeschaltet, die Diskriminierung der Juden verankert, linker und linksliberaler Geist mundtot gemacht, öffentliche Meinung und Kultur zensiert. Aber der Einparteienstaat beruhte nicht allein auf Gewalt und Unterdrückung, er stützte sich auf die Zustimmung breiter Schichten. Dem Regime eigneten totalitäre wie plebiszitäre Züge, und aus dieser charakteristischen Mischung bezog es seine Fähigkeit zur Selbststabilisierung.

Meister und Medium der auf Diktatur und Plebiszit beruhenden Machtentfaltung war Hitler. Zwang und Terror balancierte

[65] Ebenda, S. 939 f.

er aus mit populistischen Einzelmaßnahmen, suggestiver Rhetorik und immensen sozialen und politischen Versprechungen. Der »Führer«-Mythos, der daraus erwuchs, machte die Stärke von Hitlers Herrschaft aus, aber er offenbarte auch ihren Schwachpunkt: Nur durch unentwegte Aktualisierung der Hitler-Begeisterung waren die heterogenen Kräfte der Bewegung zusammenzuhalten und die ungelösten wirtschaftlichen und politischen Probleme zu kaschieren, die die Situation zum Jahresende 1933 bestimmten.

Nach Hitlers eigenem Anspruch konnte die Durchsetzung der nationalsozialistischen Herrschaft so lange nicht als abgeschlossen gelten, als er sich in bestimmten Politikbereichen weiterhin in Abhängigkeit befand. Noch mußten Reichswehr und Reichspräsident als eigenständige Machtfaktoren gelten, aber auch die SA. Das änderte sich erst mit dem doppelten Coup vom 30. Juni 1934, durch den der Formierungsprozeß seinen Abschluß fand und die Jahre konsolidierter Herrschaft begannen.

2. Konsolidierung

Zerstörung stand am Beginn der nationalsozialistischen Ära und Selbstzerstörung an ihrem Ende. Symbolisiert das Jahr 1933 die parasitäre Zersetzung überlieferter Formen staatlicher und gesellschaftlicher Ordnung im Innern, so 1945 eine nach außen und nach innen gerichtete politische Destruktivität welthistorischen Zuschnitts. Aber es wäre falsch, Hitlers Herrschaft nur von diesen Eckdaten her zu betrachten – schon deshalb, weil allein daraus keine Erkenntnis zu gewinnen ist über die Fähigkeit des Nationalsozialismus, zu einer gewissen Konsolidierung zu finden, die es eigentlich erst erlaubt, von einem »Regime« zu sprechen.

Das Dritte Reich war gewiß keine statische Größe, doch es war auch kein bloßer politischer Prozeß. Neben der ungeheuren, in die radikale Realisierung drängenden Dynamik der NS-Weltanschauung gab es etatistische Machtentfaltung. Es gab eine

Phase konsolidierter Herrschaft mit realen und potentiellen Entwicklungen, Wirkungskräften und Zeiterfahrungen, die nicht einfach ausgeblendet werden dürfen, nur weil sie historisch-politisch großenteils Episode blieben.

Unter dem Gesichtspunkt der Innenpolitik wird man am ehesten die Jahre zwischen 1935 und 1938 als Periode konsolidierter nationalsozialistischer Herrschaft bezeichnen können. Im Grunde waren es nur diese vier Jahre, in denen das Regime seine inneren Gestaltungsansprüche in relativer Ungebundenheit entfalten konnte. Davor zwangen koalitionspolitische, danach kriegspolitische Faktoren zu mannigfachen Kompromissen.

Ins Bewußtsein einer Mehrheit der damals lebenden Deutschen sind die mittleren Jahre der NS-Zeit eingegangen als die »guten Jahre« vor dem Krieg. Doch selbst nach Kriegsbeginn blieb viel scheinbare Normalität. Der Schrecken des Krieges erreichte viele erst ab 1942/43 mit den Bomben der Alliierten. Umgekehrt konnte sich die materielle Lage in der Wahrnehmung des einzelnen schon etwas vor 1935 gebessert haben. Gleichwohl blieben die »normalen Zeiten« in dem auf tausend Jahre angelegten Dritten Reich knapp bemessen. Aber es waren, das zeigt die Erinnerung der Zeitgenossen, intensive Jahre.

Wie in einem »Taumel« – so das oft in dem Zusammenhang gebrauchte Wort – erlebten die Menschen den rasanten wirtschaftlichen und außenpolitischen »Wiederaufstieg« Deutschlands. Erstaunlich schnell identifizierten sich viele mit dem sozialen »Aufbauwillen« einer »Volksgemeinschaft«, die sich alles Nachdenklich-Kritische vom Leibe hielt und von den Errungenschaften jüdisch-deutscher Geistigkeit nichts mehr wissen wollte. Man ließ sich betören von der Ästhetik der Reichsparteitage in Nürnberg und bejubelte die Triumphe deutscher Sportler bei den Olympischen Spielen in Berlin. Hitlers außenpolitische Erfolge lösten Begeisterungsstürme aus. Die scheinbare Abwesenheit politischer Interessengegensätze und das Ende des Parteienstreits stießen auf Genugtuung. In der knappen Zeit, die zwischen Beruf und der Inanspruchnahme im wuchernden Dschungel der NS-Organisationen verblieb, genoß man den bescheidenen Wohlstand und privates Glück.

Anfang der dreißiger Jahre war John Maynard Keynes noch dabei, seine Theorie des »deficit spending« zu entwickeln, und es gehörte noch nicht zu den volkswirtschaftlichen Grundweisheiten, Konjunkturflauten mit staatlichen Investitionsprogrammen und politischer Psychologie zu bekämpfen. Aber mit genau diesem Rezept produzierte das NS-Regime einen Aufschwung, der im Inland wie im Ausland schon bald als »Wirtschaftswunder« anerkannt wurde.

Bereits 1936, während in anderen wichtigen Industrieländern weiterhin hohe Arbeitslosigkeit herrschte (in den USA lag sie bei fast 24 Prozent), galt in Deutschland die Vollbeschäftigung als wiederhergestellt. Zwar wies die Statistik im Jahresdurchschnitt noch 1,6 Millionen Arbeitslose aus, doch das waren nur rund 200 000 mehr als im Glanzjahr 1928 – und die Zahlen sanken weiter[66]. In einzelnen Branchen mangelte es sogar schon an Fachkräften.

Unbestreitbar war den Nationalsozialisten anfangs zugute gekommen, daß sie auf Investitionspläne der Vorgängerregierungen zurückgreifen konnten, und mehr noch, daß sich seit 1932 eine volkswirtschaftliche Trendwende abzeichnete, die staatlichen Einsatz nun besonders aussichtsreich machte. So beruhte der Erfolg der nationalsozialistischen Konjunkturpolitik, die Ausdruck fand im sogenannten Reinhardt-Programm und einem nachgeschobenen zweiten Gesetz zur Minderung der Arbeitslosigkeit in Höhe von insgesamt 1,5 Milliarden Reichsmark, nicht allein auf der Größe der Investitionsspritzen. Aber etwas kam hinzu, wodurch sich die Therapie grundsätzlich vom Bisherigen unterschied: die populistische Darreichungsform. Staatliche Mittel wurden nicht einfach bloß ausgegeben, sondern man sorgte dafür, daß es auch bekannt wurde. Statt auf die bloße Hoffnung, die Gelder möchten etwas bewirken, setzte man auf den Effekt einer begleitenden Stimmungskampagne. Propaganda bildete fortan einen genuinen Bestandteil der Wirtschafts- und Sozial-

[66] Vgl. Übersicht 2, S. 323 f.

politik. Was konnte näher liegen für eine politische Bewegung, die fixiert war auf die Eroberung des Bewußtseins, »der Herzen« der Menschen?

Legende gewordenes Beispiel dafür war der im Spätsommer 1933 mit großem öffentlichen Getöse begonnene Bau der Reichsautobahn, den halbprivate Unternehmen seit Mitte der zwanziger Jahre vorbereitet hatten. Die Bilder von Hitlers erstem Spatenstich und den mit Schaufeln zum Einsatz marschierenden Arbeiterkolonnen vermittelten das optimistisch-suggestive Image eines zupackenden und vorausschauend denkenden »Führers«, der die Arbeitslosen »von der Straße holt«, um sie ein gewaltiges Netz großzügiger Fernverkehrswege bauen zu lassen, ohne die ein modernes Deutschland nicht auskommen werde. Die »Arbeitsschlacht« tobte in den Illustrierten und Wochenschauen – und keineswegs nur entlang der Autobahnstrecken, deren Vortrieb der neue »Generalinspektor für das deutsche Straßenwesen« und spätere Westwall-Manager Fritz Todt überwachte. An den Baustellen für die ersten NS-Projekte, etwa für das »Haus der deutschen Kunst« in München, waren Symbolik und medienwirksame Aufbereitung mindestens so wichtig wie die Vorhaben selbst.

Enormen propagandistischen Wert besaßen auch die im Rahmen des Reinhardt-Programms eingeführten sogenannten Ehestandsdarlehen. Über eine halbe Million junger Paare beantragte den zinslosen Zuschuß zur Haushaltseinrichtung (maximal 1000 Reichsmark) in den ersten beiden Jahren; allein 1933 wurden 200 000 Ehen mehr geschlossen als im Jahr zuvor, und über die Hälfte aller Brautleute nahm die Vergünstigung in Anspruch. Zunächst verfolgte die Offerte den Zweck, Frauen vom Arbeitsmarkt abzuziehen; sie war deshalb an die Verpflichtung zur Berufsaufgabe geknüpft. Ein Nebenziel, das die Fortsetzung des Programms selbst im Zeichen der Vollbeschäftigung rechtfertigte, nun allerdings ohne die Bedingung des Ausscheidens aus dem Beruf, war die Geburtenförderung: Die Schuld konnte »abgekindert« werden; mit jedem Neugeborenen wurde den Eheleuten ein Viertel des Kredits erlassen.

Mehr noch als die NS-Konjunkturprogramme, die personalintensive Handarbeit anstelle des Einsatzes von Maschinen förderten, trugen 1935 die Einführung der allgemeinen Wehrpflicht und einer halbjährigen Arbeitsdienstpflicht dem Ziel der Beseitigung der Arbeitslosigkeit Rechnung, aber auch ideologisch-politischen Absichten. Letztere waren in sich widersprüchlich: Der mit agrarromantischen Vorstellungen ohnehin schwer unter einen weltanschaulichen Hut zu bringende Autobahnbau, wie die Melioration mit Pickel und Schaufel betrieben, bot vorübergehend erhöhte Beschäftigungsmöglichkeiten, jedoch keine wirkliche Alternative für eine Industriegesellschaft, deren Leistungsfähigkeit in den nächsten Jahren massiv verstärkt werden sollte. Auch dem NS-Leitbild der gebärfreudigen Mutter am heimischen Herd konnte nur so lange Vorrang gegeben werden, als nicht der Primat der Aufrüstung die Ausschöpfung aller Arbeitskraftreserven erforderte.

Spätestens seit dem Abschluß der inneren Formierung und der Stabilisierung der Wirtschaft hatten »Wehrhaftmachung« und Kriegsvorbereitung unbedingte ökonomische Priorität. Wo nun noch allgemeine reaktionär-utopische Versatzstücke nationalsozialistischer Ideologie dem besonderen rassenimperialistischen Projekt im wirtschaftlichen Weg lagen, wurden sie ausgeräumt.

Seit 1934/35 floß ein rapide wachsender Teil der staatlichen Ausgaben in die Aufrüstung. Während andere Bereiche nur geringe Steigerungen verzeichneten – der propagandistisch so sehr herausgestellte soziale Wohnungsbau erlebte, verglichen mit den guten Jahren der Weimarer Republik, sogar einen drastischen Rückgang –, verschlangen Wehrmacht und Rüstung Jahr um Jahr mehr. 1934 beanspruchten sie 18 Prozent, 1938 bereits 58 Prozent aller Ausgaben der öffentlichen Haushalte (mehr als ein Fünftel des Volkseinkommens)[67]. Finanziert wurden die gewaltigen Ausgaben hauptsächlich über die von Reichsbankpräsident Hjalmar Schacht erfundenen Mefo-Wechsel: Krupp, Siemens, Rheinmetall und die Gutehoffnungshütte gründeten zu diesem Zweck eine »Metallurgische Forschungsgemeinschaft« (Mefo),

[67] Vgl. Rolf Wagenführ, Die deutsche Industrie im Kriege 1939–1945. Berlin 1955, S. 17.

deren Wechsel die Reichsbank diskontierte. Auf diskrete Weise verschuldete sich der Staat mit rund 12 Milliarden Reichsmark, ehe 1938 Reichsschatzanweisungen und Steuergutscheine an die Stelle der Wechsel traten. Inzwischen opponierte Schacht dem längst nicht mehr die Konjunktur stützenden, sondern auf Inflation oder Eroberungskrieg hinauslaufenden Kurs, freilich ohne etwas auszurichten. Dem finanziellen Koordinator der Aufrüstung erging es damit auf seinem Terrain nicht anders als den meisten »konservativen Fachleuten« im Kabinett. Im November 1937 nahm Schacht als Reichswirtschaftsminister, gut ein Jahr später auch als Reichsbankpräsident seinen Abschied, blieb aber bis 1943 Regierungsmitglied.

Potentieller Konfliktpunkt im Bündnis zwischen Wirtschaft und NS-Führung war von Beginn an der ideologisch-politische Primat, an dem das Regime keine Abstriche duldete. Mochte die Rüstungspolitik wegen ihrer Funktion als Konjunkturlokomotive in Wirtschaftskreisen fast ungeteilten Beifall finden, so galt das für die sie begleitende, nicht minder ideologisch-politisch motivierte und konsequent verfolgte Autarkiepolitik doch nur bedingt. Schacht stand auch dafür als Symbol. Nachdem es dem Wirtschaftsminister im Herbst 1934 durch die Errichtung einer umfassenden Außenwirtschaftskontrolle (»Neuer Plan«) gelungen war, akute Devisenprobleme zu überwinden, verschärfte sich die Situation ein Jahr später erneut. Nicht nur schlechte Ernten und steigende Weltmarktpreise, auch die ineffektive Marktordnungspolitik des Reichsnährstands trugen zu den Versorgungsschwierigkeiten bei, die Schacht wiederholt in Konflikt mit Darré brachten. Nutznießer der »Fettkrise« wurde Göring, den Hitler im April 1936 zum »Beauftragten für alle Devisen- und Rohstofffragen« ernannte[68].

Immer deutlicher stellte sich nun heraus, daß die politisch verlangte und mit Nachdruck betriebene Gleichzeitigkeit von Hochrüstung und Autarkie zu wirtschaftlichen Problemen führte, die auf privatkapitalistische Weise kaum zu lösen waren.

---

[68] Dazu Alfred Kube, Pour le mérite und Hakenkreuz. Hermann Göring im Dritten Reich. München 1986, S. 138–150.

Im Zeichen der Vollbeschäftigung wuchsen die privaten Konsumbedürfnisse, aber die Produktionskapazitäten waren mit der Herstellung von Rüstungsgütern ausgelastet. Trotz beträchtlicher Erfolge machten auch die Ergebnisse der »Erzeugungsschlacht« an der grünen Front die steigende Verbrauchernachfrage nicht wett. Volkswirtschaftlich unrentable, aber autarkiepolitisch zentrale Vorhaben, darunter der Erzabbau und die Stahlproduktion in den Hermann-Göring-Werken (Salzgitter) und die Entwicklung der Treibstoffsynthese aufgrund des bereits Ende 1933 geschlossenen »Benzinvertrags« mit der I. G. Farben, verknappten die gesamtwirtschaftlichen Ressourcen, ohne hinreichend Devisen für andere Zwecke freizumachen.

In dieser Krisensituation verkündete Hitler am 9. September 1936 auf dem »Parteitag der Ehre« in Nürnberg den Vierjahresplan. Der eingeschlagene Kurs sollte um jeden Preis sichergestellt werden. Denn in vier Jahren, so hatte der »Führer« in einer geheimen Denkschrift selbst niedergelegt, müßten die Wirtschaft »kriegsfähig« und die Wehrmacht »einsatzfähig« sein. Was sich aufgrund dieser Prämisse in den folgenden Jahren herausbildete, war eine staatliche Kommandowirtschaft mit privater Mitbestimmung. Das Privateigentum wurde nicht angetastet, und auch die unternehmerische Verfügungsgewalt in autarkie- und kriegswichtigen Bereichen nur bedingt, denn in den staatlichen Lenkungsbüros saßen die Manager der Industrie[69].

Durch verstärkte Planung und Lenkung sollte der Vierjahresplan die Krise überwinden und gleichzeitig die Produktion von Ersatz- und Rohstoffen entschiedener als bisher vorantreiben. Die traditionelle Wirtschaftsbürokratie hielt für solche Aufgaben, die Schachts Konzept einer Südosteuropa beherrschenden, aber dennoch marktwirtschaftlich orientierten Großraumwirtschaft klar widersprachen und über die Kontrolle des Außenhandels weit hinausgingen, weder die organisatorischen noch die personellen Kapazitäten bereit. Hitler reagierte darauf in typischer Weise: Er berief Göring zu seinem »Beauftragten für den

---

[69] Zum folgenden grundlegend Dieter Petzina, Autarkiepolitik im Dritten Reich. Stuttgart 1968; vgl. auch Kube, S. 185–201.

Vierjahresplan«, und dieser richtete erst einmal neue Sonderämter ein, sogenannte Geschäftsgruppen für Rohstoffe, Devisen, Arbeitseinsatz, landwirtschaftliche Erzeugung und Preisüberwachung. Daneben trat ein Generalrat des Vierjahresplans. Mit zusätzlichen Generalbevollmächtigten für die einzelnen Produktionsbereiche, die künftig nach Bedarf in das Lenkungssystem einbezogen werden konnten, warf man endgültig alle Vorstellungen einer ordentlichen Abgrenzung zwischen Staatsverwaltung und Privatwirtschaft über den Haufen. Ziel war der engstmögliche Schulterschluß zwischen Regime und Großindustrie. Besonders deutlich kam das darin zum Ausdruck, daß neben Wehrmachtsoffizieren in steigendem Maße Industriemanager – ohne aus den Gehaltslisten ihrer Unternehmen gestrichen zu werden – wichtige Posten in der Vierjahresplan-Organisation bekleideten.

Das krasseste Beispiel für die zunehmende Verflechtung von Politik und Wirtschaft war 1938 die Ernennung von Carl Krauch zum »Generalbevollmächtigten Chemie«. Krauch war nicht nur wissenschaftlicher Experte für Benzin und Buna, die Säulen der chemischen Ersatzstoffproduktion, sondern auch Vorstandsmitglied der I. G. Farben. Seine organisatorischen Qualitäten hatte der Chemiker schon als Berater von Görings Luftfahrtministerium beim Abschluß des »Benzinvertrags« bewiesen. Nun sorgte er dafür, daß aus dem Vierjahresplan faktisch ein I. G.-Plan wurde. Ab 1940 verband Krauch die wichtigste staatliche Lenkungsaufgabe für die chemische Industrie sogar mit dem Aufsichtsratsvorsitz der I. G. Dank eines Quasi-Monopols in zentralen Produktbereichen und Krauchs Tatkraft war es dem Konzern gelungen, die Wirtschaftspolitik des Dritten Reiches ein gutes Stück weit zu »privatisieren«. In der Tendenz war das freilich weniger singulär, als es im Zusammenhang mit der spezifisch nationalsozialistischen Autarkie- und Rüstungspolitik den Anschein hat: Die verstärkte direkte Zusammenarbeit zwischen Großwirtschaft und Staat war auch eine Folge des Zusammenbruchs der liberalen Weltwirtschaftsordnung Ende der zwanziger Jahre und der weltweit zu beobachtenden Entstehung von Trusts.

Trotz beachtlicher Ergebnisse in Teilbereichen wurden die

hochgesteckten Ziele des Vierjahresplans nicht erreicht. Die Verkündung eines »Wehrwirtschaftlichen Neuen Erzeugungsplans«, der die Produktionspalette 1938 nochmals zugunsten von Rüstungsgütern verengte, machte das deutlich. Weniger offensichtlich wurden die volkswirtschaftlichen Verzerrungen und die sozialen Kosten der Rüstungswirtschaft, die zu verbergen das Regime sich nach Kräften – und mit beträchtlichem Erfolg – bemühte.

Ein Beispiel dafür war die Landwirtschaftspolitik. Via Blut-und-Boden-Propaganda hatte das Regime die Bauern ideologisch aufgewertet und über den Reichsnährstand[70] an die Volksgemeinschaft angeschlossen. Zwar mißfiel der bäuerlichen Bevölkerung die damit verbundene Bürokratisierung, aber daß sie nun zum ersten Mal die permanente Aufmerksamkeit des politischen Systems erfuhr, trug zur Veränderung ihres sozialen (Selbst-)Bewußtseins bei. Nur änderte die rigide staatliche Preispolitik nichts an den unbefriedigenden Erträgen vor allem kleiner und mittlerer Höfe[71]. Und im Grunde bekamen die Bauern die Schattenseiten des NS-»Wirtschaftswunders« am frühesten zu spüren, denn von Jahr zu Jahr mußte die »Erzeugungsschlacht« mit weniger Arbeitskräften geschlagen werden. Bis zum Kriegsbeginn gingen der Landwirtschaft rund 1,4 Millionen Menschen verloren, die besser bezahlte Arbeitsplätze in der (Rüstungs-)Industrie annahmen. Der notorische Mangel an Landarbeitern, den das Regime mit dem Einsatz von Jugendlichen (HJ-Landdienst, Erntehilfe, Landjahr) statt mit entschlossener Mechanisierung, Rationalisierung und Bodenreform aufzufangen suchte, war jahrelang ein Quell der Mißstimmung, die erst verebbte, als dann Kriegsgefangene und zwangsverpflichtete Fremdarbeiter herangezogen werden konnten.

[70] Vgl. Gustavo Corni/Horst Gies, Brot – Butter – Kanonen. Die Ernährungswirtschaft in Deutschland unter der Diktatur Hitlers. Berlin 1997.

[71] Vgl. David Schoenbaum, Die braune Revolution. Eine Sozialgeschichte des Dritten Reiches. München 1980, S. 196–225; Horst Gies, Aufgaben und Probleme der nationalsozialistischen Ernährungswirtschaft 1933–1939. In: Vierteljahrsschrift für Sozial- und Wirtschaftsgeschichte 66 (1979), S. 466–499.

Wie in vielen Bereichen, bewirkte der Nationalsozialismus auch auf dem Lande ziemlich das genaue Gegenteil des ursprünglich ideologisch Intendierten und scheint weit stärker einem internationalen Trend zur Marktordnungspolitik gefolgt zu sein, als oft angenommen wurde[72]. Resultat der NS-Agrarpolitik war nicht der selbstbewußt und eigenverantwortlich dem Wohl der Volksgemeinschaft dienende »freie Bauer«, wie ihn regimetreue Maler gerne auf die Leinwand brachten, sondern der in ein Netz von Anbauvorschriften, Preisregulierungen und Abnahmegarantien eingespannte Agrarproduzent. Statt neuer Hofgründungen gab es massive Landflucht. Die vermeintlich so schollentreuen Germanen drängten in die großstädtischen Ballungsgebiete.

Arbeiter und Volksgemeinschaft

Der Weltanschauungs-Rhetorik zum Hohn setzten sich im Boom der Vorkriegsjahre alte sozialökonomische und demographische Trends fort und verstärkten sich zum Teil sogar noch. Das galt gerade für die größte Gruppe der Bevölkerung, die Arbeiterschaft. Die unklare Mischung aus politischer Entrechtung, Festhalten an wesentlichen Gratifikationen des Weimarer Sozialstaats und dem neu hinzukommenden sozialpolitischen Aktivismus der DAF brachte im Zeichen der Vollbeschäftigung bemerkenswerte Veränderungen am Sozialtypus »Arbeiter« hervor. Wie es scheint, beschleunigten sich sozialkulturelle Nivellierungstendenzen, die auch in anderen westlichen Industrienationen erkennbar wurden und in Richtung auf eine konsumorientierte Massengesellschaft gingen.

Den NS-spezifischen Anstoß zu dieser Entwicklung hatte die Zerstörung der politischen Organisationen der Arbeiterbewegung gegeben, die auch eine Schwächung ihres Sozialmilieus nach sich zog. Doch erst der einsetzende wirtschaftliche Aufschwung

---

[72] Vgl. Ludolf Herbst, Der Totale Krieg und die Ordnung der Wirtschaft. Die Kriegswirtschaft im Spannungsfeld von Politik, Ideologie und Propaganda 1939 bis 1945. Stuttgart 1982, S. 29.

verschaffte dem Gegendruck der Volksgemeinschafts-Ideologie eine materielle Grundlage. Der Zerfall traditioneller Solidarstrukturen schritt nun verstärkt fort. Selbst standhafte alte Sozialdemokraten, die den Rüstungskurs durchschauten und im vertrauten Kreis kritisierten, vermochten sich immer weniger der allgemeinen Begeisterung für die Schnelligkeit und Gründlichkeit, mit der das Regime die Arbeitslosigkeit abbaute, zu entziehen. Die wiedergewonnene existentielle Sicherheit wog bald schwerer als der vorangegangene Verlust politischer Rechte, mochten dem auch weitere Eingriffe folgen wie etwa 1935 die Einführung eines »Arbeitsbuches«, das die freie Wahl des Arbeitsplatzes einschränkte und die staatliche Kontrolle des »Arbeitseinsatzes« ermöglichte.

Daß mit dem Wirtschaftswunder keineswegs der breite Wohlstand Platz griff, sondern lediglich eine langsame Wiederangleichung an den Lebensstandard vor der großen Krise, spürten viele, aber nur vereinzelt regte sich Protest. Die Deutschen waren es gewöhnt, ihr Graubrot mit Margarine zu bestreichen statt mit Butter, und Vierfruchtmarmelade draufzutun anstelle von Wurst. Verglichen mit Engländern, Franzosen und Amerikanern aßen sie auch in den »guten« Vorkriegsjahren einfacher, aber immerhin soviel sie wollten. Keiner mußte mehr hungern. Luxusartikel oder auch nur Dinge, die das Leben ein wenig angenehmer machten, blieben hingegen rar. Nicht, daß den Deutschen die Kaufkraft fehlte – es wurden einfach zu wenig Konsumgüter produziert. Das Regime sparte (genauer: investierte) für den Krieg und hielt die Menschen kurz. Ab 1936 begannen zwar die realen Stundenlöhne zu steigen und lagen zwei Jahre später auf dem Niveau von 1929[73]. Hingegen erreichten die realen Nettowochenverdienste, die längere Arbeitszeiten, aber auch steigende »freiwillige« Abzüge vom Bruttolohn für DAF, Winterhilfswerk und während des Krieges für das »Eiserne Sparen« berücksichtigen, nur 1941/42 den Stand von 1929 und sanken dann wieder ab. Und wenn die Wirtschaft Anfang der dreißiger Jahre eine zu hohe Lohnquote beklagt hatte, so durfte sie nun zufrieden sein:

[73] Vgl. Übersicht 3, S. 324.

Der Anteil der Löhne am Volkseinkommen fiel seit 1934/35 kontinuierlich.

Die Aufhebung der Tarifautonomie und die dezentralisierte Lohnfestsetzung durch die Treuhänder der Arbeit konnten in Zeiten der Hochkonjunktur Lohnsteigerungen freilich nicht verhindern. Als sich dadurch 1939 das Rüstungstempo ernstlich zu verlangsamen drohte, verhängte das Regime einen allgemeinen Lohnstopp. Doch auch danach stiegen die Löhne weiter, wenngleich nicht generell, sondern über Leistungszulagen, die besonders in den kriegswichtigen Branchen gezahlt wurden[74].

Was auf den ersten Blick nur als ein Mittel erschien, den offiziellen Lohnstopp zu umgehen, hatte Methode: Akkordzulagen und dergleichen dienten der Leistungssteigerung und ermöglichten eine stärkere Differenzierung sowohl zwischen einzelnen Arbeitern wie nach Qualifikation und Wichtigkeit bestimmter Gruppen. Eine feinere Staffelung der Lohngruppen und eine ausgeklügelte Arbeitsplatzbewertung hielt die Gesamtlohnsumme niedrig und schuf dennoch wirksame Leistungsanreize. Schon mit einem geringen zusätzlichen Einsatz konnte ein Betrieb auf diese Weise erhebliche Steigerungen der Produktivität erzielen – und in der Arbeiterschaft die Überzeugung verstärken, daß Fleiß sich allemal auszahle. Schien der generelle Lohnstopp die egalisierende Volksgemeinschafts-Propaganda zu bestätigen, so seine Nichteinhaltung im durch Leistung gerechtfertigten Einzelfall die Offenheit der Gesellschaft für soziale Aufsteiger. Keineswegs war es die Regel, die nationalsozialistische Parole »Arbeit adelt« mit einem »Wir bleiben bürgerlich« zu retournieren. Gerade junge Arbeiter, die noch weniger fest eingebunden waren in die Strukturen paternalistisch-proletarischer Solidarität, nahmen die sparsam angebotenen Aufstiegschancen ernst – als Möglichkeit, aus klassenmäßig vorgezeichneten Berufs- und Lebenswegen auszubrechen.

»Freie Bahn dem Tüchtigen« lautete die entsprechende, scheinbar ganz unpolitische Losung, und der von der Reichsju-

---

[74] Zum folgenden Tilla Siegel, Leistung und Lohn in der nationalsozialistischen »Ordnung der Arbeit«. Opladen 1989.

gendführung ausgerichtete »Reichsberufswettkampf« (1937: 1,8 Millionen Teilnehmer[75]) bildete dazu die passende Konkretisierung. Solche Ansätze zu einer stärker individualistischen Leistungsorientierung leiteten auf breiter Ebene eine Entsolidarisierung ein, die für die Nachkriegsgesellschaft geradezu typisch werden sollte[76].

Die nationalsozialistische Verherrlichung des Leistungsethos entsprach den Erfordernissen einer schon in Friedenszeiten gestarteten Kriegswirtschaft ebenso wie den unentwegt propagierten sozialdarwinistischen Ideen. Sie diente dem Zweck, die Arbeiterschaft qua Entsolidarisierung politisch ruhigzuhalten und aus Deutschland trotzdem ein Arbeitshaus zu machen. Wenn das aufs Ganze gesehen gelang, so auch deshalb, weil sich die Nationalsozialisten darauf verstanden, den von der alten Arbeiterbewegung betonten Zusammenhang von materieller Lage und gesellschaftlichem Bewußtsein in den Köpfen vieler Menschen aufzulösen. Sicherlich gab es Bummelei, Krankfeiern und Nachlässigkeit bei der Arbeit[77], aber inwiefern das Ausdruck politischer Unzufriedenheit war und nicht in erster Linie Folge des enormen Leistungsdrucks, ist schwer zu sagen. Im Gesamtbild jedenfalls blieb kollektiver Protest die Ausnahme. Die Tatsache, daß an der Sozialfront insgesamt überraschende Ruhe herrschte, verdankte das Dritte Reich nicht nur permanenter Drohung in Gestalt der Gestapo, sondern auch seinen systematischen Bemühungen, Lohn und Status zu entkoppeln[78]. Auf seine Gegner tief frustrierende Weise demonstrierte das Regime, daß

[75] Vgl. Franz Neumann, Behemoth. Struktur und Praxis des Nationalsozialismus 1933–1944. Köln 1977, S. 498.

[76] Vgl. Lutz Niethammer (Hrsg.), »Die Jahre weiß man nicht, wo man die heute hinsetzen soll.« Faschismuserfahrungen im Ruhrgebiet. Berlin, Bonn 1983; Detlev Peukert, Volksgenossen und Gemeinschaftsfremde. Anpassung, Ausmerze und Aufbegehren unter dem Nationalsozialismus. Köln 1982, S. 140.

[77] Vgl. Timothy W. Mason, Sozialpolitik im Dritten Reich. Arbeiterklasse und Volksgemeinschaft. Opladen 1977; ders., Die Bändigung der Arbeiterklasse im nationalsozialistischen Deutschland. Eine Einleitung. In: Sachse u. a., Angst, S. 11–53.

[78] Vgl. Schoenbaum, Revolution, S. 108–151.

der Mensch nicht allein vom Brote lebt und Loyalität auch anders zu haben ist als durch die rechtzeitige Aufstockung des Ecklohns.

Die Sozialpolitik des konsolidierten NS-Regimes war nicht einfach bloß reaktionär oder rhetorisch, und sie war auch mehr als ein genau kalkuliertes Mittel zum Zweck der totalitären Manipulation. Mochten die Anfänge der sozialpolitischen Aktivität der DAF, im Zeichen der institutionellen Konkurrenz mit den Treuhändern der Arbeit, machtpolitisch motiviert gewesen sein[79], so entwickelte sich daraus doch eine substantielle und in Teilen sogar fortschrittliche Sozialpolitik.

Nicht alles, was vom Namen her die Assoziation einer – verlogenen – Idylle zu wecken suchte, war hohle Propaganda: Das DAF-Amt »Schönheit der Arbeit« kümmerte sich zwar auch um die fast sprichwörtlichen Geranien vorm Fabrikfenster, doch darüber hinaus ging es um die verstärkte Anwendung moderner Methoden und Erkenntnisse der Arbeitswissenschaft, wie große Konzerne sie schon praktizierten. Arbeitsschutz und Arbeitsmedizin dienten mittelbar gewiß den Interessen der Industrie, die im Zeichen der Hochkonjunktur den Käfig des Korporatismus zu vergolden suchte, in dem ihre Belegschaften gehalten wurden. Aber natürlich kamen Arbeitserleichterungen und Verbesserungen der Arbeitshygiene, die oft auf Vorschlägen von Betriebsangehörigen beruhten, auch den Arbeitern zugute. Und ganz offensichtlich galt das für neu eingerichtete firmeneigene Sportanlagen, Aufenthaltsräume und Werkskantinen. Gerade weil an den Löhnen kaum gerüttelt werden durfte, hatten nichtpekuniäre Vergünstigungen besondere Bedeutung. Ein Urlaub, der in der NS-Zeit von durchschnittlich drei auf sechs bis zwölf Tage anstieg, war sogar im internationalen Vergleich eine Errungenschaft.

Der sozialpolitische Aktivismus der DAF war auch insofern originär, als er mehreren, mitunter konkurrierenden Motiven

---

[79] Dazu und zum folgenden Gunther Mai, »Warum steht der deutsche Arbeiter zu Hitler?« Zur Rolle der Deutschen Arbeitsfront im Herrschaftssystem des Dritten Reiches. In: Geschichte und Gesellschaft 12 (1986), S. 212–234.

entsprang. Selbst der jährliche »Leistungskampf der deutschen Betriebe«, bei dem das makroökonomisch oberste Ziel der Produktionssteigerung im Mittelpunkt zu stehen schien, diente mindestens zwei weiteren Zwecken: Er verschaffte der DAF betriebsinterne Informationen und damit Möglichkeiten der Einwirkung, und durch eine Präsentation im Stil von Sportereignissen förderte er das innerbetriebliche Gemeinschaftsbewußtsein. Sozialpsychische und im weitesten Sinne sozialmedizinische Erwägungen prägten die konkrete Politik der Arbeitsfront mindestens so sehr wie politisch-ideologische Zielvorstellungen und die Absicht, zur Optimierung der volkswirtschaftlichen Leistung beizutragen. Für alles zusammen stand, auf ziemlich gelungene Weise, »Kraft durch Freude« (KdF), die Feierabendorganisation der DAF.

Ins Bewußtsein der »Volksgenossen« schmeichelte sich KdF vor allem ein als unschlagbar billiger Reiseveranstalter[80]. Seit 1934 kreuzten ihre Hochseedampfer zwischen Madeira und den Fjorden Norwegens, und auf Deck sonnte sich der deutsche Arbeiter. So jedenfalls wollte es die Propaganda. In Wirklichkeit war überwiegend Mittelstand an Bord, während durchschnittliche Arbeiterfamilien für eine Woche in den Bayerischen Wald oder an die Nordsee fuhren, was doch um einiges preisgünstiger war. Immerhin machten bis 1939 reichlich sieben Millionen Deutsche Urlaub mit KdF (zuzüglich 35 Millionen Tagesausflügler) – das konnten nicht nur »Parteibonzen« sein, wie böse Zungen und deprimierte Sozialdemokraten behaupteten.

Das Regime hatte nicht die geringsten Hemmungen, sich seine Popularität als Reiseunternehmer zu verdienen. Der offenkundige Erfolg bestärkte die Arbeitsfront, immer neue Attraktionen zu entwickeln, die die Volksgenossen bei Laune halten sollten. Geradezu demonstrativ an Klassenprivilegien rüttelnde Tennis- und Reitkurse, Theaterabende, Tanzveranstaltungen, Volksbildungsprogramme sowie Betriebssportfeste und Belegschaftsfeiern mochten dem kritischen Betrachter von draußen kleinkariert

---

[80] Zum folgenden Hasso Spode, Arbeiterurlaub im Dritten Reich. In: Sachse u. a., Angst, S. 275–328.

und miefig erscheinen, aber begleitet von permanenter Volksgemeinschafts-Propaganda verfehlten sie ihre Wirkung nicht. Selbstkritisch formulierte ein Kommentator der Prager Exil-SPD: »... die Erfahrung der letzten Jahre hat leider gelehrt, daß die spießbürgerlichen Neigungen eines Teils der Arbeiter größer sind, als wir uns früher eingestehen wollten.«[81] Zu diesem Zeitpunkt, im September 1937, offerierte die Mammutorganisation DAF/KdF längst ein nahezu flächendeckendes Freizeitangebot, an dem rein statistisch jeder erwachsene Deutsche einmal im Jahr partizipierte.

Die meisten der damals geweckten Ansprüche befriedigte freilich erst das Wirtschaftswunder der zweiten Nachkriegszeit. Am ehesten noch wurde der Massentourismus, der dann in den fünfziger Jahren losbrechen sollte, bereits in den Dreißigern ein Stück weit eingeübt; der »KdF-Wagen«, an dessen Konstruktion Hitler persönlich herumgedacht hatte, lief überhaupt erst nach dem Krieg als VW-Käfer vom Band. Aber die Erwartung eines preisgünstigen Volks-Automobils veranlaßte 336 000 Menschen zu wöchentlichen Vorschuß-Ratenzahlungen an die DAF, die damit die Produktionsstätte (und -stadt) Wolfsburg aus dem Boden stampfte, in der dann allerdings nur Kübelwagen für die Wehrmacht gebaut wurden[82]. Volkstümliche Vorhaben durch das Volk finanzieren zu lassen, war eine Grundidee des sozialpolitischen Remmidemmis der Nationalsozialisten: Es durfte nichts kosten – jedenfalls nicht den Staat, der längst alle irgendwie lockerzumachenden Mittel in die Rüstung pumpte.

Einer der bemerkenswertesten Erfolge nationalsozialistischer Sozial- und Gesellschaftspolitik bestand in der Verbreitung des Gefühls sozialer Gleichheit. Wo unentwegt an der bewußtseinsmäßigen Abtragung von Rang- und Statusunterschieden gearbeitet wurde, da konnten selbst bescheidene Ansätze von »Massenkonsum« als Indizien einer vielversprechenden Zukunft gelten.

---

[81] Deutschland-Berichte der Sozialdemokratischen Partei Deutschlands (Sopade) 1934–1940. Salzhausen, Frankfurt am Main 1980. Vierter Jahrgang 1937, S. 1259.

[82] Vgl. dazu jetzt Hans Mommsen/Manfred Krieger, Das Volkswagenwerk und seine Arbeiter im Dritten Reich. Düsseldorf 1996, bes. S. 179–202.

In einer solchen Atmosphäre ließen sich die Hoffnungen der Bausparer und der Autobesitzer in spe propagandistisch vervielfältigen wie die Dampferfahrten ins Portugal Salazars.

Zweifellos ging es in den letzten Vorkriegsjahren allen wirtschaftlich besser als vor der »Machtergreifung«, aber die regierungsamtlich gepriesenen Tugenden lauteten dennoch Sparen und Konsumverzicht. Dem nachzukommen fiel um so leichter, als sich der »Tüchtige« ja auch hin und wieder einmal »etwas leisten« konnte. Wenn an den »Eintopfsonntagen« Direktoren und Arbeiter gemeinsam ihre Erbsensuppe löffelten und Goebbels daraus in Berlin ein Prominentenspektakel machte, so war das ein Paradestück nationalsozialistischer »Volkserziehung«. Die damit transportierten Botschaften lauteten: Die Volksgemeinschaft existiert und alle machen mit; »oben« und »unten« sind weniger wichtig als der »gute Wille«; materielle Anspruchslosigkeit zeugt von »nationaler Solidarität«.

Sicherlich schonten die regelmäßigen Einfachessen ein wenig auch die volkswirtschaftlichen Ressourcen, aber bei weitem wichtiger für das Regime war ihr sozialpsychischer Effekt. Sie suggerierten eine kollektive Opferbereitschaft, die nicht zuletzt in den Parolen der Nationalsozialistischen Volkswohlfahrt (NSV) und des Winterhilfswerks (WHW) Ausdruck fand[83]: »Ein Volk hilft sich selbst«, lautete, trotzig-entschlossen, das Motto einer der ersten von unzähligen Sammelaktionen. Gewiß waren die bis 1939 erbettelten 2,5 Milliarden Reichsmark ein stattlicher Betrag, der die NSV in die Rolle eines wichtigen Wirtschaftsfaktors und großen Arbeitgebers vor allem im Gesundheitsbereich (»NSV-Schwestern«) brachte. Doch gesellschaftspolitisch bedeutsamer noch war die Millionenzahl ihrer freiwilligen Helfer und ihrer rund 16 Millionen Mitglieder (1942). Mochten die permanenten Hauskollekten und Lohnabzüge – denen sich zu verweigern durchaus Unannehmlichkeiten einbringen konnte – zu Verdruß und »Spendenmüdigkeit« führen, so ließen sich die große Beteiligung und das enorme Spendenaufkommen doch als

---

[83] Dazu Herwart Vorländer, Die NSV. Darstellung und Dokumentation einer nationalsozialistischen Organisation. Boppard 1988.

Beweis für die Realität der Volksgemeinschaft interpretieren. Gewiß, es bedurfte ihrer unentwegten Mobilisierung, aber wo diese erfolgte, war die Volksgemeinschaft mehr als ein Mythos.

Es lag in der Natur des Herrschaftssystems, daß die Idee der Volksgemeinschaft, vergleichbar dem »Führer«-Nimbus, von ihrer ständigen Aktualisierung lebte. In einem fort mußten symbolische Loyalitätsbekundungen eingefordert und abgegeben werden. Darin hatte das offizielle »Heil Hitler« seine Funktion, aber auch die Häufung öffentlicher Veranstaltungen, mit denen die Partei die »Volksgenossen« stets aufs neue zum Bekenntnis und zur Anerkennung ihrer Dazugehörigkeit zwang.

Ideologische Mobilisierung

Ein ausgeprägter Hang zur Selbstinszenierung verlieh dem Dritten Reich Züge theokratischer Herrschaft. Schon in der Weimarer Zeit hatten Aufmärsche, Fahnenappelle, Fackelzüge, bei denen Braunhemd und Hakenkreuz die unverwechselbaren äußeren Erkennungszeichen bildeten, der »Bewegung« eine ganz eigene Identität gegeben. Dem stilisierten Erscheinungsbild entsprach ein Sonderbewußtsein, das die Nationalsozialisten nicht nur nach eigenem Verständnis abhob von den »normalen« Parteien: Weltanschauungs- und Kampfgemeinschaft wollten sie sein, weit mehr als ein politischer Interessenverband. Aus diesem Anspruch erklären sich die späteren quasi-religiösen Gestaltungsversuche.

Das Regime entwickelte geradezu eine eigene Liturgie[84]. Erstes Datum im nationalsozialistischen Jahreslauf war der 30. Januar. Jahr für Jahr marschierten am Abend der »Machtergreifung« Tausende von SA-Männern durch das Brandenburger Tor.

---

[84] Zum folgenden Karlheinz Schmeer, Die Regie des öffentlichen Lebens im Dritten Reich. München 1956; Hans Joachim Gamm, Der braune Kult. Das Dritte Reich und seine Ersatzreligion. Hamburg 1962; Klaus Vondung, Magie und Manipulation. Ideologischer Kult und politische Religion des Nationalsozialismus. München 1979; Sabine Behrenbeck, Der Kult um die toten Helden. Nationalsozialistische Mythen, Riten und Symbole. Greifswald 1996.

Ende Februar folgte der Parteifeiertag zur Erinnerung an die Verkündung des 25-Punkte-Programms der NSDAP, im März der »Heldengedenktag« sowie die zur »Verpflichtung der Jugend« stilisierte Aufnahme der 14jährigen in die Hitler-Jugend und den Bund Deutscher Mädel. Dem in kaiserlicher Tradition begangenen Geburtstag des »Führers« am 20. April schlossen sich der neuerdings arbeitsfreie Maifeiertag und der ideologisch aufgewertete Muttertag an. Die Sonnwendfeiern im Juni und Dezember standen im Zeichen des Germanenkults, freilich ohne daß es außerhalb des SS-»Ordens« je gelungen wäre, Weihnachten durch das »Julfest« zu ersetzen. Zweifellos die größten organisatorischen und choreographischen Anstrengungen galten den stets im September stattfindenden Reichsparteitagen auf dem von Albert Speer gestalteten Areal in Nürnberg. Der Erntedanktag auf dem westfälischen Bückeberg Anfang Oktober war ein Massenspektakel speziell für das agrarische Deutschland. Abschluß und nach Parteiauffassung Höhepunkt im Feierjahr bildete der 9. November, an dem Hitler und die Crème der NSDAP in München der »Gefallenen« ihres 1923 an der Feldherrnhalle gescheiterten Putsches gedachten. Gespenstischer Höhepunkt des Totenkults war des »Führers« einsamer Gang zu einem der offenen Tempel und sein Verweilen vor den Sarkophagen der 16 »Blutzeugen der Bewegung«.

Die Vielzahl solcher Inszenierungen sollte mehr bezwecken als eine äußerliche »Regie« des öffentlichen Lebens. Neben der Absicht, die politische und strukturelle Verklammerung (»Ineinswerdung«) von Partei und Staat zu demonstrieren, ging es um die weltanschauliche Bindung des einzelnen wie ganzer Bevölkerungsgruppen und damit letztlich um kulturelle Hegemonie. Glichen schon die regelmäßigen Gedenkfeiern eher kultischen Handlungen als politischen Ereignissen, so gab es daneben auch dezidiert als Religionsersatz konzipierte Veranstaltungen. Ernstzunehmende Konkurrenz zu den christlichen Kirchen entwikkelte sich daraus jedoch nicht. Die »Lebens-« und »Morgenfeiern«, die »gottgläubigen« Nationalsozialisten als Pendant zu kirchlicher Taufe, Trauung und Beerdigung beziehungsweise Andachten und sonntäglichen Gottesdiensten anempfohlen waren, blieben ein Randphänomen – wie ihr hartnäckiger Propagandist, der einflußlose »Chefideologe« und »Beauftragte des Führers für die Überwachung der gesamten geistigen und weltanschaulichen Schulung und Erziehung der NSDAP«, Alfred Rosenberg[85]. Von beiden Kirchen als »Neuheidentum« kritisiert, trafen die von Himmlers SS unterstützten Anknüpfungsversuche an behauptete »altgermanische« Traditionen außerhalb fanatischer Zirkel weitgehend auf Desinteresse und – je nach Courage – auf milden bis beißenden Spott.

Von den indoktrinatorischen Bemühungen des Regimes insgesamt läßt sich solches nicht behaupten. Besonders die Jugend vermochte den nationalsozialistischen Ansprüchen und Zumutungen wenig entgegenzusetzen. Mit der gewaltsamen Übernahme des Reichsausschusses der Deutschen Jugendverbände hatte NS-Jugendführer Baldur von Schirach bereits im April 1933 erste Voraussetzungen für den Aufbau einer Staatsjugend geschaffen und war dafür von Hitler mit dem Titel eines »Reichsjugendführers« belohnt worden. Ein nationalsozialistisches Monopol auf die Organisierung der Jugend bedeutete das zwar noch nicht, aber die Attraktivität der Hitler-Jugend wuchs[86]. Vor allem in ländlichen Gegenden, in denen die Jugendlichen bislang schlecht oder gar nicht organisiert waren, und überall dort, wo sich die Bindekraft der kirchlichen Jugendverbände gelockert hatte, verzeichnete die staatlich geförderte HJ Zulauf. Im Frühjahr 1934 schlossen sich ihr die evangelischen Jugendorganisationen an, und als die HJ im Dezember 1936 per Gesetz zur Staatsjugend erklärt wurde, existierten daneben nur noch Teile der trotz Konkordat zunehmend bekämpften und offiziell bald ganz verbotenen katholischen Jugendverbände sowie jüdische Jugendgrup-

[85] Rosenbergs Position im Dritten Reich ist Gegenstand der paradigmatischen Studie von Reinhard Bollmus, Das Amt Rosenberg und seine Gegner. Zum Machtkampf im nationalsozialistischen Herrschaftssystem. Stuttgart 1970.

[86] Zum folgenden Arno Klönne, Jugendprotest und Jugendopposition. Von der HJ-Erziehung zum Cliquenwesen der Kriegszeit. In: Martin Broszat u. a. (Hrsg.), Bayern in der NS-Zeit. 6 Bände. München 1977–1983, hier Band 4, S. 527–620; ders., Jugend im Dritten Reich. Die Hitler-Jugend und ihre Gegner. Düsseldorf 1982.

pen. Seit 1936 stieg der Druck auf Jugendliche, die sich der HJ verweigerten, stark an, aber erst im März 1939 machten Durchführungsverordnungen zum Gesetz über die Hitler-Jugend die »Jugenddienstpflicht« obligatorisch. Zu diesem Zeitpunkt hatte die HJ einen Großteil ihrer ursprünglichen Anziehungskraft bereits wieder eingebüßt.

Aus der zunächst eher an – ideologisch verwandte – Leitbilder der Bündischen Jugend und des Wandervogels anknüpfenden NS-Jugendorganisation, die den Idealismus und die Spontaneität der Jugendbewegung »aufzuheben« und zugleich auf eine breitere soziale Basis zu stellen schien, war ein Instrument totalitärer Erfassung und Indoktrination geworden. Wo anfangs Parolen wie »Jugend führt Jugend« und »Aufbruch der jungen Generation« Emanzipationshoffnungen geweckt hatten, machte sich im Zeichen zunehmenden paramilitärischen Drills und konsequenter Durchsetzung des Führer-Gefolgschafts-Prinzips Enttäuschung breit. Statt Ferienlager und Pfadfinder-Romantik standen »Wehrsport«, weltanschauliche Schulung, WHW- und Altmaterial-Sammlungen und im Sommer der Ernteeinsatz im Pflichtenkatalog.

Die Jugendlichen reagierten auf die Inanspruchnahme und Reglementierung durchaus unterschiedlich. Während der Aktivismus der HJ besonders in der Provinz und zumal von Mädchen oft als Chance empfunden wurde, behüteter Langweile und elterlicher Kontrolle zu entkommen, stellte sich der Dienst in der Staatsjugend für viele Großstadtkinder als Beschränkung ihrer nachmittäglichen Selbstbestimmung dar. Ob die HJ als Freiraum oder als Fron gesehen wurde, hing allerdings auch ab vom Alter der Jugendlichen, von ihrer Schichtenzugehörigkeit und ihrer vorangegangenen Sozialisation. Wer als Mitglied eines katholischen Jugendvereins oder der sozialistischen Arbeiterjugend die Gegnerschaft der HJ erfahren hatte, reagierte im Durchschnitt anders als der eben Zehnjährige aus nationalprotestantischer Kleinbürgerfamilie, der bis zu seinem 14. Lebensjahr als »Pimpf« im Jungvolk, dann in der HJ, mit 18 Jahren beim Arbeitsdienst und anschließend in der Wehrmacht Dienst tat. Von letzterem war kaum zu erwarten, daß er sich eines Tages in einer jener Jugendcliquen wiederfinden würde, die gegen Ende der dreißiger Jahre vor allem in großstädtischen Ballungsgebieten als Ausdruck des Protests gegen die kulturelle Bevormundung, aber auch der politischen Opposition entstanden. Was die besonders in Hamburg anzutreffende bürgerliche »Swing-Jugend« mit den im proletarischen Milieu beheimateten Leipziger »Meuten«, den Münchner »Blasen« und den »Edelweißpiraten« im Ruhrgebiet verband, war ihre Weigerung, die bescheidenen Reste jugendlicher Nonkonformität preiszugeben und sich einzuordnen in die jedes Bedürfnis nach Selbstbestimmung und Individualität mißachtende HJ[87].

In mancher Hinsicht produzierte der totalitäre Anspruch der HJ ironischerweise aber auch neue Freiräume. Das galt gerade im Erziehungsbereich: Die Konkurrenz zwischen Schule und HJ, die um so stärker wurde, je mehr sich herausstellte, daß der erstrebte Einbruch der Hitler-Jugend in das Schulwesen nicht gelang, eröffnete mitunter Möglichkeiten, eine Institution gegen die andere auszuspielen. Mit etwas Geschick konnte man sich unliebsamen schulischen Pflichten durch Hinweis auf den HJ-Dienst entziehen – und umgekehrt. Im wachsenden Labyrinth von Dienstpflichten, Gruppenterminen und »Amtsgeschäften« ergaben sich eben auch Schleich- und Nebenwege, und wer diese beging, übte sich in pragmatisch-selbstbezogener Durchwurstelei.

Während Drill und Gehorsam für die Mehrheit der Jugendlichen wohl die zentrale HJ-Erfahrung darstellten, hielt die ausgedehnte Organisation doch auch eine Vielzahl von Posten und Pöstchen bereit und damit Chancen individueller Selbstbestätigung. In der HJ konnten auch Jugendliche aus durchschnittlichem oder unterprivilegiertem Elternhaus »etwas werden« und dadurch ein ihnen bis dahin versagt gebliebenes Selbstbewußtsein entwickeln. Der von den Lehrern immer häufiger beklagte naßforsche Ton und das großsprecherische Auftreten einer ganzen Schülergeneration war der für die ideologisch-propagandistische Verherrlichung der Jugend zu zahlende Preis.

---

[87] Ein zusammenfassender Überblick bei Heinrich Muth, Jugendopposition im Dritten Reich. In: VfZ 30 (1982), S. 369–417; vgl. auch Peukert, Volksgenossen, S. 172–207.

Die außerordentliche Wertschätzung, die eine im humanistischen Bildungswesen eher nebensächliche Disziplin wie der Sport (aus durchsichtigen Gründen) plötzlich genoß, die Förderung eines neuen, antiintellektuellen Körperbewußtseins, die Verherrlichung kämpferischer »Haltung« und die Mentalität »einfacher Entscheidungen« – das alles wirkte mindestens so verändernd auf die Atmosphäre in den Schulen wie die mehr oder weniger konsequente ideologische Ausrichtung von Lehrbüchern und Lehrplänen[88], die trotz spektakulärer Fälle im Rahmen der allgemeinen indoktrinatorischen Bemühungen blieb. Symptomatischer für die nationalsozialistische Schulpolitik als in Rechenaufgaben versteckte Rassen- und Erbgesundheitslehre war letzten Endes die Tatsache, daß das Gymnasium zwar nicht abgeschafft, daß aber den Humboldtschen Bildungstraditionen neue Wertvorstellungen entgegengesetzt wurden, die eine Egalisierung des allgemeinen Erziehungssystems und die Etablierung weltanschaulicher Eliteschulen verlangten.

Die 1935/36 gegen den erbitterten Widerstand vor allem der katholischen Kirche begonnene Abschaffung der konfessionellen Volksschulen und der kirchlichen Lehrerbildungsanstalten hatte eine solche Einebnung überkommener schulpolitischer Sonderrechte zum Ziel. Zugleich ging es darum, den Einfluß der Kirchen zurückzudrängen, und diese Absicht stieß nicht überall auf Ablehnung; zumindest Teile der Lehrerschaft erblickten darin auch einen Kampf um ihre soziale Emanzipation aus geistlicher Bevormundung[89]. Und zweifellos hatten die Bestrebungen zur Vereinheitlichung des Schulwesens, ebenso wie die verstärkte

---

[88] Vgl. Kurt-Ingo Flessau, Schule der Diktatur. Lehrpläne und Schulbücher des Nationalsozialismus. Frankfurt am Main 1979; zum folgenden Rolf Eilers, Die nationalsozialistische Schulpolitik. Eine Studie zur Funktion der Erziehung im totalitären Staat. Köln, Opladen 1963; Manfred Heinemann (Hrsg.), Erziehung und Schulung im Dritten Reich. 2 Bände. Stuttgart 1980; aufschlußreich auch Marcel Reich-Ranicki (Hrsg.), Meine Schulzeit im Dritten Reich. Erinnerungen deutscher Schriftsteller. München 1984.

[89] Vgl. Franz Sonnenberger, Der neue »Kulturkampf«. Die Gemeinschaftsschule und ihre historischen Voraussetzungen. In: Bayern in der NS-Zeit, Band 3, S. 235–327.

Förderung technischer Kenntnisse, das Argument der Modernität auf ihrer Seite.

Den nationalsozialistischen Anspruch auf eine »Revolution der Erziehung« repräsentierten, mehr noch als die in der Form staatlicher Internate geführten 35 »Nationalpolitischen Erziehungsanstalten« (Napolas), die zuletzt zwölf »Adolf-Hitler-Schulen«. Schirachs Reichsjugendführung beanspruchte die Aufsicht über diese von HJ-Führern geleiteten Einrichtungen, ohne jedoch ein verbindliches Unterrichtskonzept durchsetzen zu können; Klarheit bestand über wenig mehr als über die gezielte Förderung sportlicher Leistungen und »Bewährungsproben«. Daß es nicht einmal gelang, die Inhalte der »weltanschaulichen Schulung« zu definieren, war Ausdruck parteiinterner Machtkonkurrenzen, aber auch der Inkonsistenz der nationalsozialistischen Ideologie. Wie die zur Ausbildung junger Parteifunktionäre gegründeten drei »Ordensburgen« (und wie diese von der DAF unterhalten), wurden die »Adolf-Hitler-Schulen« dem Anspruch einer systematischen »Führerauslese« nicht gerecht. Weiter als die rivalisierenden Gliederungen der Partei kam die SS in dem Versuch, den nationalsozialistischen »neuen Menschen« zu schaffen. In Himmlers Eliteorden verband sich der Erziehungsanspruch allerdings eindeutiger als sonst mit rassischer Auslese, an deren Ende »Ausmerze« und Menschenzucht standen.

Für das gesellschaftspolitische Klima in der zweiten Hälfte der dreißiger Jahre war die Omnipräsenz der Partei in Gestalt ihrer Massenorganisationen zweifellos prägender als die in elitären SS-Zirkeln fortgesponnenen antihumanen Visionen völkischer Neuordnung. Trotz vielerlei Anstrengungen, der machtpolitischen Durchsetzung der NSDAP eine entsprechende ideologische Nazifizierung folgen zu lassen, waren die Erfolge der zu diesem Zweck über die Jugendlichen hinausgreifenden weltanschaulichen Schulung begrenzt. Neben Parteifunktionären und in geringerem Maße auch einfachen Mitgliedern wurden nur bestimmte Berufsgruppen intensiver erreicht, so etwa Lehrer, angehende Hochschuldozenten und (in Preußen) Rechtsreferendare, die »Weltanschauungs-Lager« zu absolvieren hatten.

Im Vergleich zu dem gewaltigen organisatorischen Potential der NSDAP und ihrer Nebenorganisationen blieb die indoktrinatorische Kraftentfaltung bescheiden. Aller Aktivismus des wuchernden Parteiapparats, der Gliederungen der Partei (SA, SS, HJ, NS-Frauenschaft, NS-Studenten- und NS-Dozentenbund, Nationalsozialistisches Kraftfahr-Korps) und der angeschlossenen Verbände (DAF, NSV, NS-Ärzte-, NS-Lehrer-, NS-Juristen- und Beamtenbund sowie NS-Bund Deutscher Technik und NS-Kriegsopferversorgung) vermochte daran nichts zu ändern.

Die Tatsache, daß es für einen deutschen »Volksgenossen« im Laufe der Jahre nahezu unmöglich wurde, nicht in irgendeiner Weise vom Moloch NSDAP organisatorisch erfaßt zu werden, bewirkte jedoch an sich bereits spürbare Veränderungen der gesellschaftlichen Verfassung. Indem das Institutionengeflecht der Partei gezielt auch in den traditionell »vorpolitischen Raum« hinein ausgedehnt wurde, gelang eine Mobilisierung der Menschen in bis dahin unbekanntem Ausmaß. Unter dem von den Nationalsozialisten stets betonten Gesichtspunkt der bewußtseinsmäßigen Verankerung ihrer Herrschaft war es zunächst nicht sehr bedeutsam, ob die Mobilisierung über den »Gemeinschaftsempfang« einer »Führerrede« erfolgte, über die aktive Mitgliedschaft in – unpolitischen Interessen entgegenkommenden – Nebenorganisationen wie dem NSKK und der NS-Kulturgemeinde oder über die gesinnungstüchtige Betätigung als Blockwart der NSDAP. Dem Zweck, die Allgegenwart der Partei zu demonstrieren und ihren totalitären Anspruch zu untermauern, war durch jede Form der Partizipation gedient.

Aber die dadurch bewirkte organisatorische Ausdehnung und Aufblähung konnte die NSDAP auf Dauer nicht unverändert lassen. In der einstmals dynamisch-virulenten Protestbewegung mehrten sich die Zeichen der Verbürgerlichung. Schon in den letzten Jahren der Weimarer Republik war aus der konzentrierten Kampftruppe eine tendenziell bürokratische Massenorganisation geworden. Die Umwandlung in eine Monopolpartei hatte diesen Trend verstärkt. Allein für die Parteiführung in München arbeiteten 1935, in nicht weniger als 44 Gebäuden, rund 1600 Verwaltungsangestellte, und insgesamt bezogen damals bereits 25 000 Menschen ein gutes Gehalt von der NSDAP[90].

Das nach wie vor ungeklärte Verhältnis zwischen Partei und Staat wurde im Funktionärskorps als Ermunterung zu Personalunionen, Ämterhäufung und persönlicher Bereicherung verstanden. Doch ein geschlossener politischer Führungskader oder gar ein braunes Politbüro entwickelte sich nicht; dazu fehlten sowohl die ideologischen wie die machtstrukturellen Voraussetzungen. Die Inkonsistenz der nationalsozialistischen Weltanschauung verbot eine Berufung auf die »reine Lehre« und verhinderte die Entstehung dogmatischer Autorität. Ausschlaggebend aber war die Unantastbarkeit des Führerprinzips, das noch auf der untersten Ebene der Parteiorganisation (PO) galt. Für das Funktionieren des gewaltigen Befehlssystems war diese Organisationsform, die zwar die verpönte Demokratie, nicht aber die Möglichkeiten zur Selbstbestätigung durch politische Aktivität und Machtausübung beseitigt hatte, von enormer Bedeutung: Auf Abertausende von ehrenamtlichen Funktionären fiel so ein Quentchen von der Macht des »Führers«, ein winziger Lichtstrahl von dessen Glanz.

Bis 1937 umfaßte die Parteihierarchie – von den Reichsleitern über die Gau-, Kreis-, Ortsgruppen-, Zellen- bis hin zu den Blockleitern – etwa 700 000 Personen, nicht gerechnet die Funktionäre der Nebenorganisationen. Der Krieg sah im Deutschen Reich nicht weniger als zwei Millionen kleiner Führer.

Die personelle Verflechtung von Partei und Staat, die sich dabei herausbildete, war nicht auf allen Ebenen gleich. Keineswegs alle Parteigenossen an der Spitze von Ministerien hielten auch entsprechend ranghohe Positionen innerhalb der Partei. Goebbels, der seine Ressortzuständigkeit für Propaganda mit der Position des Reichspropagandaleiters der NSDAP verband, war in dieser Hinsicht ein Sonderfall; nicht einmal der Reichsminister für Luftfahrt und preußische Ministerpräsident Göring, obschon

---

[90] Diese und die folgenden Zahlen nach Karl Dietrich Bracher, Die deutsche Diktatur. Entstehung, Struktur, Folgen des Nationalsozialismus. Köln 1969, S. 379 f.

Amtswürden nachjagend wie später in den besetzten Gebieten Kunstschätzen, konnte (oder wollte) mit Vergleichbarem aufwarten. Umgekehrt mußte eine ganze Reihe einflußreicher Parteigrößen ohne ein adäquates Staatsamt auskommen, darunter viele Gauleiter.

Am stärksten war die Verschränkung von Partei und Staat im kommunalen Bereich, wo Kreis- und Ortsgruppenleiter immer häufiger zugleich Bürgermeisterposten einnahmen. Nach zwei Jahren nationalsozialistischer Herrschaft war etwa die Hälfte aller Gemeindeverwaltungsämter mit »Alt-Pgs« besetzt (mit Leuten also, die der Partei vor dem 30. Januar 1933 beigetreten waren). Im staatlichen Sektor sah es nicht viel anders aus: 86 Prozent der preußischen Beamten gehörten 1937 der NSDAP an, im übrigen Deutschland immerhin 63 Prozent; allerdings war die Anzahl der Alt-Pgs, die in Preußen bei 48 Prozent lag, im restlichen Reichsgebiet mit elf Prozent deutlich niedriger.

Für die fortschreitende Veränderung der Machtstrukturen nicht weniger bedeutsam als die Nazifizierung der Beamtenschaft, die doch oft oberflächlich blieb, war das Entstehen immer neuer Sonderbürokratien im Herrschaftsbereich der Partei. Der wachsende Einfluß von neben oder in Konkurrenz zu der staatlichen Verwaltung tätigen »führerunmittelbaren« Dienststellen führte zu einem schleichenden Verfall und zur Verformung traditioneller Staatlichkeit. Die für den »Führerstaat« so charakteristischen Kompetenzstreitigkeiten – die keineswegs stets im Interesse Hitlers lagen – waren nicht zuletzt Folge eines wuchernden Organisationsdschungels, der im beschäftigungs- und wirtschaftspolitischen Bereich seinen Anfang nahm (Generalinspektor für das deutsche Straßenwesen, Beauftragter für den Vierjahresplan), sich dann aber auch auf das Gebiet der Außen-, Sozial und Rassenpolitik erstreckte.

Der Bevölkerung blieben solche institutionellen Machtverschiebungen normalerweise freilich verborgen. Im Alltag zeigte sich die Allgegenwart der Partei auf andere Weise: im politischen und sozialen Kontrollanspruch, den die lokalen »Amtswalter« als mehr oder weniger beliebte Aufpasser ausübten, im ausufernden System der Personenbeurteilung, aber auch in neuen sozialen

Betreuungsdiensten (»Mütterberatung«) und im sozial- und kulturpolitischen Aktivismus der DAF. Trotz der Allgegenwart blieb die konkrete Macht der Partei ebenso begrenzt wie der Ertrag der immer wieder versuchten ideologischen Mobilisierung. Daran vermochte auch der »Führer« nichts zu ändern. Mit seinen großen öffentlichen Auftritten und Reden gelang es Hitler in den Jahren anhaltender (außen-)politischer Erfolge zwar immer wieder, spontane Begeisterung und Zuversicht zu erzeugen, aber eine dauerhafte Festigung des Prestiges seiner Partei verband sich damit nicht. Im Gegenteil, der verbreitete Verdruß an der NSDAP und ihren unpopulären »Bonzen« wurde vor dem Bild des umjubelten »Führers« besonders klar erkennbar. Die Reaktionen auf unentwegte Indoktrinationsversuche und politische Zumutungen zeigten sich schon bald: Immer mehr Menschen zogen sich in ihrer Freizeit ins Privatleben zurück oder suchten Ablenkung im traditionellen Kulturbetrieb, der weitgehend unbeeinflußt blieb.

Kultur und Lebenswirklichkeit

Das noch heute anzutreffende Mißverständnis, das deutsche kulturelle Leben und die zeitgenössischen Strömungen der Populärkultur seien im Dritten Reich Gegenstand radikaler Umformung gewesen, ist allenfalls ein Indiz für das hartnäckige Fortwirken nationalsozialistischer Selbststilisierung. Entgegen dem Eindruck, den eine breit angelegte Kontroll- und Lenkungsbürokratie zu erwecken versuchte, entfaltete das Regime auf kulturellem Gebiet nur verhältnismäßig geringe Prägekraft. Alle wesentlichen massenkulturellen Entwicklungstendenzen setzten sich in der NS-Zeit fort oder verstärkten sich sogar noch – auch solche, die gemeinhin als Demokratisierung des Zugangs zur Kultur gewertet werden. Gleichzeitig entwickelte sich die geistig-künstlerische Produktion, trotz des Exodus ihrer jüdischen und linken Vertreter und des damit verbundenen enormen kreativen Verlusts, in vielen Bereichen kontinuierlich weiter. Weder in der Literatur, noch in der Musik oder in den bildenden Künsten markiert das Jahr 1933 einen völligen Bruch der Entwicklung. Der politisch erzwungene mannigfache Abbruch personeller und institutioneller Kontinuität, der insoweit auch das Ende einer Epoche bedeutete, fällt nicht zusammen mit einer entsprechenden kunsthistorischen Periodisierung.

Die Grenzen der Reglementierung des Kulturbetriebs waren Ausdruck von Kalkül, Notwendigkeit und Unabänderbarem zugleich. Goebbels' vielfach belegte Warnungen vor der Wirkungslosigkeit allzu aufdringlicher Propaganda und primitiver Indoktrination zeugten von der funktionalen Notwendigkeit, das Fortbestehen einer eingeschränkten geistig-kulturellen Bandbreite und relativ unangepaßter publizistischer Foren zu gewährleisten. Gerade wegen der ansonsten sehr weitgehenden Uniformierung der Massenmedien erfüllten solche Periodika und Bücher die Funktion intellektueller Ventile oder Pufferzonen. Aber keineswegs alles, was an nicht-nationalsozialistischen Zeitschriften und literarischen Werken weiter erscheinen konnte, verdankte sich rationalem Kalkül. Es gab auch unfreiwillige Machtbegrenzung, resultierend aus der Dürftigkeit der nationalsozialistischen Kulturproduktion, der Ambivalenz der Weltanschauung und widerstreitenden Auffassungen innerhalb der Kulturbürokratie selbst. Und es gab faktischen Mangel an Spielraum: Ein Regime, das eine umfassende Mobilisierung der Gesellschaft verfolgte, mußte auf kulturelle Traditionen und zivilisatorische Besitzstände hinreichend Rücksicht nehmen, wenn es nicht die Voraussetzung seines Erfolgs, die wie auch immer abgestufte Loyalität einer großen Mehrheit der Deutschen, gefährden wollte. Der Verzicht auf eine ganz konsequente Durchdringung und Steuerung des Kulturbetriebes war insofern funktional notwendig und stand nicht im Belieben des Regimes.

Es existiert eine Fülle von Indizien dafür, daß die Nationalsozialisten ein Gespür besaßen für die Grenzen des der Bevölkerung Zumutbaren, und es kann kein Zweifel daran bestehen, daß die Rücksichtnahme darauf die Kultur- und Lebenswirklichkeit der Zeit entscheidend prägte.

Gewiß gehörte der unpolitische Feierabend nicht zu den spezifischen Errungenschaften der NS-Jahre, aber entgegen anderslautender Propaganda war er auch nicht abgeschafft. Robert Leys vollmundige Behauptung, in Deutschland sei nur noch der Schlaf Privatsache[91], beschrieb vielleicht eine Intention, nicht aber die Wirklichkeit des Dritten Reiches. Wenngleich oft zugedeckt von ideologischer Rhetorik, gab es die politikfreie Sphäre, und gerade in ihr liefen die Trends der Epoche weiter.

Zu den Aspekten moderner Massenkultur, deren Entwicklung sich in der NS-Zeit fortsetzte und gegenüber den zwanziger Jahren teilweise noch verstärkte, zählte vor allem der Film. Trotz des sprunghaften Anwachsens des Kinobesuchs in der Wirtschaftskrise zu Anfang der Dekade stiegen die Besucherzahlen die gesamten dreißiger Jahre hindurch unaufhörlich weiter; 1942 wurde eine Milliarde Kinokarten verkauft, viermal so viel wie 1933[92]. Statistisch ging während des Krieges jeder Deutsche einmal im Monat ins Lichtspielhaus. Gewiß äußerte sich darin ein Bedürfnis nach Zerstreuung und Ablenkung von drückenden Alltagsproblemen, aber der Kinoboom signalisierte mehr als eine Massenflucht in Traumwelten: Die stagnierenden materiellen Konsummöglichkeiten produzierten eine steigende Nachfrage nach Freizeitvergnügen, und offensichtlich verlagerten sich auch bestimmte sozialkulturelle Gewohnheiten. Nicht zuletzt sprach aus der Kinobegeisterung die Attraktivität des Filmangebots. Sie beruhte weniger auf der Wirkung als auf der Unterlassung spezifisch nationalsozialistischer Eingriffe.

Für die Durchschnittsproduktion der deutschen Filmindustrie hatte 1933 keinen Einschnitt bedeutet. Das Gros der in den Anfangsjahren des Dritten Reiches gedrehten Spielfilme unterschied sich in seinem ideologischen und gesellschaftspolitischen Gehalt nicht von der nationalistischen UfA-Produktion der Weimarer Zeit. Im ersten Überschwang gedrehte Propagandastreifen

[91] So seine Formulierung vor Mitarbeitern der Leunawerke am 2. 7. 1937; vgl. Robert Ley, Soldaten der Arbeit. München 1938, S. 71.
[92] Materialreich zum gesamten Abschnitt Richard Grunberger, Das Zwölfjährige Reich. Der Deutschen Alltag unter Hitler. Wien usw. 1972, hier S. 225, 391; vgl. auch Gerd Albrecht, Nationalsozialistische Filmpolitik. Eine soziologische Untersuchung über die Spielfilme des Dritten Reiches. Stuttgart 1969.

wie ›Hitlerjunge Quex‹, ›SA-Mann Brand‹ oder ›Hans Westmar‹, eine nach Goebbels' Urteil verunglückte Hommage an Horst Wessel, blieben erfolglos, und Leni Riefenstahls kalt ästhetisierende Filme über den Reichsparteitag 1934 (›Triumph des Willens‹) oder über die Olympischen Spiele 1936 (›Fest der Völker‹, ›Fest der Schönheit‹) bildeten schon damals eine Kategorie für sich. Eher noch mochten halbwegs unterhaltsame historische Analogie-Bilder wie ›Der alte und der junge König‹ mit Emil Jannings (1935) oder Wolfgang Liebeneiners ›Bismarck‹ von 1940 beim Publikum die erwünschten Assoziationen auslösen. Bei antisemitischen Machwerken vom Schlage ›Jud Süß‹ oder ›Der ewige Jude‹ (ein von »Reichsfilmintendant« Fritz Hippler abgelieferter »Dokumentarfilm«) gingen die Kalkulationen der Indoktrinateure hingegen nicht auf, und ein für den »Gnadentod« eintretender Film wie ›Ich klage an‹ (1941) war angesichts der durchsickernden Nachrichten über die Tötung von psychisch Kranken kaum das richtige Rezept gegen die Unruhe in der Bevölkerung[93]. Zur Stärkung des Durchhaltewillens in der zweiten Kriegshälfte weitaus besser geeignet als Heroisches vom Typus ›Kolberg‹ (1945) waren leichte Unterhaltungsklamotten. Filmfanatiker wie Goebbels – und Hitler – schienen das zu wissen, jedenfalls machten manifeste Propagandafilme stets nur einen Bruchteil der Jahresproduktion von etwa 100 Filmen aus.

Nicht erst während des Krieges dominierte auf der Leinwand die Unterhaltung. Liebes- und Abenteuergeschichten, Lustspiele, Kriminal- und Musikfilme prägten nach wie vor das Programm der großen Filmgesellschaften, deren Verstaatlichung Goebbels ab 1936/37 betrieb. Für das Publikum bemerkbare Veränderungen gab es 1933 und in den folgenden Jahren am ehesten auf den

---

[93] Über ›Der ewige Jude‹ berichtete der SD, »daß oft nur der politisch aktivere Teil der Bevölkerung den Dokumentarfilm besucht habe, während das typische Filmpublikum ihn teilweise mied und örtlich eine Mundpropaganda gegen den Film und seine stark realistische Darstellung des Judentums getrieben wurde«. In: Heinz Boberach (Hrsg.), Meldungen aus dem Reich 1938–1945. Die geheimen Lageberichte des Sicherheitsdienstes der SS. Herrsching 1984, Band 6, S. 1918; zur Aufnahme des Euthanasiefilms ebenda, Band 9, S. 3175–3178.

Besetzungslisten: Mancher Star kehrte Deutschland den Rücken, darunter Elisabeth Bergner, Peter Lorre und Oskar Homolka. Doch anders als bei den Regisseuren, wo mit Fritz Lang, G. W. Pabst, Otto Preminger und Billy Wilder Leute der ersten Garnitur und viele erfolgversprechende Nachwuchskräfte nach Hollywood gingen, blieben »politisch und rassisch Einwandfreie« in hinreichender Zahl und Qualität zurück. An die Stelle jüdischer (Film-)Kultur trat deutsche Hausmannskost. Wenn diese mitunter nicht ganz leicht verdaulich war, so mochte das an zu vielen biederen Köchen – sprich: beamteten Zensoren in Goebbels' Ministerium – liegen, die sich zum Einrühren von Zusatz- und Ersatzstoffen in die vorlagepflichtigen Drehbücher berufen fühlten.

Gleichwohl glückten immer wieder Kassenschlager, vor allem dann, wenn Publikumslieblinge wie Heidemarie Hatheyer, Marika Rökk, die pfiffige Ilse Werner oder Zarah Leander, zuständig für nordisch-dunkle Leidenschaft, mit von der Partie waren. Bei den Männern zählten Willy Birgel und Willi Fritsch, Emil Jannings und Heinrich George, aber auch Spaßvögel wie Theo Lingen und Hans Moser und interessanterweise eine so wenig martialische Figur wie Heinz Rühmann zu den Favoriten. Hans Albers gab die edelmütig-draufgängerische Kraftnatur von unverwüstlichem Optimismus, so noch 1943 in dem zum UfA-Jubiläum glanzvoll ausgestatteten ›Münchhausen‹ nach einem pseudonymen Drehbuch von Erich Kästner. Solch perfekte Unterhaltungsware erfüllte, zumal unter den Bedingungen des »totalen Krieges«, eindeutig politische Funktionen, gerade weil sie auf politische Inklusionen verzichtete. Den Geist der Zeit atmen diese Filme dennoch: Wie wenige kulturelle Hinterlassenschaften des Nationalsozialismus demonstrieren sie das antiintellektuelle, forsche, im Anrennen gegen überkommene Standesdünkel partiell emanzipatorische Klima dieser Jahre, aber auch eine rückwärtsgewandte Biederkeit und Idyllik, an die der Heimatfilm der fünfziger Jahre bruchlos anknüpfen konnte.

Freilich waren die Deutschen nicht erst in der zweiten Nachkriegszeit auch anderen künstlerischen Einflüssen ausgesetzt. Die im heutigen öffentlichen Bewußtsein fast ausschließlich mit der postnationalsozialistischen Ära verbundene kulturelle »Amerikanisierung« hatte bereits in der Weimarer Republik begonnen und am 30. Januar 1933 nicht einfach aufgehört. Zwar war der Filmimport aus den USA nun wegen der chronischen Devisenknappheit und dem Niedergang des deutschen Filmexports beschränkt, aber bis in den Krieg hinein hielten Großstadt-Kinos aktuelle Hollywood-Produktionen im Programm. Marlene Dietrich blieb dem deutschen Publikum auf diese Weise mindestens bis 1936 erhalten, Gary Cooper, Clark Gable, Joan Crawford oder die Garbo noch lange darüber hinaus[94].

Auch die Öffnung gegenüber der zeitgenössischen amerikanischen Literatur wurde von der NS-Kulturbürokratie keineswegs rückgängig gemacht. Bei Rowohlt und S. Fischer konnten Autoren wie William Faulkner, Thornton Wilder, Thomas Wolfe und zunächst auch Sinclair Lewis weiter erscheinen, und Margaret Mitchells ›Vom Winde verweht‹ war im Dritten Reich nur einer aus einer ganzen Reihe von US-Bestsellern. Ebenso war ein Großteil der englischen und französischen Literatur erhältlich. Daneben standen die Werke jüngerer deutscher Schriftsteller und Schriftstellerinnen wie Eich, Fallada, Koeppen, Bergengruen, Kasack, Langgässer und Kaschnitz, die weder der braunen Konjunkturliteratur zuzurechnen waren noch in einen anspruchslosen Traditionalismus oder in die Heimatdichtung flüchteten.

Ähnliches war in der Musikszene zu beobachten: Swing und Jazz, obwohl als Kristallisationsobjekte jugendlichen Nonkonformismus' unerwünscht und als »Niggermusik« verpönt, blieben die gesamte NS-Zeit hindurch präsent[95], was nicht zuletzt mit der Tatsache zusammenhing, daß Europas größte Schallplattenfabriken in Deutschland standen und bis 1944 eifrig für das (besetzte) Ausland produzierten, von wo Soldaten auf Heimaturlaub die »heiße Musik« ins »Altreich« reimportierten. Doch auch die deutschen Big Bands ließen sich, getarnt hinter treudeutschen Titeln, zu »schrägen Tönen« nach Art von Benny Goodman

[94] Vgl. Hans Dieter Schäfer, Das gespaltene Bewußtsein. Über deutsche Kultur und Lebenswirklichkeit 1933–1945. München, Wien 1981, S. 131 f.
[95] Michael H. Kater, Gewagtes Spiel. Jazz im Nationalsozialismus. Köln 1995.

hinreißen, und Gruppen wie Teddy Stauffer mit seinen »Original Teddies« swingten in den Großstadt-Cafés ganz unverblümt. Gleichzeitig war, zu Lasten der klassischen Musik, der deutsche Schlager auf dem Vormarsch. Durch die massenhafte Verbreitung von Radiogeräten im Grunde erst ermöglicht, wurde die moderne Unterhaltungsmusik quer durch die Schichten populär und nach Kriegsbeginn im sonntäglichen Wunschkonzert gezielt zur Aufheiterung der Volksgemeinschaft benutzt[96].

Wie auf dem Gebiet der Literatur, wo das Autodafé vom Mai 1933 ja »nur« die öffentlichen Bibliotheken getroffen hatte und ein Teil der in die Emigration gegangenen Autoren zunächst durchaus weiter verlegt werden konnte (etwa Thomas Mann), bestand zwischen dem offiziell erwünschten und dem privat möglichen Musikgenuß ein erheblicher Unterschied. Im Laufe einiger Jahre durchzog diese Spaltung das gesamte Kulturleben. Darin tat sich kein Gegensatz auf zu der unerhörten Fähigkeit des Hitler-Regimes, die Menschen zu mobilisieren, sondern deren Konsequenz, auf längere Sicht wohl auch deren Voraussetzung. Parallel zu dem zunehmenden Leistungs- und Konformitätsdruck entwickelten sich Nischen kulturellen Sonderbewußtseins, in denen eine wachsende Zahl vor allem jüngerer Menschen jenen geistigen Hunger zu stillen suchte, dem eine gleichgeschaltete Presse und propagandistische Massenveranstaltungen nichts Sättigendes zu bieten hatten.

Das Bürgertum hielt sich derweilen an die traditionellen Werte deutscher Kultur. Oper, Schauspiel und Operette hatten im Vergleich zu den Erscheinungen der modernen Massenkultur kaum etwas zu befürchten. Die Experimente mit germanisierenden »Thingspielen« auf eigens erbauten Freilichtbühnen, von Goebbels eine Zeitlang halbherzig unterstützt, scheiterten schon bald mangels geeigneter Stücke und Publikumsinteresse. Aber auch Versuche, die etablierten Bühnen mit nationalsozialistischen Heldendramen zu bereichern, schlugen ziemlich fehl. Hanns Johsts

---

[96] Adelheid von Saldern/Inge Marßolek (Hrsg.), Zuhören und Gehörtwerden I. Radio im Nationalsozialismus. Zwischen Lenkung und Ablenkung. Tübingen 1998.

›Schlageter‹ (1933) war Parade- und Alibistück zugleich. Von Zugeständnissen an NS-Feiertagen abgesehen, blieben die Spielpläne ziemlich frei von nationalsozialistischen Einflüssen. Vor allem in der Theaterprovinz, die von der nun verfemten sozialkritischen Avantgarde der Weimarer Zeit ohnehin nicht erreicht worden war, änderte sich kaum etwas[97]. Allerdings suchte man Brecht, Hasenclever und Toller jetzt auch auf den Spielplänen der Großstadt-Theater vergeblich, und verschwunden waren die weniger künstlerisch als politisch entschlossenen Problemstücke des »zeitbewegten Theaters« der linken Arbeiterbühnen, auf denen die NS-Kulturgemeinde nun Schwänke aufführen ließ. Doch das klassische Kulturgut, sofern es sich nicht gerade um Lessings ›Nathan der Weise‹ handelte oder zu beziehungsreichen Analogieschlüssen einlud wie Schillers ›Räuber‹, blieb unberührt[98].

Geändert hatte sich bisweilen das Publikum. Nicht allein, daß Parteifürsten die persönliche Patronage über bestimmte Bühnen übernommen hatten (wie beispielsweise Göring über das Preußische Staatstheater unter Gustaf Gründgens) und dort gelegentlich Hof hielten wie vormals der Kaiser; mit geradezu missionarischem Eifer schleuste »Kraft durch Freude« den »einfachen Volksgenossen« in die bürgerlichen Erbauungstempel. In entlegenen Gegenden, aus denen das Volk nicht zum Theater gebracht werden konnte, brachte der KdF-Theaterwagen die Hochkultur ins Dorf. Theater- und Konzertvorstellungen, die den Zusatz »KdF« trugen, waren billig – und beim »gehobenen Publikum« gefürchtet.

Die Rebellion gegen bildungsbürgerliche Exklusivität, die in solchen Aktionen zum Zuge kam und dem Nationalsozialismus in den Augen der ihm Wohlgesonnenen etwas Ehrliches und

[97] Vgl. die Fallstudie von Friederike Euler, Theater zwischen Anpassung und Widerstand. Die Münchner Kammerspiele im Dritten Reich. In: Bayern in der NS-Zeit, Band 2, S. 91–173; Konrad Dussel, Ein neues, ein heroisches Theater? Nationalsozialistische Theaterpolitik und ihre Auswirkungen in der Provinz. Bonn 1988.

[98] Vgl. Bernhard Zeller (Hrsg.), Klassiker in finsteren Zeiten 1933–1945. Eine Ausstellung des Deutschen Literaturarchivs im Schiller-Nationalmuseum Marbach am Neckar. 2 Bände. Stuttgart 1983.

Authentisches verlieh, war ein Aspekt der im Dritten Reich betriebenen umfassenden Mobilisierung der Gesellschaft. Nicht nur Ressentiment drückte sich darin aus, sondern auch der populistische Anspruch auf Partizipation, den man von einer schwer zu verstehenden abstrakten und expressionistischen Kunst verweigert sah. Die Mobilmachung gegen die moderne Malerei, die sich bis 1937 zu einer Brutalität steigerte wie in keinem anderen Kunstbereich, hat auch dort Wurzeln, nicht nur im Antisemitismus und in der Blut-und-Boden-Ideologie. Anstelle von »entarteter« war bezeichnenderweise ja auch von »volksfremder« Kunst die Rede, und daß es insgesamt ebenso sehr um eine banausenhafte »Demokratisierung« – im Sinne von Zugänglichmachung durch Vergegenständlichung – der bildenden Künste ging wie um eine ideologische Neubestimmung, zeigt ein Blick auf die Durchschnittsproduktion der Epoche. Bei der Großen Deutschen Kunstausstellung 1937 in München dominierten der heroische Realismus und das dem 19. Jahrhundert entlehnte Genrebild. Gleichzeitig wurden, nur ein paar Schritte entfernt vom »Haus der Deutschen Kunst«, die »Entarteten« vorgeführt (Beckmann, Nolde, Kirchner, Klee, Kandinsky, Kokoschka, Dix, Grosz und viele andere). Unter den dort gezählten zwei Millionen Besuchern waren neben amerikanischen und englischen Touristen offensichtlich viele, die die Gelegenheit nutzten zu einem letzten Blick auf die verfemte Moderne; die offizielle »deutsche Kunst« fand weitaus geringeres Interesse.

Im selben Sommer erlebte die »Hauptstadt der Bewegung« ein Spektakel namens »2000 Jahre Deutsche Kultur«, das den nationalsozialistischen Germanenkult im Volksfeststil inszenierte. So verdünnt, stießen auch ideologische Abstrusitäten auf vergnügungsbereite Konsumenten und wurden genossen wie die großen Sportereignisse der Zeit, mit deren Helden (Max Schmeling, Bernd Rosemeyer, Rudolf Caracciola) sich das Regime natürlich möglichst zu schmücken suchte. Was die eigene Ortsbestimmung immer schwieriger machte für die Menschen, war die verwirrende Gleichzeitigkeit und oft auch Verschränkung einer expandierenden, politisch unspezifischen Populärkultur mit weltanschaulichen Versatzstücken, die ihrerseits höchst widersprüchlich sein konnten – so, wenn im Zug der schildschwenkenden »Germanen« mannshohe Architekturmodelle durch die Straßen getragen wurden.

Obschon nur wenige der vor allem in Berlin und München geplanten monumentalen Partei- und Staatsbauten verwirklicht wurden, hat sich das Urteil über die Architektur in der NS-Zeit vor allem daran gebildet. Hitlers persönliches Eingreifen in die Planungen, die zu dem ideologisch-politischen Selbstverständnis der NS-Führung passende überzeitliche Megalomanie der Vorhaben und nicht zuletzt die darum entfachte intensive Propaganda legen das nahe. Doch bei der Betrachtung des im Dritten Reich tatsächlich Gebauten fällt es schwer, einen spezifischen NS-Stil auszumachen: Sachlich-moderne Ingenieurbauten entstanden zwar nicht neben, aber zeitgleich mit mittelalterlich gewandeten Ordensburgen. Weithin folgte das öffentliche Bauen dem architektonischen Traditionalismus, wie ihn etwa die Stuttgarter Schule um Paul Bonatz vertrat, dessen Name nicht zuletzt für besonders harmonisch in die Landschaft eingefügte Autobahnbrücken steht. Für Hitlers überdimensionierten Klassizismus waren nach dem Tod von Paul Ludwig Troost vor allem Hermann Giesler und Albert Speer zuständig, der Generalbauinspekteur für die Reichshauptstadt. Freilich saßen in Speers Berliner Büro junge, leistungsbesessene Technokraten, die das Neue Bauen und den russischen Konstruktivismus als Herausforderung betrachteten und während des Krieges im »Arbeitsstab zum Wiederaufbau bombenzerstörter Städte« aus dem Erfordernis eines verbesserten Luftschutzes die Grüngürtel der Nachkriegsstädte entwickelten[99].

Eine durch ideologische Vorbehalte kaum gehemmte, pragmatische Anwendungsorientierung kennzeichnete auch die Einstellung des Regimes gegenüber den Natur- und Sozialwissenschaften und bestimmte das vorherrschende Klima an den Universitäten. Fast alles, was die zeitgenössische Forschung an

[99] Vgl. Barbara Miller Lane, Architektur und Politik in Deutschland 1918–1945. Braunschweig, Wiesbaden 1986; Werner Durth, Deutsche Architekten. Biographische Verflechtungen 1900–1970. München 1992; ders./Niels Gutschow, Träume in Trümmern. Stadtplanung 1940–1950. München 1993.

Erkenntnissen und Fertigkeiten bereitstellte, wurde genutzt. Wohl waren mit dem Dritten Reich Weltanschauung und Politik über die sich gerne unpolitisch verstehende, jedoch konservativ geprägte Gelehrtenwelt hereingebrochen, hatten die Entlassung von schließlich einem Drittel der Universitätslehrer und der mit der Emigration von rund 2000 Wissenschaftlern verbundene »brain drain« die Qualität von Forschung und Lehre beeinträchtigt. Aber schon im Zuge der allgemeinen Konsolidierung war die Begeisterung für die vom Nationalsozialistischen Studentenbund propagierte »Hochschulrevolution« abgeklungen[100]. Positivistisch-emsiges Forschen und Studieren, in vielen Fächern ohnehin seit langem an der Tagesordnung, machte sich im wieder einkehrenden Universitätsalltag auch in den früher eher gesellschaftskritischen Disziplinen breit. Bemühungen um die Definition eines nationalsozialistischen Wissenschaftsprogramms versackten in widersprüchlichen Auffassungen, und die vom 1934 neugeschaffenen Reichsministerium für Wissenschaft, Erziehung und Volksbildung unter dem schwachen Bernhard Rust betriebene Hochschulpolitik kam über die direkte politische Anbindung des Universitätsrektors als »Führer der Hochschule« kaum hinaus.

In den Geisteswissenschaften, bei Philosophen, Historikern und Pädagogen zumal, konnte sich ideologisierte Wissenschaft am längsten halten: Hier besaßen die Nationalsozialisten nicht nur mehr oder weniger bald enttäuschte Sympathisanten, sondern mit Figuren wie Ernst Krieck und Walter Frank ausdauernde Fanatiker. Mochte deren pseudowissenschaftlicher Aktivismus Studenten verwirren und auf geistig-kulturellem Gebiet Verheerungen anrichten, so verschlug er doch zumindest volkswirtschaftlich nichts. Darin lag ein wichtiger Unterschied zur

---

[100] Zum folgenden Helmut Seier, Universität und Hochschulpolitik im nationalsozialistischen Staat. In: Klaus Malettke (Hrsg.), Der Nationalsozialismus an der Macht. Aspekte nationalsozialistischer Politik und Herrschaft. Göttingen 1984, S. 143–165; ders., Der Rektor als Führer. Zur Hochschulpolitik des Reichserziehungsministeriums 1934–1945. In: VfZ 12 (1964), S. 105–146; vgl. auch Helmut Heiber, Universität unterm Hakenkreuz. 2 Bände. München 1991, 1992.

naturwissenschaftlichen Forschung, in der sich eine Industrienation vom Range Deutschlands schlechterdings nicht durch weltanschauliche Ressentiments beschränken lassen konnte[101]. Das zeigte besonders deutlich die klägliche Niederlage der von Philipp Lenard und Johannes Stark vertretenen »Deutschen Physik« im Kampf gegen die »jüdische«, weil von Albert Einstein entwikkelte Relativitätstheorie. Die Anerkennung der theoretischen Physik in einer regelrechten Disputation im November 1940 (die sich allerdings schon vier Jahre zuvor abgezeichnet hatte, als I. G. Farben-Chef Carl Bosch anstelle von Stark in der Nachfolge Max Plancks zum Präsidenten der Kaiser-Wilhelm-Gesellschaft ernannt worden war) bedeutete zugleich ein negatives Signal an die ohnehin randständigen Verfechter »Deutscher Mathematik« und »Deutscher Chemie«. In der Großwirtschaft und in der Wehrmacht besaß die seriöse naturwissenschaftliche Forschung machtvolle Verteidiger, derer es à la longue freilich kaum bedurfte, denn eine generelle Wissenschaftsfeindlichkeit konnte sich das Regime schon seiner Autarkie- und Kriegspläne wegen nicht leisten.

Nicht zuletzt das politische Interesse an bestmöglicher Umsetzung moderner Forschungsergebnisse sicherte auch den Sozialwissenschaften Arbeitsmöglichkeiten, wie sie angesichts des von NS-Aktivisten schon in der Weimarer Zeit erhobenen ideologischen Verdachts kaum zu erwarten gewesen waren: Die als akademische Disziplin noch junge Psychologie erlebte, trotz der Vertreibung führender Vertreter, gerade während der NS-Zeit ihre Professionalisierung, und selbst die aus nationalsozialistischer Perspektive mühelos als »jüdische Erfindung« zu brandmarkende Psychoanalyse verfiel keineswegs der Verbannung. Die Soziologie stand als praktisch anwendbare Wissenschaft hoch im Kurs. Während die Frage der theoretischen Weiterentwicklung der Sozialwissenschaften im Dritten Reich noch offen ist, scheint festzustehen, daß die empirische Sozialforschung als

---

[101] Dazu Alan D. Beyerchen, Wissenschaftler unter Hitler. Physiker im Dritten Reich. Frankfurt am Main 1982; Monika Renneberg/Mark Walker (Hrsg.), Science, Technology and National Socialism. Cambridge 1994.

Produzentin moderner Sozialtechnologie insgesamt expandierte[102].

Reaktionäre Vision und technokratisches Fortschrittsdenken waren im Dritten Reich eine unauflösliche Verbindung eingegangen, ohne das Hergebrachte, Zeitgemäße, Normale je ganz zu verdrängen. Bestimmte Traditionslinien hatten die Nationalsozialisten erkennbar mit hartem Schnitt gekappt, andere hatten sie nur ein wenig umgebogen, betont oder einfach ignoriert. So klar wie in der unmittelbar politischen Realität lagen die Dinge auf dem Gebiet von Wissenschaft und Kultur und in der Alltagswirklichkeit selten. Wieviel Normalität im Leben des einzelnen erhalten blieb und wieviel Veränderung einer verspürte, hing ab von persönlichen Umständen, Fähigkeiten, Überzeugungen, Interessen – vom Schicksal auch.

Was es nicht mehr gab, war Normalität im Sinne vernünftiger Berechenbarkeit, und insofern blieb eigentlich nur ihr Schein. Das Leben war, durch die Politik, unberechenbar geworden in einer Weise, wie Europa es seit dem Ende der Aufklärung nicht mehr gesehen hatte. Kollektive und – sofern sie nur die eines in der Machtfolge des »Führers« Stehenden waren – selbst private Aversionen oder Vorlieben gleich welcher Art konnten zu Fragen der Politik erklärt und mit dem Anspruch auf absolute Gültigkeit entschieden werden. Die Trennung zwischen Staat, Gesellschaft und Individuum war aufgehoben, der Einbruch des Leviathan in die private Lebenssphäre des einzelnen potentiell jederzeit möglich. SS und Gestapo verkörperten diese Bedrohung.

---

[102] Vgl. Ulfried Geuter, Die Professionalisierung der deutschen Psychologie im Nationalsozialismus. Frankfurt am Main 1984; Geoffrey Cocks, Psychotherapy in the Third Reich. The Göring Institute. New York 1985; Geschichte und Gesellschaft 12 (1986), Heft 3 (Wissenschaften im Nationalsozialismus, hrsg. von Wolf Lepenies).

Was in der Anfangszeit des Dritten Reiches selbst unpolitischen Menschen nicht entgehen konnte, war der Mehrheit nach einigen Jahren doch aus dem Blick geraten: die Tatsache, daß politische Unterdrückung und gesellschaftliche Ausgrenzung die Situation vieler Minderheiten bestimmten. Werben um die einen und Gewalt gegen die anderen – an diesem Herrschaftsprinzip hatte sich nichts geändert. Aber der offene Terror gegen politisch Andersdenkende, gegen Gruppen und Einzelpersonen, die sich partiell oder grundsätzlich der Anpassung verweigerten, und gegen Juden, war im Zuge der Machtkonsolidierung zurückgegangen. Auch die Methoden hatten sich verfeinert. Eine halb Realität gewordene, halb Propaganda gebliebene Volksgemeinschaft zeigte sich infolgedessen immer weniger in der Lage, die doppelte Wirklichkeit von Zustimmung und Zwang zu erkennen. »Der Terror in seiner allumfassenden Gestalt, in seiner ganzen unmenschlichen Härte, er bleibt nicht nur dem Auslande verborgen, auch in Deutschland selbst gibt es Kreise, die kaum eine Ahnung davon haben. Es ist nicht selten, daß der für das System keineswegs begeisterte, aber politisch wenig interessierte ›Bürger‹, der einen weiten Bogen um jede Nazi-Fahne macht, die er grüßen müßte, mit einem Unterton des Vorwurfs die Frage stellt: ›Sind Ihnen denn Leute persönlich bekannt, die noch von damals her (gemeint ist der Umsturz 1933) im Konzentrationslager sitzen?‹«[103]

Diese Beobachtungen der Exil-SPD vom Januar 1936 waren ein bitteres Zeichen für die zunehmende Aussichtslosigkeit politischer Untergrundarbeit im Innern, die – bei steigender Effizienz des Verfolgungsapparates – auf eine ständig noch wachsende Loyalität und »Führer«-Begeisterung traf. In einer solchen Lage ging es häufig »nur« noch darum, sich in getarnten Zusammenkünften gegenseitig der Solidarität zu versichern und die Verbindungen untereinander nicht abreißen zu lassen. Und es war schon viel, daß es den weiterhin aktiven unter den etwa 5000 sozialde-

[103] Deutschland-Berichte 1936, S. 9.

mokratischen Emigranten gelang, von Prag und später dann von Paris aus bis April 1940 jenes ausgeklügelte geheime Berichtssystem von Grenzsekretären und Vertrauensleuten in Betrieben und Gemeinden aufrecht zu erhalten.

Auf seiten der KPD, deren zeitweilige Bemühungen um eine Verständigung mit der Sozialdemokratie an ihrem gleichzeitigen Festhalten am Führungsanspruch und am Ziel der Diktatur des Proletariats scheiterten, beteiligte sich in den Anfangsjahren des Dritten Reiches etwa die Hälfte der rund 300 000 KPD-Mitglieder (1932) auf die eine oder andere Weise an illegalen Aktionen. Neben der Aufrechterhaltung der verbotenen Organisation ging es vor allem um die Herstellung und Verbreitung von Flugschriften, die zum Sturz des Hitler-Regimes aufriefen. Die schon immer streng hierarchisch gegliederte Partei erwies sich dabei als besonders effizient. Beispielsweise produzierte eine illegale Druckerei in Solingen 1934 eine Zeitlang alle zehn Tage mehr als 10 000 Exemplare des KPD-Zentralorgans ›Rote Fahne‹ und insgesamt 300 000 Schriften. Aber diese Form des Widerstands, die auf die Solidarität vieler einzelner und auf einen baldigen Umsturz setzte, war auch äußerst riskant und forderte viele Opfer. Ende 1933 saßen schätzungsweise 60 000 bis 100 000 Kommunisten in Gefängnissen und Konzentrationslagern, und nach mehreren Verhaftungswellen hatte die Gestapo die Basis des kommunistischen Widerstands Mitte der dreißiger Jahre fast völlig zerschlagen. Lautlos vollzog sich in diesen Jahren der Ausbau des nationalsozialistischen Terror- und Überwachungssystems. Während das Gros der Volksgenossen einen Übergang in ruhigere Zeiten, die Entwicklung einer »normalen Diktatur«, zu erleben meinte (wofür es an Indizien ja nicht fehlte), entstanden im Machtbereich von Heinrich Himmlers SS die Fundamente einer totalitären Weltanschauungsherrschaft.

Bei der Machtverteilung im Frühjahr 1933 in Berlin war der kleine, fast zierlich wirkende Mann, der Obsessionen und Hemmungen hinter dicken Brillengläsern und einem unbestimmten Grinsen zu verbergen suchte, leer ausgegangen. Obschon als »Reichsführer SS« Herr über eine Elitetruppe von 56 000 »rassisch wertvollen« Parteisoldaten, hatte sich Himmler mit dem wenig repräsentativen Amt eines kommissarischen Polizeipräsidenten in München begnügen müssen. Die strategisch wichtigere Polizei der Reichshauptstadt und Preußens befehligte Göring. Wenn die Entwicklung des politischen Polizeisystems im Dritten Reich zunächst einigermaßen kompliziert verlief, dann hatte das seinen Grund in ihrem doppelten Anfang, der neben Machtrivalitäten auch konzeptionelle Gegensätze zum Vorschein brachte: Während Göring eine zwar gesonderte, aber innerhalb der staatlichen Verwaltung zu organisierende politische Polizei anstrebte und sich insofern als etatistischer Traditionalist erwies, zielte der Ideologe Himmler von Anfang an auf die radikale Herauslösung aller politisch-polizeilichen Kompetenzen aus dem staatlichen Machtbereich zugunsten der SS. Bei der weltanschaulichen Kerntruppe des Nationalsozialismus sollte die politische Überwachung konzentriert und der Terror institutionalisiert werden.

Einen wichtigen Etappensieg hatte Himmler, unterstützt vom Chef des Sicherheitsdienstes (SD) der SS, Reinhard Heydrich, im Frühjahr 1934 errungen. Nachdem der Reichsführer SS aus der zwölf Monate zuvor geschaffenen Position eines »Politischen Polizeikommandeurs Bayern« heraus im Winter 1933/34 außer in Preußen und Schaumburg-Lippe das Kommando über die inzwischen in allen Ländern verselbständigten Politischen Polizeien übernommen hatte, ernannte ihn Göring am 20. April 1934 auch zum Inspekteur der Preußischen Geheimen Staatspolizei[104]. Nominell blieb Göring zwar Chef der Gestapo, de facto aber war Himmler von nun an Herr über die gesamte Politische Polizei des Deutschen Reiches. Für deren effektive Zentralisierung und die Besetzung der Spitzenpositionen mit SS-Führern sorgte Heydrich, der neue Leiter des Geheimen Staatspolizeiamts in Berlin (Gestapa). Immer stärker verschmolz nun die – vom Sicherheitsdienst der SS betriebene – »Gegnerermittlung« mit der »Gegnerbekämpfung« durch die – staatliche – Politische

---

[104] Grundlegend zum folgenden Hans Buchheim, Die SS – das Herrschaftsinstrument. In: Anatomie des SS-Staates. München, 7. Aufl. 1999; außerdem Heinz Höhne, Der Orden unter dem Totenkopf. Die Geschichte der SS. Gütersloh 1967; Shlomo Aronson, Reinhard Heydrich und die Frühgeschichte von Gestapo und SD. Stuttgart 1971.

Polizei. Der Weg in den »SS-Staat« (Eugen Kogon) war damit bereits ein gutes Stück weit geebnet.

Mit der politischen Ausschaltung der SA, deren Chef Ernst Röhm der Reichsführer SS bis dahin noch unterstanden hatte, ergab sich schon im Sommer 1934 ein weiterer Machtzuwachs Himmlers. Die SS war fortan eine selbständige Gliederung der Partei, Himmler nur mehr dem »Führer« verpflichtet, der ihm noch am 30. Juni die Alleinzuständigkeit für sämtliche Konzentrationslager übertragen hatte. Damit war Gelegenheit zur Vereinheitlichung des außerstaatlichen Terrorsystems, die der Reichsführer SS umgehend nutzte: Theodor Eicke, bisher Lagerkommandant in Dachau, wurde »Inspekteur der Konzentrationslager und Führer der SS-Wachverbände«. Anstelle einer Vielzahl kleiner, zum Teil noch von der SA unterhaltenen Haftstätten organisierte Eicke, orientiert am »Modell Dachau«, bis 1937 zwei weitere große KL in der Nähe von Berlin (Sachsenhausen) und Weimar (Buchenwald). Für Bewachung und Betrieb der Konzentrationslager waren Angehörige der SS-Totenkopfverbände zuständig, die damals knapp 5000 Mann umfaßten. Neben politischer Polizei und Konzentrationslagern bildeten die bewaffneten Bereitschaften der SS die dritte Ausgangsbasis Himmlerscher Machtentfaltung. Bereits im Sommer 1933 war aus den Reihen der SS eine gesonderte »Leibstandarte Adolf Hitler« zusammengestellt und auf den »Führer« vereidigt worden. Nach dem Schlag gegen die SA gelang Himmler zwar ein begrenzter Ausbau der (aus Reichsmitteln finanzierten) sogenannten SS-Verfügungstruppe, aber die Aufstellung einer regelrechten SS-Armee scheiterte einstweilen am Widerstand der Wehrmacht. Immerhin waren die schwarzen Einheiten schon vor ihrer Verstärkung 1938/39 zu einem Beispiel jener NS-typischen Sondergewalt geworden, die einen Teil der »Führer«-Exekutive jenseits von Partei und Staat bildete.

Im Sommer 1936 erhielt der Reichsführer schließlich jene institutionelle Zuständigkeit zugesprochen, die zur Arrondierung der SS als eigenständigem Machtkomplex noch fehlte: Ein Erlaß Hitlers vom 17. Juni beauftragte Himmler mit der »einheitlichen Zusammenfassung der polizeilichen Aufgaben im

Reich«. Statt im Kontext einer nie realisierten Reichsreform wurde auf diesem Wege die Zentralisierung der gesamten deutschen Polizei eingeleitet und die praktisch schon gegebene reichszentrale Organisation der Politischen Polizei juristisch nachvollzogen. Himmlers neue Amtsbezeichnung »Reichsführer SS und Chef der Deutschen Polizei im Reichsministerium des Innern« signalisierte, daß es darüber hinaus um eine feste organisatorische Verknüpfung von SS und Polizei ging, nicht bloß um eine neue Personalunion. Nominell rangierte der Chef der deutschen Polizei als Staatssekretär unter dem Reichsinnenminister, tatsächlich aber hatte eine einschneidende Machtverschiebung stattgefunden, die in zentralen Bereichen eine Entmachtung Fricks bedeutete. Das zeigte nicht nur der von Himmler bald erhobene Anspruch auf eine allgemeine Stellvertretung des Innenministers, sondern auch sein vorausgegangenes Bestreben, ein eigenes Polizeiministerium aufzumachen.

Im Prinzip war mit dem Erlaß die »Entstaatlichung« der Polizei eingeleitet, das gesamte Polizeisystem des Dritten Reiches zur Eroberung durch die SS freigegeben worden. Der unmittelbar folgende Schritt war die Einrichtung getrennter »Hauptämter« der Ordnungs- und Sicherheitspolizei unter SS-Obergruppenführer Kurt Daluege bzw. SS-Gruppenführer Heydrich. Während die Verschmelzung mit der SS im Bereich der Ordnungspolizei (Gendarmerie und Schutzpolizei) nur langsam einsetzte und häufig deklaratorisch blieb, gelang Heydrich als dem »Chef der Sicherheitspolizei und des SD« im Bereich der Kriminalpolizei ein verhältnismäßig rascher Einbruch; schließlich konnte er auf einschlägige Erfahrungen bei der Ausrichtung der Politischen Polizeien der Länder zurückgreifen.

Die Zusammenfassung von Staats- *und* Kriminalpolizei mit dem Sicherheitsdienst der SS war für die weitere Entwicklung um so bedeutungsvoller, als Heydrich gegenüber Daluege unmißverständlich (und vor allem mit Billigung Himmlers) den Anspruch der Sicherheitspolizei auf die alleinige Behandlung sämtlicher im weitesten Sinne politischen Aufgaben erhob: »Für mich sind im Rahmen der nat.soz. Auffassung Marktpolizei usw., die Volkskartei und das Meldewesen Dinge, die zu mir gehören ... Sicher ist, daß die totale, ständige Erfassung aller Menschen des Reiches und die damit verbundene Möglichkeit einer ständigen Übersicht über die Situation der einzelnen Menschen in die Hand derjenigen Polizeistelle gehört, die nicht nur die exekutive Sicherung, sondern auch die weltanschauliche und lebensgebietsmäßige zur Aufgabe hat.«[105]

Worauf Himmler und Heydrich hinarbeiteten, ging noch weit über eine politische Überwachungs- und Gesinnungspolizei hinaus. Es war die totalitäre Utopie einer rassenideologisch ausgerichteten Über-Institution der permanenten sozialen Sanierung und Gesellschaftshygiene, die Vision des Sonnenstaats im technokratischen Kleid der Moderne. Nicht mehr in hergebrachten Polizeibegriffen wurde gedacht, sondern in Formulierungen des Seuchenarztes. Die Politische Polizei, so hatte Werner Best, Heydrichs Vertreter im Geheimen Staatspolizeiamt, schon das Gestapo-Gesetz vom Frühjahr 1936 kommentiert, sei »eine Einrichtung, die den politischen Gesundheitszustand des deutschen Volkskörpers sorgfältig überwacht, jedes Krankheitssymptom rechtzeitig erkennt und die Zerstörungskeime – mögen sie durch Selbstzersetzung entstanden oder durch vorsätzliche Vergiftung von außen hineingetragen worden sein – feststellt und mit jedem geeigneten Mittel beseitigt«[106].

Wo die Krankheitsherde aus SS-Perspektive anzutreffen waren, zeigte sich am Geschäftsplan des Hauptamts Sicherheitspolizei mit den drei Ämtern Verwaltung und Recht (dort lag unter anderem die Zuständigkeit für das Paß- und Ausweiswesen), Kriminalpolizei und Politische Polizei, letztere mit folgenden Abteilungen: »Kommunismus und andere marxistische Gruppen; Kirchen, Sekten, Emigranten, Juden, Logen; Reaktion, Opposition, Österreichische Angelegenheiten; Schutzhaft, Konzentrationslager; Wirtschafts-, agrar- und sozialpolitische Angelegenheiten, Vereinswesen; Funküberwachung; Angelegenheiten der

[105] Zitiert nach Buchheim, SS, S. 100.
[106] Zitiert nach Martin Broszat, Nationalsozialistische Konzentrationslager 1933–1945. In: Anatomie des SS-Staates. München, 7. Aufl. 1999, S. 356. Zu Best vgl. Ulrich Herbert, Best. Biographische Studien über Radikalismus, Weltanschauung und Vernunft, 1903–1989. Bonn 1996.

Partei, ihrer Gliederungen und angeschlossenen Verbände; Ausländische Politische Polizei; Lageberichte; Presse; Bekämpfung der Homosexualität und Abtreibung; Abwehrpolizei.«[107] In den Aufgabenbereich der Kriminalpolizei fiel nun nicht mehr nur die Aufklärung klassischer Kriminalstraftaten, sondern auch die Bekämpfung »volksschädlicher Elemente«. Parallel mit dieser tiefgreifenden Veränderung und Ausweitung der Polizeitätigkeit vollzog sich ein signifikanter Wandel in den Konzentrationslagern.

Während im »Musterlager« Dachau nach wie vor überwiegend politische Häftlinge festgehalten wurden, füllten sich die neuen Reichs-KL Sachsenhausen und Buchenwald zunehmend mit sogenannten Asozialen, Gewohnheitsverbrechern, Homosexuellen und Zeugen Jehovas (Bibelforschern) – mit Menschen, die von den ordentlichen Gerichten nicht verurteilt werden konnten, weil sie gegen kein geltendes Recht verstoßen hatten, die aber sozial unerwünscht waren. Stärker noch als bisher übernahmen die Konzentrationslager damit eine Korrekturfunktion gegenüber der Justiz. Schon seit der Machtübernahme war die Gestapo dazu übergegangen, insbesondere politische Gefangene im Anschluß an ihre Strafverbüßung und Angeklagte nach Freispruch oder Verfahrenseinstellung oft noch im Gerichtssaal in Schutzhaft zu nehmen und auf unbestimmte Zeit in Konzentrationslager einzuweisen. Jetzt wurde diese Praxis im Hinblick auf die »Volksschädlinge« perfektioniert.

Anfang 1937 ordnete Himmler als Chef der deutschen Polizei an, auf der Grundlage von kurz zuvor entstandenen Listen der Kriminalpolizeistellen im gesamten Reichsgebiet »etwa 2000 Berufs- und Gewohnheitsverbrecher oder gemeingefährliche Sittlichkeitsverbrecher« festzunehmen und in Konzentrationslager zu schaffen. Der »schlagartig« durchzuführenden Aktion vom 9. März folgte exakt ein Jahr später eine als »einmaliger umfassender und überraschender Zugriff« angekündigte Verhaftungswelle gegen »Arbeitsscheue«, bei deren Auswahl die Arbeitsämter der Gestapo Amtshilfe zu leisten hatten. Mitte Juni 1938,

---

[107] Stand der Gliederung von Anfang 1938; zitiert nach Buchheim, SS, S. 57 f.

nachdem auch das inzwischen angeschlossene Österreich Schauplatz einer »vorbeugenden Verbrechensbekämpfung« gewesen war, erlebte das »Altreich« bereits die nächste Aktion: Aus dem Bezirk jeder Kriminalpolizeileitstelle waren »mindestens 200 männliche arbeitsfähige Personen (asoziale), außerdem alle mit Gefängnisstrafe vorbestraften männlichen Juden« in das Konzentrationslager Buchenwald einzuweisen. Als »Asoziale« galten Landstreicher, Bettler mit oder ohne festen Wohnsitz, »Zigeuner und nach Zigeunerart umherziehende Personen, wenn sie keinen Willen zur geregelten Arbeit gezeigt haben oder straffällig geworden sind«, Zuhälter und »solche Personen, die zahlreiche Vorstrafen wegen Widerstandes, Körperverletzung, Raufhandels, Hausfriedensbruchs u. dgl. erhalten und dadurch gezeigt haben, daß sie sich in die Ordnung der Volksgemeinschaft nicht einfügen wollen«[108].

In der Begründung der sogenannten Asozialen-Aktion tauchte erstmals das Argument der ökonomischen Verwertbarkeit auf, das in den kommenden Jahren, verknüpft mit dem Gedanken der »Ausmerzung« angeblich minderwertigen und unproduktiven Lebens, tödliche Brisanz gewinnen sollte: »Die straffe Durchführung des Vierjahresplanes erfordert den Einsatz aller arbeitsfähigen Kräfte und läßt es nicht zu, daß asoziale Menschen sich der Arbeit entziehen und somit den Vierjahresplan sabotieren.« De facto handelte es sich einstweilen um die Rekrutierung von Zwangsarbeitern für die ersten SS-eigenen Betriebe, zu denen neben Ziegelwerken (Deutsche Erd- und Steinwerke GmbH) die für die »Führerbauten« wichtigen Granitsteinbrüche im oberpfälzischen Flossenbürg und im niederösterreichischen Mauthausen (später auch im niederschlesischen Groß-Rosen und im elsässischen Natzweiler) gehörten, wo jetzt neue Konzentrationslager entstanden.

Was Himmler zu den – die späteren »Auskämmaktionen« in den besetzten Gebieten gleichsam vorexerzierenden – Massenverhaftungen bewog, waren jedoch nicht allein wirtschaftliche und ideologisch-politische Motive. Es ging auch um Machtfra-

[108] Vorbeugende Verbrechensbekämpfung. Erlaßsammlung. Berlin 1941.

gen. Mit der Auffüllung der Konzentrationslager, deren Häftlingsbestand im Winter 1936/37 auf unter 10 000 gesunken war, sollte zum einen das institutionelle Gewicht der SS unterstrichen, zum anderen das Bestreben der Inneren Verwaltung und der Justiz konterkariert werden, das Instrument der Schutzhaft bzw. der »polizeilichen Vorbeugehaft« nach einheitlichen Gesichtspunkten zu definieren und seine Anwendung kontrollierbar zu halten. Obgleich in seiner Doppelfunktion als Reichsführer SS und Chef der deutschen Polizei Repräsentant der unmittelbaren Führergewalt, war zu diesem Zeitpunkt auch Himmler noch daran gelegen, den Anschein rechtsförmigen Vorgehens zu wahren. So berief er sich beispielsweise für die Aktion gegen »Gewohnheitsverbrecher« mangels einer geeigneten Grundlage auf die bisher nur gegen politische Gegner angewandte Reichstagsbrandverordnung, ignorierte allerdings geflissentlich das im Herbst 1933 auf »ordentliche« Weise zustandegekommene, jedoch hinter seinen Absichten zurückbleibende Gesetz über die Sicherungsverwahrung von Rückfalltätern. Und mit der Abwicklung der Arbeitsscheuen-Aktion, die eindeutig nicht politischen Gegnern galt, betraute Himmler anstelle der Kriminalpolizei gleichwohl die Gestapo, weil diese aufgrund des Gestapo-Gesetzes vom Februar 1936 Schutzhaft verhängen konnte, ohne daß eine Nachprüfung durch die Verwaltungsgerichte möglich war.

Ein neuer ›Grundlegender Erlaß‹ des Reichsinnenministeriums schränkte Anfang 1938 zwar die Befugnis zur Verhängung von Schutzhaft auf das Geheime Staatspolizeiamt ein, erweiterte zugleich aber ihre bisher auf politische Gegner begrenzte Anwendbarkeit förmlich auf Personen, »die durch ihr Verhalten den Bestand und die Sicherheit des Volkes und Staates gefährden«. Wenig später wies das Reichskriminalpolizeiamt in seinen Richtlinien zu dem »Grundlegenden Erlaß« des Innenministeriums »über die vorbeugende Verbrechensbekämpfung durch die Polizei« vom Dezember 1937 den Konzentrationslagern der SS ausdrücklich die Funktion von »staatlichen Besserungs- und Arbeitslagern« zu. Die soziale Sanierung des deutschen »Volkskörpers« als Aufgabe des verselbständigten SS-Komplexes war inzwischen anerkannt.

Ihrem Selbstverständnis nach konnte sich die SS freilich nicht auf bestimmte Aktionsbereiche festlegen lassen. Als Instrument der Verwirklichung des »Führerwillens« war ihr Macht- und Handlungsanspruch prinzipiell unbegrenzt, und zwar nach allen Seiten hin. So scheute der bereits 1931 gegründete Sicherheitsdienst der SS, entgegen seinem Auftrag, bezeichnenderweise auch vor parteiinternen Spitzeleien nicht zurück. Zwar hatte Heydrichs Nachrichtenorganisation seit der Übernahme der Gestapo durch die SS machtpolitisch an Bedeutung verloren, in der Sammlung und Auswertung von Berichten über die Lage und die Stimmung der Bevölkerung bald aber eine Daueraufgabe und Existenzberechtigung gefunden. Seit 1936/37 nahm der SD immer stärker den Charakter eines geheimen Meinungsforschungsinstituts an, das die NS-Führung mit regelmäßigen »Meldungen aus dem Reich« versorgte. Wer zu den etwa 30 000 ehrenamtlichen Mitarbeitern und V-Leuten – Beamte, Manager, Ärzte, Lehrer, Journalisten, Pfarrer, Künstler und Wissenschaftler – gehörte, war gehalten, »überall, in seiner Familie, seinem Freundes- und Bekanntenkreis und vor allem an seiner Arbeitsstätte jede Gelegenheit wahr(zu)nehmen, um durch Gespräche in unauffälliger Form die tatsächliche, stimmungsmäßige Auswirkung aller wichtigen außen- und innenpolitischen Vorgänge und Maßnahmen zu erfahren. Darüber hinaus bilden die Unterhaltungen der Volksgenossen in den Zügen (Arbeiterzüge), Straßenbahnen, in Geschäften, bei Friseuren, an Zeitungsständen, auf behördlichen Dienststellen (Lebensmittel- und Bezugsscheinstellen, Arbeitsämtern, Rathäusern usw.), auf Wochenmärkten, in den Lokalen, in Betrieben und Kantinen aufschlußreiche Anhaltspunkte in reicher Fülle, die vielfach noch zu wenig beachtet werden.«[109]

Aller Geheimhaltung zum Trotz war das Gefühl der Bespitzelung nach einigen Jahren nationalsozialistischer Herrschaft weit verbreitet. Gewiß kannten nur wenige die Einzelheiten des Überwachungssystems, blieben dem Durchschnittsbürger die Unterschiede zwischen Sicherheitsdienst, SS, Kriminalpolizei, Ordnungspolizei und Politischer Polizei meist unklar, aber das ver-

[109] Meldungen aus dem Reich, Band 1, S. 17.

stärkte eher die diffusen Empfindungen von Unsicherheit und Bedrohung. Der Anblick von dunklen Ledermänteln und schwarzen Uniformen ängstigte die Menschen, und mit dem Wort Gestapo verband sich Furcht. Die Macht der Geheimpolizei blieb nicht beschränkt auf jene, die ihrem Terror physisch ausgesetzt waren.

Und doch wäre es verfehlt, die mittleren dreißiger Jahre in erster Linie charakterisiert zu sehen durch politische Gewalt und Unterdrückung. Regimeloyalität und »Führer«-Begeisterung, nicht Verweigerung und Widerstand, bestimmten damals die innere Situation. Die Untergrundarbeit von Kommunisten und Sozialdemokraten war – nach spektakulären Erfolgen der Gestapo, die Hunderte von Gegnern vor den Volksgerichtshof gebracht hatte[110], aber auch angesichts eines politisch immer weniger belastbar gewordenen Umfelds – fast völlig zum Erliegen gekommen, und selbst die unspezifische, oft unpolitischen Motiven entspringende Volksopposition war tendenziell zurückgegangen. Letzteres war abzulesen an den stagnierenden Zahlen der von den Sondergerichten wegen »Heimtücke« und »Meckerertum« Verurteilten, unter denen im übrigen die sozialen Randgruppen überproportional vertreten waren und in alter Klassenjustiz-Manier schwerer bestraft wurden[111].

Daß trotz der inzwischen eingetretenen innenpolitischen Beruhigung nirgendwo Ansätze zu einer Rückkehr in den seit 1933 auf breiter Front durchbrochenen Normenstaat erkennbar wurden – wie in den konservativen Führungseliten immer noch manche hofften –, werteten nur wenige als schlechtes Omen. Die Mehrheit der Deutschen war gefangengenommen von der Sugge-

---

[110] Bis Kriegsbeginn fällte der Volksgerichtshof etwa 100 Todesurteile, danach stieg die Zahl der Angeklagten dramatisch an. Insgesamt gab es 16 700 Verurteilte, von denen 5200 – also fast ein Drittel – mit dem Tode bestraft wurden; vgl. Walter Wagner, Der Volksgerichtshof im nationalsozialistischen Staat. Stuttgart 1974, S. 876 bzw. 944 f. bzw. Klaus Marxen, Das Volk und sein Gerichtshof. Eine Studie zum nationalsozialistischen Volksgerichtshof. Frankfurt am Main 1994, S. 87.

[111] Vgl. die Fallstudie von Peter Hüttenberger, Heimtückefälle vor dem Sondergericht München 1933–1939. In: Bayern in der NS-Zeit, Band 4, S. 435–526.

stivität der Volksgemeinschafts-Idee und dem durch außenpolitische Erfolge untermauerten »Führer«-Mythos. Unter dem Eindruck der allgemeinen Festigung des Regimes blieb der damit eben auch einhergehende Ausbau des SS-Komplexes unbemerkt. Nicht zuletzt auf personeller Ebene wurden dort in den Jahren der Konsolidierung viele Voraussetzungen für die spätere Radikalisierung geschaffen. Zumal in einer vergleichsweise flexibel angelegten, auf Intelligenz und organisatorische Fähigkeiten noch stärker als auf weltanschaulichen Fanatismus angewiesenen Einrichtung wie dem SD konnte sich in dieser Zeit jener Typus des leistungsorientierten SS-Führers entfalten, für den jeder neue Auftrag nichts als eine pragmatisch anzugehende persönliche Herausforderung darstellte. Dort reifte die von Himmler so sehr gepriesene SS-Mentalität heran, die nichts für »unmöglich« hielt und schließlich »Sonderaufgaben« jeder Schwere akzeptierte – bis hin zur Leitung der Einsatzgruppen und des millionenfachen Mordes.

Mit der Verschmelzung von SS und Polizei hatte die Umsetzung der negativen Weltanschauungselemente in bürokratisch-polizeiliche Maßnahmen ihren Anfang nehmen können. Doch verwandelte sich nicht nur die ideologische Feindrhetorik seitdem in praktikable Gegnerbekämpfung, Polizei und innere Verwaltung selbst veränderten sich – zu Instrumenten der inneren Kriegführung. So war es nur konsequent, die »nationalsozialistische Polizei« mit der Wehrmacht zu vergleichen und geradezu ihr »Recht« zu außernormativem Handeln zu postulieren, wie Heinrich Himmler dies in der Festschrift zum 60. Geburtstag seines »Vorgesetzten« Frick tat: »Wie die Wehrmacht kann die Polizei nur nach Befehlen der Führung und nicht nach Gesetzen tätig werden. Wie der Wehrmacht werden der Polizei durch die Befehle der Führung und durch die eigene Disziplin die Schranken des Handelns bestimmt.« Mit Kriegsbeginn öffneten sich diese Schranken weiter.

3. Radikalisierung

Klarer noch als andere innen- und außenpolitische Entwicklungen der letzten Monate zeigte der mehrtägige Judenpogrom vom November 1938, daß das Dritte Reich an einem Wendepunkt angelangt war. Morde und Mißhandlungen, brennende Synagogen, zerstörte Geschäfte und verwüstete Wohnungen demonstrierten die Entschlossenheit der nationalsozialistischen Führung, die selbstgeschaffene »Judenfrage« in nächster Zeit zu lösen. Zwei Fünftel der 562 000 Menschen, die nach den Nürnberger Gesetzen von 1935 als »Nichtarier« galten, hatten Deutschland aufgrund der wachsenden rechtlichen und wirtschaftlichen Diskriminierung bereits verlassen. Doch das erklärte Ziel der Rassenideologen war ein »judenfreier« Herrschaftsbereich. Die »Reichskristallnacht« machte deutlich, wie virulent dieses weltanschauliche Axiom im inneren Kreis der nationalsozialistischen Bewegung geblieben war. Sie ließ aber auch keinen Zweifel an der mangelnden Popularität des Radikal-Antisemitismus – und entschied damit über die Strategie der künftigen Judenpolitik.

Ebenso wie in der Judenpolitik traten nun auch in der Außenpolitik des Regimes die Weltanschauungselemente deutlich zutage; das Bündnis mit den alten Eliten verlor weiter an Bedeutung. In den zurückliegenden Jahren war die rassische Komponente des nationalsozialistischen Lebensraum-Programms hinter der von breiten Schichten getragenen Forderung nach einer Revision des Versailler Vertrages nur verschwommen erkennbar gewesen, zumal Hitlers strategischer Blick nach Osten das Regime in die Tradition des Wilhelminischen Weltmachtstrebens zu stellen schien, an der schon das außenpolitische Establishment der Weimarer Republik festgehalten hatte. Den innerhalb der Wehrmachtsführung bestehenden Bedenken gegen eine Radikalisierung der deutschen Außenpolitik im Sinne einer baldigen gewaltsamen Lösung des »Raumproblems«, wie sie Hitler am 5. November 1937 verlangt hatte (Hoßbach-Niederschrift), wurde in der Blomberg-Fritsch-Krise Anfang Februar 1938 die Spitze genommen. Zugleich mit dem Revirement kam es zu bezeichnenden organisatorischen Veränderungen: Hitler selbst übernahm nun den Oberbefehl, und an die Stelle des unter einem Vorwand entlassenen Reichskriegsministers Blomberg trat ein Oberkommando der Wehrmacht unter General Wilhelm Keitel; neuer Oberbefehlshaber des Heeres wurde General Walter von Brauchitsch. Außenminister Neurath mußte sein Amt an den jüngeren Hitler-Gefolgsmann Joachim von Ribbentrop abgeben, blieb aber im Kabinett. Einen Monat später marschierten deutsche Truppen in Österreich ein. Wien bereite dem »Führer« einen begeisterten Empfang.

Das Münchner Abkommen und die anschließende Besetzung des Sudetenlands Ende September/Anfang Oktober 1938 bildeten Höhepunkt und Abschluß der forciert revisionistischen Außenpolitik. Die »pazifistische Platte« (Hitler) hatte sich abgespielt; nun wurden Kampflieder aufgelegt. Die bereits kurz nach der Sudeten-Aktion befohlene geheime Vorbereitung der »Erledigung der Rest-Tschechei«, die Mitte März 1939 zur Errichtung des »Reichsprotektorats Böhmen und Mähren« führte, sowie der folgende Einmarsch ins Memelgebiet setzten die Serie nichtkriegerischer Erfolge noch einmal fort, provozierten aber auch das Ende des britisch-französischen Appeasements. Die ereignisreichen »ruhigen Jahre« waren vorüber. Die Radikalisierung hatte begonnen.

Wenn diese Radikalisierung auf dem Gebiet der Außenpolitik besonders deutlich und frühzeitig bemerkbar wurde, so deshalb, weil die Gewinnung von »Lebensraum im Osten« einen Kernpunkt nationalsozialistischer Programmatik darstellte. Aus demselben Grund war, was in den Jahren 1938/39 Platz griff, freilich keine Radikalisierung der NS-Führung, sondern der Politik des Dritten Reiches. Und insofern Hitler diese Radikalisierung seiner Politik willentlich, aus freien Stücken und zielbewußt ansteuerte, war die charakteristische, auf vielen Gebieten zu beobachtende strukturelle Unfähigkeit des Regimes, die dynamischen Antriebskräfte der »Bewegung« dauerhaft unter Kontrolle zu halten, hierfür von sekundärer Bedeutung.

Mit der schärferen außenpolitischen Gangart und schließlich dem Beginn des Krieges gingen gravierende innenpolitische Veränderungen einher. Die nach außen gerichtete Aggressivität führte nicht etwa zu einer Verringerung des politischen Druckes im Innern, sondern im Gegenteil auch dort zur Radikalisierung im Sinne einer entschlosseneren Realisierung mancher weltanschaulicher Vorhaben. So wurde der Krieg um »Lebensraum«, mochten ihm mit den »Blitzkriegen« im Westen auch Feldzüge an der »falschen« Front vorausgehen, nicht zuletzt Anlaß verstärkter eugenisch-rassischer »Sanierungsmaßnahmen« am deutschen »Volkskörper«. Nach der Logik der NS-Führung gehörte das zu den notwendigen Vorbereitungen für die Zeit nach dem »Endsieg«: Sollte doch der mit unerbittlicher Härte geführte Vernichtungskrieg die territoriale Basis eines großgermanischen Ostimperiums erbringen, in dem die Deutschen die Rolle des rassereinen Herrenvolks auszufüllen haben würden.

Der Kriegsbeginn und die Deutschen

An seinem 50. Geburtstag genoß »General Unblutig« gewaltige Popularität. »Wohl noch nie hatte die Bevölkerung die Häuser und Geschäfte mit so viel Liebe und Hingabe geschmückt wie an diesem Nationalfeiertag des Großdeutschen Reiches. In Stadt und Land prangten alle Straßen und Plätze im reichsten Flaggenschmuck. Fast kein Schaufenster war zu sehen, in dem nicht ein Führerbild mit den sieghaften Symbolen des neuen Reiches aufgebaut war. Die zahlreichen Feierstunden der Partei waren bestens besucht, in den Garnisonsstädtchen zogen vor allem die Truppenparaden die Bevölkerung in ihren Bann. Es war überall ein frohes Fest von Menschen, die die Aufregung der verhetzten Völker ringsum nicht im geringsten beunruhigte, weil sie ihr Schicksal geborgen wissen in der Hand des Führers.«[112]

Solche Meldungen kamen im Frühjahr 1939 aus allen Teilen des Reichs. Natürlich wußten die Deutschen, daß Hitler für die

[112] Monatsbericht des Regierungspräsidenten in Ansbach/Mittelfranken vom 6. 5. 1939, zitiert nach Marlis Steinert, Hitlers Krieg und die Deutschen. Stimmung und Haltung der deutschen Bevölkerung im Zweiten Weltkrieg. Düsseldorf und Wien 1970, S. 81.

außenpolitischen Triumphe der letzten Jahre ein immer größeres Risiko eingegangen war. Viele ahnten, daß es so nicht mehr lange weitergehen würde – und klammerten sich gleichwohl an die Hoffnung, der »Gottgesandte« werde die »Vorsehung« weiterhin auf seiner Seite haben. In der Stilisierung des »Führers« zum Vollender der deutschen Geschichte, wie sie jetzt nicht nur im nationalprotestantischen Bürgertum anzutreffen war, schwang unüberhörbar die Furcht mit vor einem Krieg, der das Erreichte zunichte machen könnte. Während die Volksmeinung beinahe trotzig auf dem Glauben beharrte, die Erhaltung des Friedens sei möglich, befahl Hitler die Planung des Angriffs auf Polen.

Die Kriegsunwilligkeit der Deutschen unterschied die Atmosphäre im Sommer 1939 fundamental von der vor 25 Jahren. Für das Regime war das Anlaß zu sorgfältiger Vorbereitung. Fingierte Grenzzwischenfälle an der deutsch-polnischen Grenze, mit denen die Volksgenossen in den Tagen nach dem überraschenden Hitler-Stalin-Pakt vom 23. August von der Notwendigkeit eines Vergeltungsschlages überzeugt werden sollten, gehörten zu den kurzfristigen Propagandamaßnahmen. Auf Dauer wichtiger war der Ausgleich zweier objektiv widerstreitender Grundforderungen, die Hitler auch aus der Erfahrung des Ersten Weltkriegs ableitete: den materiellen Ansprüchen und Ängsten der Bevölkerung müsse sorgfältig Rechnung getragen, zugleich aber eine umfassende militärische und wirtschaftliche Mobilmachung erreicht werden. Einerseits kam darin die Furcht vor einer zweiten Novemberrevolution zum Ausdruck, andererseits Hitlers Entschlossenheit, seine strategisch-politischen Entscheidungen nicht abhängig zu machen von bisher vorhandenen Ressourcen und Produktionskapazitäten der Rüstungswirtschaft.

Trotz der seit Jahren betriebenen Rüstungs- und Autarkiepolitik war das Dritte Reich auf einen langen Krieg ökonomisch ungenügend vorbereitet. Jedoch reichten die Ressourcen für begrenzte Feldzüge und schnelle Siege, zumal damit jeweils neue Rohstoff- und Ernährungsbasen erschlossen wurden. In dieser Konstellation konnte der Eindruck entstehen, als ob die außerordentlich erfolgreichen, propagandistisch weidlich ausgeschlachteten »Blitzkriege« auf einem militärischen Konzept beruhten, das in der begrenzten wirtschaftlichen Mobilisierung eine überzeugende Entsprechung gefunden habe und eine weitgehende Schonung der deutschen Zivilbevölkerung erlaubte. Eine solche Interpretation[113] schien gedeckt durch die Tatsache, daß die deutsche Rüstungsproduktion erst in der zweiten Kriegshälfte ihren Höhepunkt erreichte. Doch letzteres war mehr die Folge vorangegangenen Mißmanagements als eines absichtsvoll verzögerten Durchstartens. Am Willen zur totalen Mobilisierung der Wirtschaft mangelte es der politischen Führung schon 1939 nicht. Allerdings schlugen entsprechende Bemühungen in der Anfangsphase des Krieges ziemlich fehl.

Ein besonderer Vorteil für die Konsumenten resultierte daraus jedoch nicht. Gemessen an Indikatoren wie den Konsumausgaben pro Kopf der Bevölkerung, dem Anteil der in der Kriegsindustrie beschäftigten Arbeitskräfte sowie dem Anteil der Kriegsausgaben am Nationaleinkommen befand sich das Dritte Reich spätestens 1941 in einem Zustand der Mobilisierung, der klar über dem von England lag[114]. Freilich blieben einer Volkswirtschaft, die das Volk schon in Friedenszeiten spartanisch hielt, bei Kriegsbeginn nur geringe Möglichkeiten der weiteren Einsparung von Verbrauchsgütern, ohne Unruhe zu riskieren. Der Vergleich mit Großbritannien, das bei einem deutlich höheren Lebensstandard zu sparen begann, zeigt: Pro Kopf der Bevölkerung gingen die Konsumausgaben 1939/40 in beiden Ländern um etwa zehn Prozent zurück, danach signifikant nur noch in Deutschland, wo sich die Menschen 1944 mit gut zwei Drittel des Konsumgüterangebots von 1938 zufriedengeben mußten – bei drastisch verschlechterter Qualität und prinzipiellem Versorgungsvorrang für die Wehrmacht. Schon im Dezember 1939

---

[113] So vor allem Alan S. Milward, Die deutsche Kriegswirtschaft 1939–1945. Stuttgart 1966; zuletzt Ludolf Herbst, Der Totale Krieg und die Ordnung der Wirtschaft. Die Kriegswirtschaft im Spannungsfeld von Politik, Ideologie und Propaganda 1939–1945. Stuttgart 1982, S. 103–126.

[114] Diese und die folgenden Angaben nach Richard J. Overy, »Blitzkriegswirtschaft«? Finanzpolitik, Lebensstandard und Arbeitseinsatz in Deutschland 1939–1942. In: VfZ 36 (1988), S. 379–435. Vgl. auch ders., War and Economy in the Third Reich. Oxford 1994.

mußte, um die Butterversorgung zur ersten Kriegsweihnacht ein wenig anzuheben, Margarine untergemischt werden; gleichzeitig wurde die Margarinezuteilung um dieselbe Menge gekürzt.

Obwohl inzwischen mehr als vier Fünftel aller Lebensmittel aus der eigenen Landwirtschaft kamen, war Deutschland vor allem bei Fetten und Futtermitteln nach wie vor auf Importe angewiesen. In den letzten Augusttagen 1939 hatten Wirtschafts- und Ernährungsämter deshalb mit der Rationierung aller lebens- und kriegswichtigen Güter begonnen. Lebensmittelkarten, bald auch eine Reichskleiderkarte und andere spezielle Bezugsscheine, konstituierten den »Normalverbraucher«. Die einfachen Sattmacher (Brot, Kartoffeln, Hülsenfrüchte) waren in genügenden Mengen vorhanden, Fleisch hingegen gab es pro Kopf und Woche nur ein Pfund, Butter ein Viertelpfund, dazu 100 Gramm Margarine, 62,5 Gramm Käse und ein Ei.

Wie die Lebensmittelrationen, waren auch die finanziellen Belastungen aus der Kriegswirtschaftsverordnung so kalkuliert, daß es zwar zu vernehmbarem Murren kam, nur selten aber zu ernsthaftem Protest oder gar zu Loyalitätsverweigerungen. Der neue »Ministerrat für die Reichsverteidigung« (Göring, Heß, Funk, Frick, Lammers, Keitel), der anstelle des seit 1938 nicht mehr zusammengetretenen Kabinetts die innenpolitischen Maßnahmen koordinieren sollte (de facto funktionierte das nur ein paar Wochen), beschloß entgegen den ursprünglichen Plänen statt eines generellen Lohnabbaus am 4. September 1939 lediglich einen Lohnstopp. Die gleichzeitige Suspendierung von Zuschlägen und Urlaub war schon nach zwei Monaten fast völlig rückgängig gemacht. Was von der direkten Kriegsfinanzierung blieb, waren Zusatzsteuern auf Alkohol, Zigaretten, Theaterbesuche und Reisen sowie ein gestaffelter Zuschlag auf die Einkommenssteuer. Immerhin kam es, gemessen am letzten Vorkriegsjahr, bis 1942 fast zu einer Verdoppelung des Gesamtsteuerertrags auf 34,7 Milliarden Reichsmark. Noch schneller und höher, nämlich auf 44,6 Milliarden Reichsmark, wuchsen die privaten Rücklagen, die sich zwischen 1938 und 1941 vervierfachten. Ohne sich der anrüchigen Methode von Kriegszwangsanleihen zu bedienen, lenkte das Regime durch die Kürzung der Konsumgüterproduktion und strikte Bewirtschaftung in großem Stil Kaufkraft auf Sparkonten um. Auf elegante Weise wurde damit gerade auch der »kleine Mann« zur Kriegsfinanzierung herangezogen. Den in diesem Zusammenhang propagierten Traum vom Nachkriegs-Eigenheim vermochten selbst die alliierten Bomben nicht zu erschüttern: »Im Kriege sparen – später bauen!« warb »Deutschlands größte und älteste Bausparkasse« Wüstenrot mit Erfolg noch 1943.

Das erkennbare Bemühen, die erforderlichen Kriegsmaßnahmen möglichst geräuschlos zu treffen, war mitnichten ein Zeichen unentschlossener Führung. Eher sprach daraus die nicht unberechtigte Befürchtung, aus der Sicht der Bevölkerung könne es einen Unterschied machen, ob ihr eine Vielzahl von Unannehmlichkeiten zum Zwecke der nationalen Verteidigung oder aber zur Führung eines Angriffskrieges zugemutet werde. Auch vor diesem Hintergrund war es zu sehen, wenn davon Abstand genommen wurde, Frauen in den »Arbeitseinsatz« zu zwingen. Ebenso waren es nicht nur ideologische Vorstellungen über die Rolle der Frau als Gebärmaschine, die das Regime bewogen, den Soldatenfrauen eine finanzielle Unterstützung zu gewähren, die es vielen erlaubte, ihre Arbeit aufzugeben. Eine solche Politik führte zwar – statt des geplanten Zuwachses angesichts des Ausfalls männlicher Arbeitskräfte – zu einem Rückgang der Frauenarbeit, der erst 1942 wieder ausgeglichen und nur in der letzten Kriegsphase leicht überschritten werden konnte; dennoch konnte von einer Schonung der Frauen nicht die Rede sein. Im Vergleich zu England und Amerika lag der Frauenanteil mit 37,3 Prozent bei den *einheimischen* Arbeitskräften in Deutschland schon zu Kriegsbeginn um mehr als zehn Prozentpunkte höher. Mitte 1944 waren im Dritten Reich 51 Prozent aller einheimischen Arbeitskräfte Frauen, in Großbritannien waren es dagegen nur 37,9 und in den USA 35,7 Prozent. Hatte die Steigerung des Prozentanteils ihre Ursache auch in erster Linie im Abzug der Männer zum Kriegsdienst, so kam es doch zu einer deutlichen Verlagerung der Frauenbeschäftigung in die Rüstungsproduktion. Außerdem wurden den Frauen vor allem in der Landwirtschaft und in der Trümmerbeseitigung immer größere Arbeitslasten aufgebürdet, ohne daß sich solches in der Statistik niederschlug.

Anders als manche Wirtschaftsdaten der frühen Kriegsphase nahezulegen scheinen, standen die politischen Zeichen schon während der Blitzfeldzüge auf totalem Krieg. Ein wichtiges Indiz dafür war die weitere Verschärfung des polizeilichen Instrumentariums. Zwar wurde die loyale Mehrheit nach wie vor umworben, aber der verstärkte Einsatz von Angst als Mittel der Repression ließ auch den Normalbürger nicht unberührt. Gegenüber Kritikern und ideologisch unerwünschten Minderheiten machte das Regime nun ungeniert von seinen terroristischen Möglichkeiten Gebrauch. Die am 26. August 1939 veröffentlichte ›Verordnung über das Sonderstrafrecht im Kriege und bei besonderem Einsatz‹ schuf den Straftatbestand der »Wehrkraftzersetzung«; ein unbedachtes kritisches Wort, sofern nur die Gestapo davon erfuhr, konnte mit der Todesstrafe geahndet werden. Am 3. September, dem Tag des britisch-französischen Kriegseintritts, wies Heydrich die Gestapo in geheimen »Grundsätze(n) der inneren Staatssicherheit während des Krieges« an, jeden Versuch, »die Geschlossenheit und den Kampfeswillen des deutschen Volkes zu zersetzen, … rücksichtslos zu unterdrücken«. Über Festnahmen war der Chef der Sicherheitspolizei zu informieren, »da gegebenenfalls auf höhere Weisung brutale Liquidierung solcher Elemente erfolgen wird«[115].

Innerhalb der nächsten 48 Stunden folgten scharfe Strafverordnungen gegen Kriegswirtschaftsvergehen und Kriegskriminalität (zum Beispiel bei Verdunklung begangene Straftaten). Das Abhören ausländischer Rundfunksender – ebenso wie die Auslandspresse seit Jahren nur widerwillig geduldet und mit den absichtsvoll schwach konstruierten »Volksempfängern« ohnehin nicht möglich – wurde jetzt als »geistige Selbstverstümmelung« verfolgt; in der zweiten Kriegshälfte verhängten die Sondergerichte, deren Zahl sich zwischen 1938 und 1942 auf 74 verdreifachte, gegen »Feindhörer« mehrfach sogar Todesurteile. Die Zusam-

[115] Zitiert nach Martin Broszat, Nationalsozialistische Konzentrationslager 1933–1945. In: Anatomie des SS-Staates. München, 7. Aufl. 1999, S. 399 f.

menfassung von Sicherheitspolizei und SD im Reichssicherheitshauptamt Ende September 1939 unterstrich die – faktisch längst gegebene – institutionelle und politische Verquickung von Polizei und SS, die 1938 mit der Etablierung der Höheren Polizei- und SS-Führer auch auf regionaler Ebene durchgesetzt worden war. Mit der Einführung einer besonderen SS- und Polizeigerichtsbarkeit verloren die ordentlichen Strafverfolgungsbehörden Ende Oktober 1939 jede Zuständigkeit zur Ermittlung, wenn die SS oder der SD »marxistische Saboteure« und andere Gegner in Konzentrationslager verschleppte und dort hinrichtete. Mehr noch als der Vorsorge für den Fall einer kritischen Kriegsentwicklung diente das bei Kriegsbeginn im Machtbereich der SS bereitstehende Instrumentarium der Überwachung und Repression der verstärkten »Gegnerbekämpfung« und einer rassenideologisch motivierten Bevölkerungspolitik im »Altreich« wie in den neu zu erobernden Territorien.

Die triumphalen »Blitzfeldzüge«, in denen die deutsche Wehrmacht bis zum Sommer 1941 nacheinander Polen, Dänemark und Norwegen, die Niederlande, Luxemburg und Belgien, Frankreich und schließlich Jugoslawien und Griechenland niederwarf, sorgten dafür, daß die Veränderungen der inneren Verfassung des Regimes einstweilen weitgehend unbemerkt blieben. 1940/41 stand Hitler auf dem absoluten Höhepunkt seines Ansehens. Ein Krieg, der nichts als schnelle Siege produzierte, hatte nach anfänglicher Skepsis eine Begeisterung für den »Führer« ausgelöst, der sich fast niemand mehr zu entziehen vermochte. Die letzten Nörgler verstummten, zumal aus den besetzten Gebieten nicht nur rücksichtslos Rohstoffe für die Rüstungsindustrie herbeigeschafft wurden, sondern auch die angenehme Zusatzration dänischer Butter für den Endverbraucher. Moralische Bedenken ob der Gewalt, mit der Deutschland Europa überzogen hatte, schienen ausgelöscht wie jede Spur eines Unrechtsbewußtseins. Worum man im Mai 1940 bangte, war »das Leben des Führers«: Im ganzen Volk, so die ›Meldungen aus dem Reich‹, habe die Nachricht von Hitlers »persönliche(m) Einsatz« tiefen Eindruck gemacht und »das Vertrauen auf einen erfolgreichen Ausgang der Operationen im Westen allgemein gestärkt«; zugleich aber werde »betont, daß es für Deutschland zur Zeit nur einen Schicksalsschlag geben könne, nämlich den Verlust des Führers«[116].

Für fundamentalen Widerstand gegen das Regime blieb in dieser Situation kein Raum. Auf ihre Weise war die lockere Gruppe der Hitler-kritischen Militärs nicht weniger gelähmt als der kommunistische Widerstand seit dem Hitler-Stalin-Pakt. Durch das Stillhalten bei der Entmachtung ihrer höchsten Offiziere Anfang 1938 und letztlich auch in der »Sudetenkrise« hatte sich die Wehrmacht politisch und psychologisch ihrer Chancen begeben. Zu einer Zeit, als Hitlers Strategie Deutschland in eine noch nicht dagewesene Hegemoniestellung gebracht hatte, war an eine Verschwörung kaum mehr zu denken. Noch in den ersten Kriegswochen bestehende Absichten oppositioneller Offiziere, Hitler an der Westfront festzunehmen, hatten, so schien es, jede Rechtfertigung verloren. Schon als der »Führer« am 8. November 1939 im Münchner Bürgerbräukeller knapp dem Bombenanschlag eines Einzeltäters, des schwäbischen Schreinergesellen Johann Georg Elser, entgangen war, hatten sich viele Deutsche, wie der SD registrierte, empört »über die Engländer und Juden, die im wesentlichen als Hintermänner des Attentates angesehen werden«. Schulklassen hatten kirchliche Dankeslieder angestimmt und Betriebsführer beim Belegschaftsappell die Vorsehung gepriesen. »Vielfach – besonders in der Arbeiterschaft – wurde in den Gesprächen geäußert, man solle in England ›keinen Stein mehr auf dem anderen lassen‹.«

Aggressive Kampfesstimmung war kein Phänomen erst der zweiten Kriegshälfte, als die Flächenbombardements der Alliierten trotzig-verzweifelten Durchhaltewillen produzierten statt der erwarteten Auflehnung gegen das Regime; unter dem Kommando des »genialen Feldherrn Adolf Hitler« war der ungewollte Krieg rasch zur nationalen Aufgabe geworden, die weiteste Kreise der Arbeiterschaft ebenso anerkannten wie das Bürger-

---

[116] Heinz Boberach (Hrsg.), Meldungen aus dem Reich 1938–1945. Die geheimen Lageberichte des Sicherheitsdienstes der SS. Herrsching 1984, Band 4, S. 1128; das folgende Zitat Band 2, S. 441 f.

tum. Die Mehrheit der Deutschen identifizierte sich mit Hitlers Krieg, dessen Ziele vorerst vage blieben – mit Bedacht, wie Goebbels einmal zugab: »Der Nationalsozialismus hat niemals eine Lehre gehabt in dem Sinne, daß er Einzelheiten oder Probleme erörterte. Er wollte an die Macht ... Wenn heute einer fragt, wie denkt ihr euch das neue Europa, so müssen wir sagen, wir wissen es nicht. Gewiß haben wir eine Vorstellung. Aber wenn wir sie in Worte kleiden, bringt uns das sofort Feinde und vermehrt die Widerstände ... Heute sagen wir: ›Lebensraum‹. Jeder mag sich vorstellen, was er will. Was wir wollen, werden wir zur rechten Zeit schon wissen.«[117]

Die weithin feststellbare Bereitschaft, sich für den Sieg einzusetzen und gewisse Opfer zu bringen, war nicht zuletzt ein Zeichen dafür, daß die Nationalsozialisten es verstanden, an der »Heimatfront« eine Vielzahl sozial- und gesellschaftspolitischer Hoffnungen zu wecken und deren Realisierung für die Zeit nach dem gewonnenen Krieg in Aussicht zu stellen. Dabei handelte es sich weniger um konkrete Versprechungen an bestimmte Gruppen oder gegenüber der gesamten Volksgemeinschaft, als vielmehr um die Fähigkeit zur Erzeugung einer eigentümlichen sozialpolitischen Aufbruchsstimmung und Erwartungshaltung. In den – häufig rivalisierenden – Funktionseliten des Dritten Reiches und insbesondere im Heer der nach Tausenden zählenden politischen Leiter fanden solche Veränderungswünsche ihre Verfechter und Propagandisten. Sicherlich war das Aufkommen dieser sozialreformerischen Atmosphäre zum Teil Reflex eines selbst in der militärischen und politischen Blitzkriegs-Phase begrenzten Handlungsspielraums des Regimes und insofern zumindest partiell taktisches Zugeständnis. Aber es war zugleich Indiz für einen realen, ernstzunehmenden sozial- und gesellschaftspolitischen Gestaltungsanspruch, in dem Umrisse einer nationalsozialistischen Nachkriegsordnung erkennbar wurden.

Letzteres galt in besonderem Maße für den Plan zu einem

---

[117] Geheime Erklärung Goebbels' vor Vertretern der deutschen Presse am 5. 4. 1940, zitiert nach Hildegard von Kotze/Helmut Krausnick (Hrsg.), »Es spricht der Führer«. 7 exemplarische Hitler-Reden. Gütersloh 1966, S. 94, Anm. 20.

»Sozialwerk des Deutschen Volkes«, mit dem der Leiter der DAF, Robert Ley, im Herbst 1940 an die Öffentlichkeit trat[118]. Seine Ernennung zum Reichskommissar für den – bislang schwer vernachlässigten – sozialen Wohnungsbau am 15. November interpretierte Ley als Generalauftrag zu dem ambitionierten Vorhaben. Es sei der Wunsch des »Führers«, so ließ Ley seinen Stellvertreter verkünden, »daß der Sieg jedem deutschen Menschen ein besseres Leben bringt«. Deshalb sei der Reichsorganisationsleiter »mit fünf großen Aufgaben betraut worden, die unter den Begriffen bekannt sind: 1. Altersversorgung, 2. Gesundheitswerk, nebst Freizeit- und Erholungswerk, 3. Reichslohnordnung, 4. Berufserziehungswerk, 5. Soziales Wohnungsbauprogramm.«

Was Ley in den folgenden Monaten von den Experten des Arbeitswissenschaftlichen Instituts der DAF ausarbeiten ließ, war ein nahezu umfassendes sozialpolitisches Nachkriegsprogramm. Zweifellos ging es dem machtbewußten Leiter der DAF dabei auch um den Ausbau seiner Kompetenzen und um die Aufwertung der Arbeitsfront zur obersten, allzuständigen Instanz für den gesamten Bereich der Sozialpolitik. Doch daneben gab es einen authentischen sozialpolitischen Handlungsbedarf, der in vergleichbaren Industriestaaten teilweise durchaus ähnlich gesehen wurde. Von dem britischen Beveridge-Plan etwa unterschied sich Leys »Sozialwerk« kaum hinsichtlich der Festlegung jener Felder, die im Rahmen einer erweiterten staatlichen Sozialpolitik zu beackern seien; die Differenz ergab sich vor allem aus der (rassen-)ideologischen Radikalität des nationalsozialistischen Vorhabens.

Die Pläne des Arbeitswissenschaftlichen Instituts für eine einheitliche Alters- und Gesundheitsversorgung lagen bereits im Herbst 1940 in Gestalt eines Gesetzentwurfes vor. Unabhängig von »in grauer Vergangenheit geklebten Marken«, so Ley in einem charakteristischen Artikel für den ›Angriff‹ (Überschrift: ›Der Staatssozialismus setzt sich durch‹), sollten künftig alle

---

[118] Vgl. Marie-Luise Recker, Nationalsozialistische Sozialpolitik im Zweiten Weltkrieg. München 1985, S. 82–154; dort auch die folgenden Zitate.

»Reichsangehörigen deutschen und artverwandten Blutes« eine staatliche Rente beziehen. Nicht nur sollte die Trennung von Arbeiter- und Angestelltenversicherung fallen und die garantierte Grundrente angehoben werden; in Fortführung bereits 1937/38 erlassener Gesetze plante man den Ausbau des Sozialversicherungssystems zu einer allgemeinen Volksversicherung. Seine Legitimation fand das »Versorgungswerk des Deutschen Volkes« nach Auffassung der Experten im »Gedanken der Volksgemeinschaft« sowie im Prinzip des Generationenvertrags: »wenn die Schaffenden einen Teil ihres Arbeitsertrages den Volksgenossen überlassen, die ihre Kräfte im Dienste der Gemeinschaft verbraucht haben«, so sei das nur gerecht. Darin klang schon an, was an anderer Stelle unmißverständlich formuliert wurde: Nur derjenige dürfe im Alter eine Versorgung erwarten, der stets seiner »Pflicht zur Arbeit« nachgekommen sei und sich »bedingungslos zum Nutzen der Nation« eingesetzt habe – also nicht der »Volksschädling« und »asoziale Elemente«. Der Grundsatz der Gleichbehandlung und der Rechtssicherheit im Rentenwesen wäre damit zerstört, die Altersversorgung zu einem Instrument sozialer Disziplinierung und der Durchsetzung einer brutalen Leistungsideologie umfunktioniert worden.

Durchtränkt von einem biologistischen Leistungsgedanken war auch der DAF-Entwurf zur Reform der Gesundheitsversorgung. »(W)enn dieses Gesundheitswerk einst in Gang gekommen sein wird, werden wir das gesündeste und damit das leistungsfähigste Volk der Erde werden«, frohlockte Ley im Dezember 1940 vor Parteifunktionären. Die in einem sprechenden Vergleich (und mit klassenkämpferischem Nebenton) geforderte Öffnung von Sanatorien und Heilbädern im Rahmen des »Erholungswerks« verfolgte einen klaren Zweck: »Es muß gelingen, alle vier oder fünf Jahre jeden Deutschen durch das Erholungswerk zu überholen, genauso wie man einen Motor periodisch überholt, muß auch der Mensch periodisch überholt werden und damit vorbeugend gesund erhalten bleiben.« Mit Reichsärzteführer Dr. Leonardo Conti war sich der Leiter der Arbeitsfront einig, daß zwischen »Gesundheitsführung« und »Arbeitseinsatz«-Politik ein enger Zusammenhang bestehe. Die DAF-Idee eines festen

Hausarztsystems (»Deutscher Volksschutz«), in dem der Arzt nicht mehr für die einzelne Leistung, sondern für die gesundheitliche Betreuung und Kontrolle ganzer Familien pauschal honoriert werden sollte, widerstrebte freilich medizinischen Standesinteressen.

Wenn Leys gesundheitspolitischen Ambitionen insgesamt noch weniger Erfolg beschieden war als seinen Vorschlägen für eine Reform der Rentenversicherung, so auch deshalb, weil mit dem Leiter der Nationalsozialistischen Volkswohlfahrt, Erich Hilgenfeldt, auf diesem Gebiet ein weiterer Konkurrent Kompetenzen beanspruchte. Mit dem »Hilfswerk Mutter und Kind« hatte Hilgenfeldt schon 1934 ein in den Augen Hitlers bevölkerungspolitisch bedeutsames und erfolgreiches Sozialprogramm entwickelt, dem weder Ley noch Conti etwas entgegenzusetzen hatten. Damit aber blieb einstweilen nur der Rückzug, kannte Ley doch »das Prinzip des Führers, daß, wenn einmal einer einen Gedanken gehabt und ihn aufgebaut hat, daß er das Werk auch dann für sich und seine Organisation beh(a)lte«.

Insgesamt erbrachte die intensive sozialpolitische Debatte der Monate nach dem Frankreich-Feldzug so gut wie keine konkreten Ergebnisse. Weder die Pläne zur Alters- und Gesundheitsversorgung noch die Vorschläge für eine umfassende Neuordnung des Lohnsystems mit dem Ziel einer strengen Leistungsorientierung oder Leys Vorhaben eines bevölkerungspolitisch ausgerichteten sozialen Wohnungsbaues kamen zum Tragen. Jedoch war klarer geworden, welche Richtung die sozialpolitische Entwicklung einmal nehmen würde. Und es hatte sich gezeigt, daß der Deutschen Arbeitsfront in einer nationalsozialistischen Nachkriegsgesellschaft eine wichtige Rolle zukäme bei der Einebnung noch bestehender sozialer Klassenunterschiede innerhalb einer rassisch definierten Volksgemeinschaft.

Mochten manche Elemente der in der DAF konzipierten Sozialpolitik konform gehen mit allgemeinen Trends der Sozialstaatsentwicklung, so gewannen sie im Rahmen der nationalsozialistischen Lebensraum-Ideologie doch eine ganz spezifische, zutiefst inhumane Bedeutung. Unter der Prämisse des im Osten geführten Weltanschauungskrieges konnte Sozialpolitik keinen

Wert an sich besitzen. Soweit sie gleichwohl traditionelle Zwecke erfüllte, widersprachen diese nicht ihrem einzigen Ziel, der »Pflege der Leistungskraft« des »Volkskörpers«. Die Reduktion einer ganzen Gesellschaft wie des einzelnen Menschen auf seine Leistungsfähigkeit war Voraussetzung und Konsequenz der Lebensraum-Politik: Ohne ein diszipliniertes Heer leistungsstarker »Soldaten der Arbeit« war die »Aufbauarbeit im deutschen Osten« schon gescheitert, noch ehe sie begonnen hatte.

»Leistungsauslese« und Menschenzucht wurden deshalb zum innenpolitischen Gegenstück des rassenimperialistischen Eroberungskrieges im Osten. Es war kein Zufall, daß Hitler seine nachträgliche Ermächtigung zur Liquidierung psychisch Kranker zurückdatierte auf den 1. September 1939. Wo Sozialpolitik keine »heilende«, der Leistungsfähigkeit des einzelnen förderliche Wirkung zeigte, war seit dem Überfall auf Polen auch im »Altreich« prinzipiell Vernichtung angesagt.

Heilen, Verwerten, Vernichten

Die längst unüberblickbar gewordene Gleichzeitigkeit von traditionellem staatlichen Verwaltungshandeln und der Herrschaft »führerunmittelbarer« Sondergewalten, das oft groteske Nebeneinander von Normen- und Maßnahmenstaat, erleichterte Hitler und dem inneren Kreis der NS-Führung bei Kriegsbeginn zweifellos die Durchsetzung ihrer Weltanschauungspolitik. Ein signifikantes Beispiel dafür ist die sogenannte Euthanasie-Aktion, mit deren geheimer Vorbereitung Hitler den Chef seiner Privatkanzlei, Philipp Bouhler, und seinen Begleitarzt Dr. Karl Brandt zunächst nur mündlich betraute. Erst im Oktober 1939 unterzeichnete Hitler dann ein lapidares Beauftragungschreiben, das die Grundlage bildete für die Massenmorde der »Aktion T 4« (so benannt nach einem an der Tiergartenstraße 4 eingerichteten Sonderbüro)[119].

[119] Zum folgenden Klaus Dörner, Nationalsozialismus und Lebensvernichtung. In: VfZ 15 (1967), S. 121–152; Ernst Klee, »Euthanasie« im NS-Staat. Die

Die Vergasung von etwa 70 000 geistig Behinderten und psychisch Kranken, die unter Mitwirkung prominenter ärztlicher Gutachter systematisch vorbereitet und von Tarnorganisationen wie der »Reichsarbeitsgemeinschaft Heil- und Pflegeanstalten« in sechs speziellen Tötungskliniken in die Tat umgesetzt wurde, bildete nur den Auftakt eines sozialbiologischen »Reinigungsprozesses«, der in Friedenszeiten zwar mit Sterilisations- und Ehegesundheitsgesetzen eingeleitet, aber erst im Krieg in aller Radikalität durchgeführt werden konnte.

Trotz perfider Verschleierungsversuche drangen allerdings schon wenige Monate nach dem Anlaufen der Mordaktion Gerüchte an die Öffentlichkeit. Zu Jahresanfang 1941 war praktisch allgemein bekannt, daß in den psychiatrischen Krankenhäusern Schlimmes vor sich gehen mußte. »In weiten Kreisen der Bevölkerung herrscht große Erregung«, berichtete beispielsweise der Oberlandesgerichtspräsident in Bamberg, »und zwar nicht nur bei Volksgenossen, die einen Geisteskranken in ihrer Familie zählen. Derartige Zustände sind auf die Dauer unhaltbar, denn sie bergen in sich eine Reihe gefährlichster Unsicherheiten ... So spricht man schon davon, daß im Zuge der Weiterentwicklung der Dinge schließlich alles Leben, das der Allgemeinheit keinen Nutzen mehr bringt, sondern sie – rein materiell gesehen – nur belastet, im Verwaltungsweg für nicht mehr lebenswert erklärt und demgemäß beseitigt werden solle.«[120]

Wie begründet diese gerade bei älteren Menschen anzutreffende Furcht tatsächlich war, zeigte die Entwicklung nach dem offiziellen Stopp des Euthanasieprogramms: Eine inzwischen be-

»Vernichtung lebensunwerten Lebens«. Frankfurt am Main 1983; ders. (Hrsg.), Dokumente zur Euthanasie. Frankfurt am Main 1986; Eugen Kogon u. a. (Hrsg.), Nationalsozialistische Massentötungen durch Giftgas. Frankfurt am Main 1983, S. 27–80; Götz Aly (Hrsg.), Aktion T 4 1934–1945. Die »Euthanasie«-Zentrale in der Tiergartenstr. 4. Berlin 1987; Hans-Walter Schmuhl, Rassenhygiene, Nationalsozialismus, Euthanasie. Von der Verhütung zur Vernichtung »lebensunwerten Lebens« 1890–1945. Göttingen 1987; Norbert Frei (Hrsg.), Medizin und Gesundheitspolitik in der NS-Zeit. München 1991.
[120] Zitiert nach Steinert, Hitlers Krieg, S. 158.

gonnene Aktion »Sonderbehandlung 14 f 13«, bei der Tausende von kranken und arbeitsunfähigen, aber auch politisch und rassisch unerwünschten KL-Häftlingen »ausgemustert« und zur Tötung in die Euthanasie-Anstalten verbracht wurden, lief ebenso weiter wie die im Frühjahr 1939 unter der Federführung eines »Reichsausschusses zur wissenschaftlichen Erfassung von erb- und anlagebedingten schweren Leiden« begonnene Kinder-Euthanasie. Über den Kreis der Geisteskranken hinaus dehnten Polizei- und Sozialbehörden das Euthanasieprogramm auf immer breitere Gruppen gesellschaftlich »Unbrauchbarer« aus: »Verlegt« wurden schließlich auch »Asoziale«, Kriminelle, Psychopathen, Homosexuelle, Kriegshysteriker, erschöpfte Fremdarbeiter und bettlägerige Alte. Statt in den Gaskammern der »Aktion T 4« wurde nun in den regulären Heil- und Pflegeanstalten medikamentös gemordet, und neben dem steigenden Platzbedarf für die Kinderlandverschickung diente die verschlechterte Ernährungssituation der zweiten Kriegshälfte bis ins Frühjahr 1945 als Argument, »unnütze Esser« mit einer kalkulierten »Hungerkost« zu Tode zu bringen (in Bayern gab es dazu einen entsprechenden Erlaß des Innenministers). Insgesamt fielen dem »therapeutischen Töten«[121] schätzungsweise 150 000 Menschen zum Opfer.

Bei den politischen Organisatoren und dem aus den Reihen der SS rekrutierten technischen Personal der »Aktion T 4« handelte es sich in der Mehrzahl wohl um ideologisch festgelegte Nationalsozialisten; das Gros der gutachtenden – und im Rahmen wissenschaftlicher Experimente zum Teil auch selbst aktiv tötenden – Ärzte jedoch verstand seine Tätigkeit weniger als eine weltanschaulich-politische Herausforderung denn als eine fachlich vertretbare, ja notwendige Aufgabe. Ihre Motive waren, soweit erkennbar, in der Regel keineswegs private Mordlust, auch nicht der nationalsozialistische Vulgär-Biologismus und offenkundig unwissenschaftliche Vorstellungen von Rassenhygiene, wie Hitler und Himmler sie vertraten. Wenn die Fachwissenschaftler gleichwohl eilfertig darangingen, solche NS-Ideen pro-

---

[121] Robert Jay Lifton, Ärzte im Dritten Reich. Stuttgart 1988.

fessionell handhabbar zu machen, so aus prinzipiell denselben Gründen der Wahrung von Standesinteressen und des beruflichen Ehrgeizes, wie sie auch für andere Funktionseliten galten – zugleich allerdings vor dem spezifischen Hintergrund einer seit Jahrzehnten nicht nur in Deutschland intensiv geführten Euthanasiediskussion, eines international gewachsenen Ansehens der eugenischen Forschung sowie grundlegender Veränderungen der psychiatrischen Therapie, die ihrerseits zum Teil eng mit der sozialstaatlichen und ökonomischen Entwicklung zusammenhingen[122].

Die Sparmaßnahmen in der Weltwirtschaftskrise hatten eine eben erst etablierte reformerische Anstaltspsychiatrie schwer getroffen und die Tendenz zur Unterscheidung zwischen unheilbaren und therapiefähigen Patienten verstärkt. Schwang schon vor 1933 bei vielen Verfechtern einer modernen Erbgesundheitspflege (»Verhüten statt Behandeln«) und einer intensivierten Irrenmedizin (»Heilen statt Verwahren«) der Gedanke der Vernichtung von »leeren Menschenhülsen« und »Ballastexistenzen« zumindest latent mit, so verbanden sich (arbeits)therapeutischer Aktivismus, Erkenntnisfortschritte der Eugenik und ein ins Extreme gesteigertes kaltes Leistungs- und Produktivitätsdenken im Dritten Reich zu einer brisanten neuen Geschäftsgrundlage der Psychiatrie. In einem sich beschleunigenden Prozeß moralischer Entfesselung gingen die Gelehrten den Weg ihres Denkens mit tödlicher Konsequenz: von den etwa 360 000 Zwangssterilisationen, die ärztlich dominierte »Erbgesundheitsgerichte« seit 1934 verfügten[123], zu den Massenmorden eines immer weiter ausgreifenden Euthanasieprogramms, hinter dem die monströsen Konturen einer »Endlösung der sozialen Frage« hervorzutreten begannen.

Professor Ernst Rüdin, Direktor am Kaiser-Wilhelm-Institut für Psychiatrie in München, zog im ›Archiv für Rassen- und Gesellschaftsbiologie‹ um die Jahreswende 1942/43 eine Zwi-

---

[122] Vgl. Hans Ludwig Siemen, Menschen blieben auf der Strecke ... Psychiatrie zwischen Reform und Nationalsozialismus. Gütersloh 1987.

[123] Vgl. Gisela Bock, Zwangssterilisation im Nationalsozialismus. Studien zur Rassenpolitik und Frauenpolitik. Opladen 1986.

schenbilanz, deren unvermeidliches Pathos zum zehnten Jahrestag der NS-Machtübernahme den nüchternen Blick auf die Zusammenhänge nicht verstellte: »Erweckten die Ergebnisse unserer Wissenschaft wohl auch vorher schon in nationalen wie internationalen Kreisen die größte Beachtung – mit Zustimmung und Widerspruch –, so ist es doch das unvergängliche geschichtliche Verdienst Adolf Hitlers und seiner Gefolgschaft, über die rein wissenschaftlichen Erkenntnisse hinaus den ersten wegweisenden und entscheidenden Schritt zur genialen rassenhygienischen Tat (im) und am deutschen Volk gewagt zu haben. Ihm und seinen Mitarbeitern galt es, die Theorien und Forderungen des nordischen Rassegedankens ..., die Bekämpfung parasitärer fremdblütiger Rassen, wie der Juden und der Zigeuner, ... und der Verhinderung der Fortpflanzung Erbkranker und erblich Minderwertiger in die Praxis umzusetzen.«[124]

Die Praxis der gesellschaftssanitären »Ausmerze« war kein zufälliges Nebenprodukt der Politik des Dritten Reiches, sondern eines ihrer wichtigsten Felder. Ihre Durchschlagskraft beruhte auf der Verschränkung von wissenschaftlicher Modernität, sozialtechnischer Rationalität und reaktionär-utopischen Zielvorstellungen. Im Krieg radikalisiert, aber nicht erst begonnen, und ausgelegt auf eine von aller rassisch-sozialen »Minderwertigkeit« befreite Nachkriegsordnung, verwies sie nicht zuletzt auf das destruktive Potential moderner Sozialpolitik.

Trotz mancher Widersprüche im einzelnen war die nationalsozialistische Rassen-, Bevölkerungs- und Gesundheitspolitik Ausgeburt einer umfassenden Vision »völkischer Erneuerung«. An der Entschlossenheit, diese Vision nach dem siegreichen Ende des Krieges Realität werden zu lassen, kann angesichts des Fanatismus, mit dem ihre antisemitische Komponente im Genozid an den Juden exekutiert wurde, kein Zweifel bestehen. Allerdings gilt für den nach »innen«, auf die »arische« Volksgemeinschaft gerichteten Teil des Projekts – in sehr viel stärkerem Maße als für die Ermordung der Juden –, daß die Handlungsangebote der

---

[124] Zitiert nach Benno Müller-Hill, Tödliche Wissenschaft. Die Aussonderung von Juden, Zigeunern und Geisteskranken 1933–1945. Reinbek 1984, S. 64.

modernen Sozialtechnik die Zieldefinition wesentlich mitbestimmten. Bevölkerungsstatistiker, Arbeits- und Ernährungswissenschaftler, Anthropologen, Humangenetiker, Mediziner und die anderen Experten der Industriezivilisation waren weit mehr als Erfüllungsgehilfen der Politik: Sie benannten das jeweils Machbare.

Für den Gesamtbereich von Medizin und Gesundheit bedeutete das nichts weniger als einen Paradigmenwechsel. Die Idee der ärztlichen Bemühung um die Gesundheit des einzelnen bei gleichzeitigem körperlichem Selbstbestimmungsrecht wurde politisch abgelöst durch das Konzept der Volksgesundheit. »Deine Gesundheit gehört nicht Dir!« lautete die entsprechende Parole, und im Rahmen einer massiv vorangetriebenen Leistungsmedizin wurde Gesundheit zur Pflicht. Gesundheit war nicht länger Wert an sich, sondern Voraussetzung optimaler Arbeitsfähigkeit und Produktivität. Folglich sollte sie möglichst wenig kosten. Der in den Vorkriegsjahren mit Unterstützung besonders von Rudolf Heß unternommene Versuch, Elemente der Lebensreform- und Naturheilbewegung als »Neue Deutsche Heilkunde« zu institutionalisieren, fügte sich in die Bemühungen um eine Billigmedizin ein; Heilkräutersuche und fleischarme Ernährung paßten zur Autarkiewirtschaft wie das Sammeln wiederverwendbarer Altstoffe und der »Kampf dem Verderb«.

Bis in den Krieg hinein bewegte sich die reale Umstellung der Gesundheitsversorgung in den meisten Bereichen freilich auf einer Ebene, auf der sie von der Bevölkerung durchaus positiv erlebt werden konnte. Die neuen medizinischen Betreuungs- und Vorsorgemaßnahmen für Kleinkinder, in Schulen und in Betrieben waren unbestreitbar ein Fortschritt, wenngleich die Betriebsärzte während des Krieges häufig als Leistungsantreiber erkannt und gemieden wurden. Und das allgemeine Bild von der Ärzteschaft bestimmte sich nach wie vor wohl hauptsächlich aus dem Kontakt mit den Hausärzten, unter denen sich Anhänger wie Gegner der NS-Medizin befanden: solche, die eigene Patienten zur Sterilisation vorschlugen, wie solche, die Angehörigen von Psychiatriepatienten nahelegten, ihre Kranken aus der Klinik zurückzuholen, um sie vor der »Euthanasie« zu bewahren.

Neben Gesten der Humanität und der tatsächlichen wie der scheinbaren Normalität standen unvermittelt die Zeichen für den Aufbruch in eine wahnwitzige Zukunft. Die Sozialingenieure der DAF verloren ihr »sachliches« Ziel nicht aus den Augen: »Im strengen Sinne biologisch und deswegen ein erstrebenswertes Ziel für die Gesundheitsführung ist ... erst der Zustand, wenn der Zeitpunkt des allmählichen Kräfteschwundes kurz vor dem Eintritt des physiologischen Todes liegt und der endgültige Kräfteverfall mit ihm zusammenfällt.«[125]

In denselben sozialdarwinistischen Kategorien bewegten sich Bevölkerungsplaner, die – als Gegenstück zu Sterilisation und Euthanasie – die eugenisch abgesicherte Geburtenförderung mit der »erbgesunden Vollfamilie« als Ideal betrieben. Bis in die Konzentrationslager hinein wurde der Wert des Menschen nach Rassegesichtspunkten ermittelt. Führende Experten redeten, planten und handelten, als ob es den Gedanken der Menschenwürde nie gegeben hätte.

Parallel zu Überlegungen für ein Euthanasiegesetz, das an die Stelle der geheimen »Führer«-Ermächtigung treten sollte, wurde im Reichsinnenministerium bereits seit Frühjahr 1940 ein »Gesetz über die Behandlung Gemeinschaftsfremder« diskutiert[126]. Während das Euthanasiegesetz die dauerhafte Integration der Tötungspraxis in den Anstaltsalltag zum Ziel hatte, in dem es nur noch »aktivste Therapie und wissenschaftliche Arbeit«, aber keine Pflegefälle mehr geben würde, bezweckte das Gemeinschaftsfremdengesetz eine optimierte Zusammenfassung der (im

---

[125] So der Leiter des Amtes für Gesundheit und Volksschutz der DAF, Dr. Werner Bockhacker, zitiert nach Sepp Graessner, Neue soziale Kontrolltechniken durch Arbeits- und Leistungsmedizin. In: Gerhard Baader/Ulrich Schultz (Hrsg.), Medizin und Nationalsozialismus. Tabuisierte Vergangenheit – ungebrochene Tradition? Berlin 1980, S. 149; siehe auch Angelika Ebbinghaus/Heidrun Kaupen-Haas/Karl Heinz Roth (Hrsg.), Heilen und Vernichten im Mustergau Hamburg. Bevölkerungs- und Gesundheitspolitik im Dritten Reich. Hamburg 1984.

[126] Dazu Dokument 7; vgl. außerdem Götz Aly, Der saubere und der schmutzige Fortschritt. In: Reform und Gewissen. »Euthanasie« im Dienst des Fortschritts. Berlin 1985, S. 9–78, hier 15, und Müller-Hill, Tödliche Wissenschaft, S. 42 f.

einzelnen längst bestehenden) Eingriffsmöglichkeiten gegen sozial abweichendes Verhalten – gleichsam die Regelung des Vorfelds der Euthanasie: Wer sich »nach Persönlichkeit und Lebensführung, insbesondere wegen außergewöhnlicher Mängel des Verstandes oder des Charakters außerstande zeigt, aus eigener Kraft den Mindestanforderungen der Volksgemeinschaft zu genügen«, sollte als Gemeinschaftsfremder polizeilich überwacht, sterilisiert, in Lagerhaft genommen und gegebenenfalls mit dem Tod bestraft werden können. Endziel war der jeder Form von Devianz entledigte »Volkskörper«. Nach Schätzungen zweier Universitätsmediziner belief sich die Zahl der »Gemeinschaftsfremden« auf mindestens eine Million; genauere Aufschlüsse erhofften sich die Genetiker durch den Aufbau einer reichsweiten Erbkartei, für die es bereits regionale Modelle gab.

Nicht erst solche Planungen erwiesen die Euthanasieaktionen als Teil eines – im übertragenen wie im wörtlichen Sinne – grenzenlosen Vorhabens der »Ausmerzung« angeblicher sozialer und rassischer Minderwertigkeit. Ein sprechendes Indiz für den Zusammenhang zwischen dem Vernichtungsfeldzug gegen die psychisch Kranken und dem Rassenkrieg in Osteuropa war die Weiterverwendung des Tötungspersonals der Euthanasieanstalten in den auf polnischem Gebiet errichteten Vergasungsanlagen. Der Genozid an Juden und Zigeunern basierte technisch und organisatorisch zum Teil auf den Erfahrungen mit den Euthanasiemorden im »Altreich«[127].

Kriterien der Rassenpolitik bestimmten, neben den Gesichtspunkten der »Lebensraum«-Gewinnung und der ökonomischen Ausbeutung, von Beginn an die Realität der nationalsozialistischen Besatzungsherrschaft in Polen und später in der Sowjetunion. Wurden die Euthanasiemorde im »Altreich« noch unter größtmöglicher Tarnung organisiert, so räumten die Einsatzgruppen der SS die psychiatrischen Anstalten Polens zu Jahresanfang 1940 schon mit Maschinengewehren. Der eroberte Osten wurde zum rassenbiologischen und bevölkerungspolitischen

---

[127] Vgl. Henry Friedlander, Der Weg zum NS-Genozid. Von der Euthanasie zur Endlösung. Berlin 1997.

Exerzierfeld Himmlers[128]. Ungebunden durch Normen und Gesetze agierte der Reichsführer SS als »Reichskommissar für die Festigung deutschen Volkstums« in den sogenannten eingegliederten Ostgebieten (Danzig-Westpreußen, Oberschlesien, Wartheland, Südostpreußen), aber als Chef der Höheren Polizei- und SS-Führer auch im okkupierten Restpolen (Generalgouvernement).

Himmlers brutale Germanisierungspolitik konzentrierte sich zunächst auf die annektierten polnischen Westgebiete. Mehrere Tausend Angehörige der polnischen Führungsschicht wurden einfach liquidiert. Zugunsten der »Ansiedlung« von Reichsdeutschen und Volksdeutschen aus dem Baltikum, aus Wolhynien, Bessarabien, der Bukowina und anderen Gebieten der sowjetischen Interessensphäre wurden bis zum Frühjahr 1941 etwa 365 000 Polen und Juden ins Generalgouvernement deportiert. Bei einer polnischen Gesamtbevölkerung von über acht Millionen war eine schnelle »Eindeutschung« der eingegliederten Gebiete auf diese Weise freilich nicht zu erwarten. Die daraufhin besonders in Oberschlesien und Westpreußen betriebene Aufnahme von Polen in die Gruppe 3 der sogenannten Deutschen Volksliste, mit der die Verleihung der deutschen Staatsangehörigkeit auf Widerruf verbunden war, schien eine partielle Rückkehr zu der vor dem Ersten Weltkrieg betriebenen Assimilierungspolitik anzuzeigen. Dagegen stand jedoch die rassenideologisch begründete Radikalität des nationalsozialistischen Kategoriensystems, das der Masse der Polen den Status entrechteter und enteigneter »Schutzangehöriger« zuwies und zu einer strikten Trennung zwischen deutschen Herren und polnischen Heloten auch im Alltagsleben führte.

Noch vor dem Angriff gegen die Sowjetunion war auf Weisung Himmlers unter der Federführung des Reichssicherheitshauptamts der Entwurf zu einem »Generalplan Ost« zustande gekommen. Im Lichte dieses Papiers erwiesen sich alle bisherigen

---

[128] Zum folgenden Martin Broszat, Nationalsozialistische Polenpolitik 1939 bis 1945. Stuttgart 1961; Czeslaw Madajczyk, Die Okkupationspolitik Nazideutschlands in Polen 1939–1945. Berlin (Ost) 1987.

Eindeutschungsmaßnahmen lediglich als Übungsvorlauf für die besonders auf das Baltikum und die Ukraine gerichteten Lebensraum-Phantasien Hitlers. Das Konzept, an dessen Diskussion sich dann auch das neue, ansonsten ziemlich einflußlose Rosenberg-Ministerium für die besetzten Ostgebiete und das Rassenpolitische Amt der NSDAP beteiligen durften, sah nunmehr auch die Eindeutschung des Generalgouvernements vor; darüber hinaus sollte die deutsche »Volkstumsgrenze« mindestens 500 Kilometer weit nach Osten verschoben werden. Für das erste Vierteljahrhundert nach Kriegsende rechneten die Rassestrategen mit der »Evakuierung« von 31 bis 51 Millionen »Fremdvölkischer« aus den künftigen deutschen Siedlungsgebieten nach Sibirien; wie in vielen Details, waren die Experten allerdings uneins, ob die Überlebenden dieser Deportationen dort auf Dauer bleiben könnten. Strittig war ferner, wie die als Arbeitssklaven vorgesehenen 14 Millionen »rassisch wertvoller Fremdvölkischer«, vor allem Balten und Ukrainer, in den im Juli bzw. August 1941 errichteten Reichskommissariaten Ostland und Ukraine von den »unerwünschten Sippen« zu trennen seien (eine Frage, bei der sich auch wieder die Anthropologen des Kaiser-Wilhelm-Instituts einschalteten).

Trotz der von vielen Experten rasch gesehenen Schwierigkeiten, überhaupt genügend »deutschblütige« Umsiedler für die zu entvölkernden Regionen aufzutreiben – was dazu führte, daß die nach dem Frankreichfeldzug zur Ansiedlung in einem künftigen »Gau Burgund« bestimmten Südtiroler schließlich in der Ukraine »angesetzt« werden sollten –, war Himmler mit der Endfassung des Generalplans Ost nicht recht zufrieden. Verfehlt schien ihm vor allem, daß statt der »totalen Eindeutschung« zunächst nur deutsche »Marken« (»Ingermanland« um Leningrad, »Gotengau« im Krimgebiet und das Memel-Narew-Gebiet) sowie 36 »Siedlungsstützpunkte« vorgesehen waren. Himmler verlangte deshalb einen neuen »Gesamt-Siedlungsplan«, der neben den früheren Ideen für die eingegliederten Ostgebiete in »groben Strichen« auch das Reichsprotektorat Böhmen und Mähren, Elsaß-Lothringen, Oberkrain und die südliche Steiermark berücksichtigen sollte. Erst wenn feststehe, »was wir insgesamt an Menschen, Arbeitern, Geldmitteln usw. brauchen«, sollte entschieden werden, »wenn wirklich etwas unmöglich ist, welche Dinge abgestrichen werden können«[129]. Der Gedanke, das »Volk ohne Raum« könnte sich am Ende in einem »großgermanischen« Raum ohne Volk verlieren, war dem Chefideologen der Menschenzucht fremd.

Wenn die Spitzen der SS und der innere Kreis der NS-Führung bis in die letzten Kriegsmonate hinein an den absurden Ostvisionen festhielten, so war das nicht nur ein Zeichen gigantischer Realitätsverweigerung. Es war die Konsequenz aus der Tatsache, daß die deutsche Besatzungspolitik im Osten vom ersten Tag an jede Möglichkeit selbst eines partiellen Ausgleichs mit voller Absicht zerstört und damit eine grundsätzlich andere Situation geschaffen hatte als in allen anderen Teilen Europas, trotz vieler Grausamkeiten und Kriegsverbrechen auch dort. In der Sowjetunion gab es, wie vorher schon in Polen, vom Moment des Einmarsches an nur den Weg der immer weiteren Radikalisierung: Ein dezidiert als Vernichtungskrieg geführter Feldzug, der die »Liquidierung« aller anzutreffenden kommunistischen Funktionäre einschloß (»Kommissarbefehl«) und in dem die SS-Einsatzgruppen im ersten Jahr über eine Million »unerwünschter Elemente« ermordeten, gebar ständig neue Gewaltexzesse.

Die ideologische Fixierung Hitlers und Himmlers schloß jede Korrektur der nationalsozialistischen Besatzungspolitik auch nach der offensichtlich gewordenen Kriegswende aus. Besonders deutlich zeigte sich das im Generalgouvernement, wo die Verwirklichung der rassenimperialistischen Herrschaftsideen im wachsenden Widerstand des Partisanenkrieges steckenblieb. Gleichwohl wurde das Prinzip der Niederdrückung der polnischen Bevölkerung, das sich auf sämtliche Lebensbereiche erstreckte und der Absicht der maximalen Expropriation der Qua-

---

[129] Zitiert nach Helmut Heiber, Der Generalplan Ost. In: VfZ 6 (1958), S. 281–325, hier S. 325. Vgl. auch Götz Aly/Susanne Heim, Vordenker der Vernichtung. Auschwitz und die deutschen Pläne für eine neue europäische Ordnung. Hamburg 1991; Mechtild Rössler/Sabine Schleiermacher, Der »Generalplan Ost«. Hauptlinien der nationalsozialistischen Planungs- und Vernichtungspolitik. Berlin 1993.

si-Kolonie eindeutig zuwiderlief, nicht aufgegeben. Zeitweilige pragmatische Bemühungen von Generalgouverneur Hans Frank, den offenkundigen Gegensatz zumindest abzumildern, scheiterten an der Unverrückbarkeit der weltanschaulichen Postulate. Das nach Himmlers zynisch-primitiver Vorstellung »führerlose Arbeitsvolk« sollte beides sein: Objekt der Ausbeutung und Objekt der Rassenpolitik. Ergebnis war ein von der SS dominiertes und allein durch Terror aufrecht erhaltenes Schreckensregiment, das etwa 1,2 Millionen Polen zur Zwangsarbeit ins Reichsgebiet deportierte, Hunderte »gutrassischer« Waisenkinder zur »Eindeutschung« durch NSV und SS-»Lebensborn e. V.« verschleppte, die landwirtschaftliche und industrielle Produktion beanspruchte und nach den Ghettos auf polnischem Boden schließlich die Todesfabriken zur Vernichtung des europäischen Judentums errichtete.

Der Zusammenhang von Verwertung und Vernichtung, durch den die nationalsozialistische Besatzungspolitik im Osten ebenso charakterisiert war wie die Gesundheitspolitik gegenüber der deutschen Bevölkerung, wurde am klarsten wohl in Auschwitz sichtbar[130]. Dort entwickelte die SS aus einem im Sommer 1940 zur Aufnahme polnischer Häftlinge aus den eingegliederten Gebieten und dem Generalgouvernement eingerichteten Durchgangslager ihren größten Konzentrationslagerkomplex überhaupt. Auf einem Areal von 40 Quadratkilometern entstanden neben einem landwirtschaftlichen Betrieb mit Versuchsstationen und SS-eigenen Produktionsstätten unter Einsatz der Häftlinge ab Frühjahr 1941 das Außenlager Monowitz mit einem Buna-Werk der I. G. Farben, ab Herbst desselben Jahres das Lager Birkenau, und in dessen unmittelbarer Nähe dann auch die Einrichtungen für die Massenvergasungen. Nachdem die »Endlösung der Judenfrage« angelaufen war, selektierten Ärzte die Ankommenden auf der Bahnhofsrampe unter dem Gesichtspunkt der Arbeitsfähigkeit. Wer nicht sofort getötet wurde, war zur »Vernichtung durch Arbeit« oder – wie die seit Anfang 1943 unter katastrophalen Verhältnissen in einem gesonderten Lager

---

[130] Zum folgenden Broszat, Konzentrationslager, bes. S. 443 ff.

festgehaltenen Zigeuner[131] – für medizinische Experimente und eugenische Forschungen vorgesehen.

Mit der Verschlechterung der Kriegslage gewann der Arbeitseinsatz von KL-Häftlingen immer größere Bedeutung. Um fast alle Lager erstreckte sich schließlich ein oft weitgezogener Kranz von Außen- und Unterkommandos, die SS-Betriebe, Rüstungsunternehmen und sonstige kriegswichtige Einrichtungen mit billigen Arbeitskräften versorgten. Zeitweise existierten annähernd eintausend solcher Nebenlager. In vielen Städten und Gemeinden gehörten unter SS-Bewachung zu ihrem Einsatzort marschierende Häftlingskolonnen während der Kriegsjahre zum täglichen Straßenbild.

Gesteuert wurde der Häftlingseinsatz durch das Wirtschaftsverwaltungshauptamt der SS, das der Industrie zwischen drei und sechs Reichsmark pro Häftling und Tag in Rechnung stellte – Beträge, die manche Unternehmen wegen der weit unterdurchschnittlichen Arbeitsleistung der Häftlinge als überhöht zurückwiesen. Nicht dagegen störten sich die Verantwortlichen in den Betrieben an der Tatsache, daß die physischen und psychischen Kräfte der in Elf-Stunden-Schichten oft zur Schwerstarbeit herangezogenen Häftlinge wegen unzureichender Ernährung, Bekleidung und Unterkunft rasch schwanden und die Zahl der an Entkräftung Sterbenden von Monat zu Monat stieg. Im Schatten der »Endlösung« töteten die Lagerärzte vor allem in Auschwitz kranke und arbeitsunfähig gewordene Häftlinge durch Injektionen. In Auschwitz-Monowitz, auf der Baustelle der IG Farben wurden mehr als 25 000 Arbeitshäftlinge »verbraucht«[132]. Insgesamt gingen in den Konzentrationslagern mindestens eine halbe Million Menschen an Entkräftung, Hunger und Seuchen zugrunde, die Hälfte davon im Chaos der letzten Kriegswochen.

---

[131] Vgl. Michael Zimmermann, Rassenutopie und Genozid. Die nationalsozialistische »Lösung der Zigeunerfrage«. Hamburg 1996; Guenter Lewy, »Rückkehr nicht erwünscht«. Die Verfolgung der Zigeuner im Dritten Reich. München, Berlin 2001.

[132] Vgl. Bernd C. Wagner, IG Auschwitz. Zwangsarbeit und Vernichtung von Häftlingen des Lagers Monowitz 1941–1945. München 2000.

In hohem Maße verschränkt mit der Politik der völkischen »Sanierung« des von Deutschland beanspruchten »Lebensraums« im Osten war das Schicksal der dort lebenden, dann auch der aus dem »Altreich«, schließlich der aus ganz Europa dorthin deportierten Juden. Die auf polnischem und sowjetischem Boden exekutierte »Endlösung der Judenfrage« wies noch über die schrecklichsten Aspekte bis dahin praktizierter Besatzungsherrschaft hinaus. Mit dem Mord an den europäischen Juden erreichte die nationalsozialistische Politik des Genozids eine neue Stufe: ohne Beispiel in der bekannten Geschichte.

Doch vom Aprilboykott des Jahres 1933 bis zum systematischen Massenmord in den Todesfabriken des Ostens war es ein weiter, auch windungsreicher Weg[133]. In der Realität jüdischen Alltagslebens im Dritten Reich[134] kam dies in verwirrender Weise zum Ausdruck: Neben zunehmender Verfolgung und wachsender Ausgrenzung aus der »arischen« Volksgemeinschaft – die diese Vorgänge zum Teil begrüßte, zum Teil auch ablehnte, in ihrer Mehrheit wohl vor allem aber gleichgültig geschehen ließ – gab es für die assimilierten deutschen Juden noch jahrelang kleine Nischen einer annähernd normalen Existenz. Deren tödliche Aussichtslosigkeit erweist sich erst aus der Perspektive »nach Auschwitz« als scheinbar offenkundig; für die betroffenen Zeitgenossen nahm sich die Situation trotz aller Drangsalierung und Entrechtung meist komplizierter aus. Die Tagebücher eines Victor Klemperer geben davon eindrucksvoll Zeugnis[135].

[133] Vgl. besonders Karl A. Schleunes, The Twisted Road to Auschwitz. Nazi Policy toward German Jews, 1933–1939. Chicago 1970; Uwe Dietrich Adam, Judenpolitik im Dritten Reich. Düsseldorf 1972; Peter Longerich, Politik der Vernichtung. Eine Gesamtdarstellung der nationalsozialistischen Judenverfolgung. München, Zürich 1998.

[134] Dazu jetzt die große Gesamtdarstellung von Saul Friedländer, Das Dritte Reich und die Juden. Band 1: Die Jahre der Verfolgung 1933–1939. München 1998; Wolfgang Benz (Hrsg.), Jüdisches Leben in Deutschland 1933–1945. Leben unter nationalsozialistischer Herrschaft. München 1988.

[135] Victor Klemperer, Ich will Zeugnis ablegen bis zum letzten. Tagebücher 1933–1941, 1942–1945. 2 Bände. Hrsg. von Walter Nowojski. Berlin 1995.

Weil Tempo, Richtung und Ebene der Diskriminierung mehrfach wechselten, es zeitweise sogar schien, als sei ein Endpunkt erreicht, waren 1934/35, nach der ersten Welle antijüdischer Maßnahmen im Zuge des Berufsbeamtengesetzes, nicht wenige jüdische Deutsche aus der Emigration zurückgekehrt, besonders aus dem nahen Frankreich. Etwa gleichzeitig war es aber auch zu ersten »Arisierungen« von mittelständischen jüdischen Betrieben gekommen; politisch wichtige Unternehmen wie die berühmten Pressehäuser Ullstein und Mosse waren schon 1933/ 34 unter massivem Druck in den Besitz von Holdinggesellschaften der NSDAP übergegangen. Darüber hinaus blieben antisemitische »Aktionen« in dieser Phase weitgehend der Phantasie und Initiative lokaler Machtträger der Partei überlassen. Ab Frühsommer 1935 jedoch verschärfte sich die Propaganda erneut.

Der »Reichsparteitag der Freiheit« brachte dann den härtesten legislatorischen Schlag gegen die deutschen Juden überhaupt: Am 15. September 1935 verkündete Hermann Göring vor dem nach Nürnberg beorderten Ein-Parteien-Parlament das »Reichsbürgergesetz«. Es unterschied zwischen »Reichsbürgern deutschen oder artverwandten Blutes«, die als Träger der »vollen politischen Rechte« galten, und den bloßen »Staatsbürgern«, die künftig politisch rechtlos waren: den Juden. Zusätzlich verbot ein ›Gesetz zum Schutze des deutschen Blutes und der deutschen Ehre‹ Eheschließungen und Geschlechtsverkehr zwischen Juden und Nichtjuden.

Die beiden selbstverständlich einstimmig angenommenen Gesetze waren zwar erst in der Hektik des Parteitages von herbeizitierten Beamten fixiert worden, Vorüberlegungen und öffentliche Ankündigungen dazu hatte es aber seit langem gegeben. Gleichwohl konnte von Durchdachtheit nicht die Rede sein, wie die anschließenden zweimonatigen interministeriellen Auseinandersetzungen um die ersten Durchführungsverordnungen zeigten. Erst darin wurde die entscheidende Frage gelöst, wer als Jude im Sinne des Reichsbürgergesetzes zu gelten habe. Letztlich stützte sich diese »blutmäßige« Rassegesetzgebung auf die Taufregister der christlichen Kirchen – und erwies dabei auch ihren logischen Unsinn: griffen doch Definitionen wie »Arier«, »Volljude«, »Mischling 1. Grades« und »Mischling 2. Grades« auf das Kriterium der Religionszugehörigkeit von Vorfahren zurück, bei denen ab der dritten Generation schließlich ungeprüft blieb, ob sie Konvertiten waren oder nicht.

Da Hitler die neuen Gesetze als abschließende Regelung der »Judenfrage« annoncierte, reagierten die jüdischen Organisationen in Deutschland darauf zum Teil sogar mit verhaltener Erleichterung; die in der Tagespresse häufig nicht anders als in Streichers ›Stürmer‹ als internationalistische Verschwörer Gezeichneten hingen an ihrer Heimat und wollten oftmals eher bittere Einschränkungen in vertrauter Umgebung als das Wagnis der Emigration auf sich nehmen.

Mit den Nürnberger Gesetzen fanden die bis dahin auf lokaler Ebene praktizierten, »wilden« Diskriminierungen der Juden ihre Bestätigung im Sinne einer ebenso gezielten wie weitgefaßten gesellschaftlichen Ausgrenzung. Der Aberkennung des Wahlrechts und dem Ausschluß aus öffentlichen Ämtern folgte noch 1935 ein Berufsverbot für jüdische Notare und staatlich besoldete Ärzte, Lehrer und Professoren, de facto bald auch für Apotheker.

Als dann die Olympischen Spiele die Aufmerksamkeit der Weltpresse auf Hitler-Deutschland lenkten, suchte das Regime seine antisemitische Fratze eine Zeitlang zu kaschieren. Von den Einfahrtsstraßen mancher Dörfer verschwanden vorübergehend die Schmähtafeln, und neue antijüdische Erlasse beschränkten sich einstweilen auf Randgebiete. Von den insgesamt rund 2000 gegen die Juden gerichteten Verordnungen des Dritten Reiches kamen »nur« jeweils etwa 150 in den Jahren 1936 und 1937 zustande[136].

Hinter der Fassade olympischer Friedfertigkeit, im Machtbereich der SS, entstand unterdessen ein Planungszentrum ebenso

---

[136] Diese und die folgenden Angaben nach Joseph Walk (Hrsg.), Das Sonderrecht für die Juden im NS-Staat. Eine Sammlung der gesetzlichen Maßnahmen und Richtlinien – Inhalt und Bedeutung. Heidelberg 2. Aufl. 1996.

radikaler wie sich selbst als »sachlich« begreifender Antisemiten: das »Judenreferat« des Sicherheitsdienstes (SD). Unmißverständliches Ziel der dort versammelten »Experten« war es, die Juden aus Deutschland so schnell und so vollständig wie möglich zu vertreiben. An die Stelle des als »irrational« verpönten Radauantisemitismus, wie ihn vor allem die SA verkörperte, suchten die Spezialisten des SD deshalb punktgenaue Maßnahmen zu setzen. Daß sie damit rasch in Konkurrenz zu den traditionellen staatlichen Instanzen geraten würden, war so absehbar wie die sich daraus ergebende – und für die weitere Entwicklung insgesamt charakteristische – Radikalisierung der Judenpolitik[137].

Tatsächlich wurde seit der Jahreswende 1937/38 ein härterer Kurs erkennbar, der sich auch in der Zahl der antijüdischen Verordnungen ausdrückte: rund 300. Sie galten nun vor allem der Hinausdrängung der Juden aus der Wirtschaft, die aber, weil mit volkswirtschaftlichen Interessen offensichtlich kollidierend, selbst unter der (seit dem Rücktritt von Reichswirtschaftsminister Schacht völlig ungehinderten) Oberherrschaft von Görings Vierjahresplan-Behörde zunächst eher unsystematisch vorangetrieben wurde.

Mit dem Attentat des siebzehnjährigen Herschel Grünspan – seine Eltern waren unter den kurz zuvor aus Deutschland abgeschobenen 17 000 Juden polnischer Nationalität[138] – auf einen Angehörigen der deutschen Botschaft in Paris am 7. November 1938 bot sich der nationalsozialistischen Führung Gelegenheit, ihrer in eine Sackgasse divergierender Interessen und Instanzen geratenen Judenpolitik eine neue, eindeutige Zielrichtung zu geben. Was unter dem beschönigenden Namen »Reichskristall-

[137] Vgl. Michael Wildt (Hrsg.), Die Judenpolitik des SD 1935 bis 1938. Eine Dokumentation. München 1995; Ulrich Herbert, Best. Biographische Studien über Radikalismus, Weltanschauung und Vernunft, 1903–1989. Bonn 1996.

[138] Vgl. dazu und allgemein zur Situation der polnischen Juden in Deutschland jetzt Yfaat Weiss, Deutsche und polnische Juden vor dem Holocaust. Jüdische Identität zwischen Staatsbürgerschaft und Ethnizität 1933–1940. München 2000.

nacht« in die Chroniken eingehen sollte, war in Wahrheit über mehr als drei Tage sich hinziehender Terror von gespenstischem Ausmaß. 91 Menschen wurden im Verlauf dieser Gewaltaktionen ermordet, nicht wenige auf offener Straße[139].

Zu einer Reihe von Ausschreitungen war es, animiert durch entsprechende Presseberichte und veranlaßt durch besonders »rührige« lokale Parteiführer, bereits seit dem 8. November gekommen; das Signal für den Massenpogrom aber gab erst eine Ansprache des Reichspropagandaleiters der NSDAP vor der »Alten Garde« der Partei, die sich am Abend des 9. November zu ihrer üblichen Gedenkveranstaltung in München traf. In seinem Tagebuch hielt Joseph Goebbels minutiös fest, wie er agierte, seit ihm am Nachmittag der Tod des Diplomaten Ernst vom Rath gemeldet worden war: »Ich gehe zum Parteiempfang im alten Rathaus. Riesenbetrieb. Ich trage dem Führer die Angelegenheit vor. Er bestimmt: Demonstrationen weiterlaufen lassen. Polizei zurückziehen. Die Juden sollen einmal den Volkszorn zu verspüren bekommen. Das ist richtig. Ich gebe gleich entsprechende Anweisungen an Polizei und Partei. Dann rede ich kurz dementsprechend vor der Parteiführerschaft. Stürmischer Beifall. Alles saust gleich an die Telephone. Nun wird das Volk handeln.«[140]

Nachdem die Propaganda schon in den Tagen zuvor die Emotionen geschürt hatte, konnte sich Goebbels seiner Sache nun ziemlich sicher sein. Wo vorsichtige Kreis- und Ortsgruppenleiter dennoch untätig blieben, sorgten ortsfremde Akteure dafür, daß selbst in kleinen Landgemeinden die Synagogen brann-

---

[139] Dazu im einzelnen Hermann Graml, Reichskristallnacht. Antisemitismus und Judenverfolgung im Dritten Reich. München 1988, S. 9–37; Wolfgang Benz, Der Novemberpogrom. In: ders. (Hrsg.), Die Juden in Deutschland, S. 499–544; Dieter Obst, »Reichskristallnacht«. Ursachen und Verlauf des antisemitischen Pogroms vom November 1938, Frankfurt am Main usw. 1991; Hans-Jürgen Döscher, »Reichskristallnacht«. Die November-Pogrome 1938. Frankfurt am Main, Berlin 2000.

[140] Elke Fröhlich (Hrsg.), Die Tagebücher von Joseph Goebbels. Teil 1: Aufzeichnungen 1923–1941. Band 6, München 1998, S. 180 (Eintrag vom 10. 11. 1938).

ten, jüdische Geschäfte geplündert, ganze Familien mißhandelt und insgesamt fast 30 000 jüdische Männer zur »Abschreckung« vorübergehend in Konzentrationslager gebracht wurden. Zwar handelte, wie 1933, auch diesmal nicht »das Volk«; wohl aber hatte mancher, der sich selbst als braver Bürger sah, an den Gemeinheiten teil. Viele standen, statt Bedrängten Schutz zu bieten, gaffend vor brennenden Gotteshäusern, und nicht wenige nutzten die Stunde zur Abrechnung mit jüdischen Nachbarn. Namentlich in Berlin suchte der Mob seinen Vorteil bei den von SA und Parteigenossen in »Räuberzivil« organisierten Plünderungen und Zerstörungen. Am häufigsten freilich war auch jetzt wieder das bewußte Wegsehen. Den Mut, jüdischen Opfern im eigenen Gesichtskreis zu helfen, brachten nur wenige auf. Mitunter registrierten die Polizeibehörden allerdings auch empörten Protest.

Die »Reichskristallnacht« eröffnete ein neues Stadium der nationalsozialistischen Judenpolitik. Nun ging es darum, die »Ausschaltung der Juden aus dem deutschen Wirtschaftsleben« zum Abschluß zu bringen; ihre letzten Existenzmöglichkeiten wurden vernichtet. Hatten die Juden schon seit April 1938 sämtliches Vermögen über 5000 Reichsmark anmelden müssen, so wurde ihnen nun eine »Buße« auferlegt und in Höhe von 1,12 Milliarden Reichsmark bis 1940 als Vermögensabgabe eingetrieben. Eine Ministerkonferenz unmittelbar nach dem Pogrom legte die Leitlinien der künftigen »Arisierung« und Liquidierung jüdischer Unternehmen fest, denen einstweilen »arische« Treuhänder oktroyiert wurden. Kaum eine in dieser Besprechung von Goebbels, Göring oder SD-Chef Heydrich geäußerte Perfidie war zu primitiv, um in den nächsten Monaten nicht als Gesetz oder Verordnung neuer zügelloser Peinigung zu dienen: Nachdem Kinos, Parks und Schwimmbäder den Juden örtlich schon seit Jahren verboten waren, schränkte ein »Judenbann« ihre Bewegungsfreiheit weiter ein. Schlafwagen und bestimmte Hotels durften nicht mehr benutzt werden, sämtlicher Schmuck war abzuliefern.

Im Juli 1939 mußte die »Reichsvertretung der deutschen Juden« zum vierten Mal ihren Namen ändern. Als »Reichsvereinigung der Juden in Deutschland« war der Zusammenschluß jüdischer Organisationen und Gemeindeverbände fortan eine Zwangsorganisation aller »Glaubens- und Rassejuden«. Der als Reaktion auf die nationalsozialistische Machtübernahme gegründeten Interessenvertretung unter der Leitung von Leo Baeck, die vor allem in der Wohlfahrtspflege, auf kulturellem Gebiet und in der Koordinierung der Auswanderung tätig gewesen war, oblagen nun staatlich angeordnete Pflichtaufgaben. Seitdem jüdische Kinder »deutsche« Schulen überhaupt nicht mehr besuchen durften, wurde die Reichsvereinigung Trägerin des gesamten bis 1942 geduldeten jüdischen Schulwesens sowie der (teilweise durch Spenden aus dem Ausland finanzierten) Fürsorge für verarmte, arbeitslos gewordene Juden.

Jüdisches Leben und jüdische Kultur in Deutschland standen jetzt freilich endgültig auf Abruf. Was folgen sollte, hatten die Experten des SD unter der Leitung von Adolf Eichmann seit Sommer 1938 in Österreich vorexerziert[141]. Die dortigen Erfahrungen nutzend, wurde Anfang 1939 auf Initiative Heydrichs eine »Reichszentrale für jüdische Auswanderung« gegründet. Unter deren Zugriff, faktisch also unter den Augen der Gestapo, wurde die Reichsvereinigung zu einem handhabbaren Instrument der forcierten Auswanderungs-, genauer: Vertreibungspolitik. Es trat an die Stelle des nach dem 9. November 1938 aufgekündigten Haavara-Abkommens, auf dessen Grundlage vor allem in den Jahren 1934/35 rund 30000 Juden nach Palästina ausgewandert waren; eine vom Reichsinnenministerium eingerichtete Palästina-Treuhand-Gesellschaft für den Export deutscher Industriegüter hatte dabei mit der zionistischen Jewish Agency for Palestine kooperiert. Das Wiener Modell des SD, das nun auch im »Altreich« greifen sollte, perfektionierte das zynische Zusammenspiel von wirtschaftlicher Ausplünderung und Vertreibung: Juden, die Deutschland verlassen wollten, mußten

---

[141] Vgl. Hans Safrian, Die Eichmann-Männer. Wien, Zürich 1993; aus der Perspektive der jüdischen Gemeinden und Repräsentanten jetzt Doron Rabinovici, Instanzen der Ohnmacht: Wien 1938–1945. Der Weg zum Judenrat. Frankfurt am Main 2000.

eine »Auswanderer-Abgabe« zahlen, die über die Reichsvereinigung eingezogen wurde.

Die Volkszählung im Mai 1939 ergab für das Reich (ohne Österreich und Sudetengebiet) noch 233 646 Menschen, die der nationalsozialistischen Definition zufolge Juden waren. Bis Kriegsbeginn ging ihre Zahl weiter um annähernd 50 000 zurück; etwa 10 000 Kinder fanden vor allem in England, Belgien und Holland vorübergehend Aufnahme, ehe die meisten von ihnen nach den USA oder nach Palästina gebracht wurden. Und inzwischen war unter den Gepeinigten fast niemand mehr, der nicht hoffte, diesen Kindern möglichst bald folgen zu können.

Doch in dem Moment, als das von den Nationalsozialisten geschaffene »Judenproblem« in Deutschland sich durch niederträchtigste Methoden zu »lösen« schien, erlangte es durch Hitlers Expansionspolitik jene neue, europäische Dimension, die der »Führer« selbst schon immer gesehen hatte – und in der es auf die physische Auslöschung zulief. Am 30. Januar 1939, in seiner Reichstagsrede zum sechsten Jahrestag der »Machtergreifung«, kleidete der Diktator dies in eine fürchterliche Formel: »Wenn es dem internationalen Finanzjudentum in und außerhalb Europas gelingen sollte, die Völker noch einmal in einen Weltkrieg zu stürzen, dann wird das Ergebnis nicht die Bolschewisierung der Erde und damit der Sieg des Judentums sein, sondern die Vernichtung der jüdischen Rasse in Europa.«[142] Hitler kam auf diese Drohung später noch mehrfach, auch öffentlich, zurück. Allerdings datierte er sie stets in bezeichnender Weise falsch: auf den 1. September 1939, den Tag des deutschen Angriffs auf Polen.

Nun, da nach den österreichischen und tschechoslowakischen zusätzlich etwa zwei Millionen polnischer Juden unter deutsche Herrschaft gerieten, brach sich die Logik des nationalsozialistischen Projekts eines »judenfreien« und ethnisch »flurbereinigten« Imperiums Bahn. Die Möglichkeit des Genozids lag fortan

---

[142] Zitiert nach Max Domarus, Hitler. Reden und Proklamationen 1932–1945. Kommentiert von einem deutschen Zeitgenossen. Band 2. Würzburg 1963, S. 1058.

in der Luft, doch die nächsten eineinhalb Jahre standen im Zeichen einer ebenso rigorosen wie unübersichtlichen Deportations- und Vertreibungspolitik: Einerseits konnten deutsche Juden, wenn auch unter zunehmenden Schwierigkeiten, bis zu dem am 23. Oktober 1941 verhängten definitiven Auswanderungsstopp noch emigrieren. Andererseits begannen nur wenige Tage nach dem Ende des Feldzugs gegen Polen erste Deportationen von Juden aus dem »Reichsprotektorat Böhmen und Mähren« und aus Österreich in das sogenannte Generalgouvernement, und im Laufe des Winters 1939/40 folgten in großer Zahl Juden, aber auch polnische Katholiken aus dem »Reichsgau Wartheland«.

Etwa 1000 Stettiner Juden bildeten im Februar 1940 den ersten Transport aus dem »Altreich«. In der Gegend von Lublin, so hatte es ein paar Wochen lang den Anschein, sollte ein allgemeines »Sammelbecken« für die »evakuierten« Juden entstehen. Jedoch erwiesen sich die Pläne für Westgalizien als längst nicht so konkret wie der Zweck der Vertreibung aus Stettin: Dort galt es, Platz zu schaffen für Baltendeutsche »mit seegebundenen Berufen«, die entsprechend der deutsch-sowjetischen Vereinbarungen »umgesiedelt« werden mußten[143]. Das Beispiel verdeutlicht: Mit dem Krieg hatte eine zutiefst rassistisch motivierte, ebenso großräumige wie rücksichtslose Politik der Bevölkerungsverschiebung begonnen, in der die Suche nach einer »territorialen Lösung« für das »Judenproblem« in einen engen Zusammenhang mit den sich fortwährend verändernden Planungen der »Germanisierer« geriet.

Im Vorgriff auf den erwarteten Sieg über Frankreich ventilierten im Sommer 1940 das Auswärtige Amt und die (inzwischen dem Reichssicherheitshauptamt eingegliederten) Spezialisten des SD eine Idee, die unter den Antisemiten Europas schon in den zwanziger Jahren diskutiert worden war: Die Vorstellung nämlich, man könne alle europäischen Juden auf die französische

---

[143] Dazu und zum Folgenden Götz Aly, »Endlösung«. Völkerverschiebung und der Mord an den europäischen Juden. Frankfurt am Main 1995, hier S. 85 und 97 f.

Kolonialinsel Madagaskar deportieren, um sie dort unter unwirtlichsten Bedingungen ihrem Schicksal zu überlassen. Das war noch keine auf vollständige Auslöschung angelegte »physische Ausrottung eines Volkes«, die der Reichsführer SS mit Blick auf das Vorgehen gegen die Polen gerade erst in diesen Wochen »aus innerer Überzeugung als ungermanisch und unmöglich« verworfen hatte[144]. Aber der – bald fallengelassene – Plan kam solchen Gedanken doch schon sehr nahe.

Für die nun folgenden Monate, in denen der Weg von der Deportation und Ghettoisierung in die Vernichtung beschritten wurde, ergibt sich, trotz Jahrzehnten intensiver Forschung, kein völlig klares Bild. Das liegt zum einen in den Aporien der nationalsozialistischen »Politik« selbst begründet, und es ist zum anderen dem Bemühen der wichtigsten Akteure geschuldet, die monströsen Verbrechen und ihre persönliche Mitwirkung daran zu verschleiern. Die schwierige Quellenlage, die daraus resultiert, ist zusätzlich noch dadurch kompliziert, daß die »Endlösung« als eine Art öffentliches Geheimnis behandelt wurde. Auch deshalb steht die Forschung vor dem methodischen Problem, über die Intentionen der Figur im Zentrum der Macht letztlich nur spekulieren zu können: Wir wissen nicht, ab wann der »Führer« seine Rhetorik der Vernichtung wörtlich verstanden wissen wollte. Ein schriftlicher Befehl Hitlers, vergleichbar etwa seinem Auftrag zur sogenannten Euthanasie, wurde nie gefunden, und nach allem, was wir heute wissen, spricht nichts dafür, daß es ihn je gegeben hat[145].

---

[144] Zitiert nach Helmut Krausnick, Denkschrift Himmlers über die Behandlung der Fremdvölkischen im Osten (Mai 1940), in: VfZ 5 (1957), S. 194–198, hier S. 197.

[145] Einen guten Überblick über die lange Debatte dazu bietet der Tagungsband von Eberhard Jäckel/Jürgen Rohwer (Hrsg.), Der Mord an den Juden im Zweiten Weltkrieg. Entschlußbildung und Verwirklichung. Stuttgart 1985; vgl. seitdem insbesondere Christopher R. Browning, Fateful Months. Essays on the Emergence of the Final Solution. New York 1985; Philippe Burrin, Hitler und die Juden. Die Entscheidung für den Völkermord. Frankfurt am Main 1993; Christian Gerlach, Die Wannsee-Konferenz, das Schicksal der deutschen Juden und Hitlers politische Grundsatzentscheidung, alle Juden Europas zu ermorden. In: Werkstatt Geschichte 6 (1997) H. 18, S. 7–44;

Überdies darf inzwischen als gesichert gelten, daß die »Endlösung« nicht Konsequenz einer einzelnen Entscheidung, sondern Ergebnis einer Kette immer radikalerer Aktionen war. Deren gemeinsame Voraussetzung allerdings bildete, jenseits der jeweils konkreten »Anlässe« und »Sachzwänge«, eine fanatisch geglaubte Ideologie, ein »Erlösungsantisemitismus«[146], der nicht zuletzt erklärt, warum der Genozid an den Juden aus ganz Europa selbst dann noch weitergeführt wurde, als dies der Leistungskraft und den Transportkapazitäten der deutschen Kriegsmaschine eindeutig zuwiderlief.

Den Faktor des Ideologischen in dieser Orgie der Vernichtung zu betonen, heißt nicht, ihn als die hauptsächliche oder gar als die alleinige Begründung für die Bereitschaft zur Mitwirkung von Hunderttausenden anzusehen. Den Befehlsgebern und Organisatoren des Genozids, im Zentrum wie an der Peripherie, war der Antisemitismus gewiß politische Religion; von den Helfern und Vollstreckern der »Endlösung« aber läßt sich dies keineswegs so allgemein und sicher sagen[147]. Das zeigt gerade auch der Blick auf den Übergang von der Deportation zum Massenmord im Sommer 1941, der mit dem Krieg gegen die Sowjetunion zusammenfiel.

Noch in den Tagen vor Beginn des »Unternehmens Barbarossa« waren zwei zentrale Weisungen ergangen: am 6. Juni der »Kommissarbefehl« an die für den Einsatz gegen die Rote Armee vorgesehenen Wehrmachtseinheiten, am 17. Juni eine Weisung Heydrichs an die Einsatzgruppen der Sicherheitspolizei und des

---

Christopher R. Browning, Der Weg zur »Endlösung«. Entscheidungen und Täter. Bonn 1998; Ulrich Herbert (Hrsg.), Nationalsozialistische Vernichtungspolitik 1939–1945. Neue Forschungen und Kontroversen. Frankfurt am Main 1998.

[146] So der Begriff von Saul Friedländer, Das Dritte Reich und die Juden.

[147] Vgl. die Kontroverse um das Buch von Daniel J. Goldhagen, Hitlers willige Vollstrecker. Ganz gewöhnliche Deutsche und der Holocaust. Berlin 1997; das Gegenargument hinsichtlich der Motive der Täter am klarsten entwikkelt bei Christopher R. Browning, Ganz normale Männer. Das Reserve-Polizeibataillon 101 und die »Endlösung« in Polen. Reinbek 1993 (erweiterte Neuauflage 1999).

SD. Letztere hatten bereits in Polen »hinter der Front« gewütet, nicht zuletzt gegen die Juden. Nun lautete ihr Auftrag, »Juden in Partei- und Staatsstellungen« und »sonstige radikale Elemente« zu liquidieren – und Pogrome anzustiften. Besonders in der Westukraine und im Baltikum machten sich die Deutschen die Gewaltbereitschaft der einheimischen Antisemiten zunutze, die angesichts der Verbrechen des NKWD in den letzten Tagen der sowjetischen Besatzung leicht anzustacheln war.

Vor allem aber weiteten sich die Mordaktionen der Einsatzgruppen jetzt rasch aus, und bereits Ende Juli 1941 gingen einzelne Einheiten dazu über, auch jüdische Frauen und Kinder zu töten[148]. Für die Duldung und Unterstützung dieses Geschehens durch die Wehrmacht – und bald oft genug für ihre Mitwirkung – spielte der Antibolschewismus die Rolle eines Katalysators; Hitler hatte ihn gegenüber seinen Befehlshabern im Osten mit der Formulierung aktiviert, es gehe um die Beseitigung der »jüdisch-bolschewistischen Intelligenz«. So »begründet« wurden selbst Massenverbrechen wie das von Babi-Yar für die Wehrmacht akzeptabel. In der Schlucht am Stadtrand von Kiew erschoß das Sonderkommando 4a der Einsatzgruppe C am 29. und 30. September 1941 insgesamt 33771 Juden. Das Geschehen ragte nur angesichts der Zahl der hier in einer einzigen Aktion Getöteten heraus, darunter besonders viele Frauen und Kinder, nicht aber in seinem Ablauf: Plakate hatten die jüdische Bevölkerung der Metropole aufgefordert, sich zur »Umsiedlung« einzufinden. Unterstützt von ukrainischer Miliz und »begrüßt« von der um »radikales Vorgehen« bittenden Wehrmacht, trieb die SS die Menschen aufs offene Feld, wo ihnen Kleidung und Gepäck abgenommen wurde. Einige überlebten, weil sie sich in die Tiefe fallen ließen, noch ehe die Schüsse sie erreichten. Dina Pronitschewa, die im Schutz der Dunkelheit dann fliehen konnte, hat

---

[148] Dazu und zum Folgenden Helmut Krausnick/Hans-Heinrich Wilhelm, Die Truppe des Weltanschauungskrieges. Die Einsatzgruppen der Sicherheitspolizei und des SD 1938–1942. Stuttgart 1981; vgl. auch die klassische, mehrfach erweiterte Gesamtgeschichte von Raul Hilberg, Die Vernichtung der europäischen Juden. 3 Bände. Frankfurt am Main 1990 (Erstausgabe Chicago 1961).

darüber später ausgesagt: »Es gab viele, die noch nicht ganz tot waren. Diese ganze Masse aus Leibern bewegte sich kaum merklich, senkte sich und verdichtete sich durch die Bewegung der verschütteten noch Lebenden.«[149]

Nichts an diesem Vorgang, der sich in den nächsten Monaten noch vielerorts hinter der deutschen Ostfront wiederholte, entspricht der Vorstellung von einem abstrakten, technisch-kalt exekutierten Verbrechen: Bis in das Jahr 1942 hinein war die »Lösung der Judenfrage« ein vielhunderttausendfaches blutiges Gemetzel – mit Tausenden direkter Täter, und oft eng verknüpft mit konkreten Interessen nicht nur der örtlichen Wehrmachtsstellen, sondern vor allem auch der jeweiligen Besatzungsverwaltung[150].

Mit dem Vorgehen der Einsatzgruppen war über das Schicksal jener Menschen, die mittlerweile vor allem im Generalgouvernement in großen Ghettos zusammengepfercht waren, noch nicht entschieden, und ebensowenig war schon klar, was mit den deutschen und auch den westeuropäischen Juden geschehen sollte, deren generelle Deportation seit September 1941 mit Hitlers Genehmigung vorangetrieben wurde. Doch mit dem Ausbleiben des erwarteten raschen Sieges über die Sowjetunion wuchs der Druck auf die Propagandisten und Protagonisten der »Entjudung«, einen Ausweg aus jenen »unhaltbaren Zuständen« zu finden, die sie selbst geschaffen hatten. Daß diese Suche nach »Lösungen« mit Wissen und Zustimmung Hitlers erfolgte, bedarf keiner umständlichen Erklärung; hingegen fehlt es an Klarheit hinsichtlich der Formen seiner Einbindung in den Entscheidungsprozeß im Herbst/Winter 1941/42, und kontrovers diskutiert wird neuerdings auch wieder die Frage, ob und wann der »Führer« eine mündliche »Grundsatzentscheidung« fällte[151]. Je-

---

[149] Bericht in der Zeitschrift ›Junost‹ (1967), zitiert nach Ernst Klee/Willi Dreßen, »Gott mit uns«. Der deutsche Vernichtungskrieg im Osten 1939–1945. Frankfurt am Main 1989, S. 128.
[150] Dies betont zu Recht Herbert, Vernichtungspolitik, bes. S. 57–60.
[151] Vgl. Gerlach, Wannsee-Konferenz; skeptisch dagegen u. a. Herbert, Vernichtungspolitik, S. 62 f., und Ian Kershaw, Hitler 1936–1945. Stuttgart 2000, S. 650 ff.

doch spricht wenig dafür, daß es zu diesem Zeitpunkt noch eines Anstoßes bedurfte: Die Impulse, die nicht nur von Hitler gekommen waren, hatten sich längst mit den vielen konkreten genozidalen Initiativen regionaler Machtträger verbunden und eine kaum mehr aufzuhaltende Dynamik entwickelt.

Als sich am 20. Januar 1942 Staatssekretäre und hohe Parteibeamte unter Heydrichs Leitung in einer Villa am Berliner Wannsee trafen, um Maßnahmen zur »Endlösung der Judenfrage« zu koordinieren, waren einige Tötungsspezialisten des abgeschlossenen Euthanasieprogramms bereits dabei, Vorbereitungen für die Ermordung der Juden im Generalgouvernement zu treffen. Seit Dezember 1941 wurden in dem eigens dafür eingerichteten Vernichtungslager Kulmhof (Chelmno) besonders präparierte Lastwagen eingesetzt, in deren verriegeltem Innenraum die Menschen an den eingeleiteten Motorabgasen erstickten. In Auschwitz, wo schon Anfang September erste Probevergasungen mit dem Desinfektionsmittel Zyklon B stattgefunden hatten, war ab Januar 1942 eine zum gasdichten Bunker umgebaute Bauernkate bei Birkenau betriebsbereit. Ab Mitte März arbeiteten im Rahmen der später so genannten »Aktion Reinhard« die Gaskammern des Vernichtungslagers Belzec, ab April in Sobibor, ab Juli in Treblinka. Die Vergasungsanlagen im Konzentrationslager Majdanek wurden ab Herbst 1942 etwa ein Jahr lang benutzt.

Während im Osten die neuen Mordanlagen entstanden, nahm die Ausgrenzung der Juden in Deutschland nochmals schärfere Formen an. Der gelbe Stern, im Generalgouvernement und in den eingegliederten Ostgebieten seit fast zwei Jahren Pflicht, machte ab 1. September 1941 auch die Juden im Reich für jeden auf Anhieb erkennbar. Wer das Stigma trug, dem war so gut wie nichts mehr erlaubt. Wagte er sich auf die Straße, um während einer genau festgelegten Zeitspanne (in Berlin zwischen 16 und 17 Uhr) die wenigen Dinge zu kaufen, für die er noch Lebensmittelkarten erhielt, begann häufig ein Wechselbad der Gefühle. Denn einem so Gezeichneten auch nur mit Höflichkeit zu begegnen, erforderte Zivilcourage – und oft genug erlebten die Betroffenen, statt Gesten des Mitleids oder gar der Hilfe, aggressive

Ablehnung[152]. Die Tatsache, daß es andererseits auch nichtjüdische Deutsche gab, die aktiv für Verfolgte sorgten und damit ermöglichten, daß einige Tausend »Untergetauchte« (vor allem in Großstädten) das Kriegsende erlebten, hebt die Indifferenz der Mehrheit nur noch deutlicher hervor. Längst bevor sie verschleppt wurden, waren die Juden in Deutschland im Bewußtsein vieler Zeitgenossen tatsächlich nur noch so vorhanden, wie das offizielle Feindbild es verlangte: als Inkarnation gebrandmarkter Schlechtigkeit auf Erden, nicht mehr als Mitbürger.

Noch vor Jahresende 1941 wurde zunächst den zur Deportation bestimmten, am 30. April 1943 den deutschen Juden generell die Staatsbürgerschaft aberkannt. Aller noch verbliebene Besitz der damit der Polizeiwillkür Ausgelieferten fiel an den Staat. Prominente und alte Juden, die seit Januar 1942 zum Teil in das »Musterghetto« Theresienstadt »umgesiedelt« wurden, betrog das Reichssicherheitshauptamt mit speziellen »Heimeinkaufverträgen« um ihr Vermögen. Für Zehntausende – auch für viele der seit Frühjahr 1942 aus Frankreich und aus den anderen besetzten westeuropäischen Ländern deportierten Juden – war das »Vorzugslager« in Nordböhmen nichts weiter als eine Durchgangsstation auf dem Weg zu einer der Vernichtungsstätten. Einer Kommission des Internationalen Roten Kreuzes wurde, während andernorts die Krematorien rauchten und die Maschinengewehrsalven krachten, Theresienstadt als Beweis für die Menschlichkeit der nationalsozialistischen Judenpolitik vorgeführt, und nicht zuletzt diente es der Beruhigung der noch in Deutschland lebenden Verwandten, wenn sie von dort harmlos klingende Post erhielten. Selbstverständlich nutzte das Regime die Schein-Idylle, in der Zehntausende an Seuchen und Unterernährung starben, auch für die Inlandspropaganda. Denn so öffentlich die Verfolgung und Ausgrenzung der Juden in Deutschland bis dahin auch betrieben worden war – der letzte Akt fand unter größtmöglicher Geheimhaltung statt: Dafür, dies wußten nicht

---

[152] Eine Fülle von Beobachtungen dazu bei Klemperer, Ich will Zeugnis ablegen, S. 663–696; zum Kontext vgl. Wolf Gruner, Die NS-Judenverfolgung und die Kommunen. Zur wechselseitigen Dynamisierung von zentraler und lokaler Politik 1933–1941. In: VfZ 48 (2000), S. 75–126.

nur Hitler, Himmler und Heydrich, sondern auch ihre Planer und Exekutoren, war allgemeine Zustimmung nicht zu erhalten.

Das Wissen darüber, daß »im Osten« Ungeheuerliches sich vollzog, war gleichwohl weiter verbreitet, als es die deutsche Gesellschaft später wahrhaben wollte. Der genozidale Charakter der auf das ganze besetzte Europa ausgeweiteten Verfolgung der Juden und die Systematik ihrer Vernichtung mochten schwer zu erkennen sein. Aber mit welcher Unerbittlichkeit die jüdischen Nachbarn deportiert worden waren: das wußte nicht nur, wer dies vom Fenster aus gesehen hatte; das wußten Tausende, die günstige »Arisierungsgeschäfte« gemacht oder größere Wohnungen bezogen hatten – und das mußten sich Zehntausende fragen, die seit 1941 zum Beispiel auf dem Wochenmarkt im Hamburger Hafen gebrauchte Haushaltswaren aus jüdischem Besitz ersteigerten[153].

Informationen über die Massenexekutionen und, wenn auch seltener, über die Vernichtungslager brachten Soldaten auf Fronturlaub und Kriegsverletzte mit. Allein in Auschwitz besuchten Hunderte von Frauen jeden Sommer oft wochenlang ihre dort als SS-Angehörige stationierten Ehemänner, und in der reichsdeutschen Kolonie der im Aufbau begriffenen »Musterstadt Auschwitz« beschwerte man sich immer wieder über die von den überlasteten Krematorien ausgehende Geruchsbelästigung[154].

Die Verknüpfung von Vertreibung, Deportation, Krieg und Genozid band vor allem Wehrmacht und Besatzungsverwaltung, aber auch die Funktionseliten an der »Heimatfront« in weit höherem Maße in das Verbrechen ein, als der Blick auf die unmittelbaren Täter suggeriert. Zugleich profitierte die Regimefüh-

[153] Vgl. Frank Bajohr, »Arisierung« in Hamburg. Die Verdrängung der jüdischen Unternehmer 1933–1945. Hamburg 1997; vgl. auch ders., Verfolgung aus gesellschaftsgeschichtlicher Perspektive. Die wirtschaftliche Existenzvernichtung der Juden und die deutsche Gesellschaft. In: Geschichte und Gesellschaft 26 (2000), S. 629–652.

[154] Vgl. Sybille Steinbacher, »Musterstadt« Auschwitz. Germanisierungspolitik und Judenmord in Ostoberschlesien. München 2000.

rung von der Arbeits- und Verantwortungsteilung der modernen Industriegesellschaft, die den Völkermord an den Juden sogar noch für jene Deutschen verdrängungsfähig machte, die etwa als Beamte, Ingenieure, Techniker oder Eisenbahner mit einem – für sich genommen oft fast unbedeutend erscheinenden – Abschnitt der »furchtbarste(n) Aufgabe« (Himmler) befaßt waren oder davon erfuhren.

Hinzu kam die Unvorstellbarkeit des Geschehens. Der im wahrsten Sinne des Wortes unglaubliche Vorgang einer systematisch ins Werk gesetzten Ermordung von mindestens 5,29 Millionen, vermutlich knapp über sechs Millionen Menschen[155] aus dem alleinigen »Grund« ihres behaupteten »blutmäßig-rassischen« Andersseins ließ auch die Weltöffentlichkeit zweifeln – selbst an Berichten von Augenzeugen, die den Vernichtungsstätten entkommen waren[156]. Ein so ungeheures Verbrechen, das zeigen Untersuchungen über den Informationsstand und die Reaktionen der Alliierten, schien sich gegen das Wissen-Wollen wie das Glauben-Können ganzer Nationen und ihrer politischen Eliten zu sperren[157]. Es bedurfte des militärischen Sieges über Deutschland und der Befreiung der letzten Überlebenden, ehe sich eine erste Vorstellung von dem entwickeln konnte, was später der Holocaust genannt werden sollte.

---

[155] Zur Gesamtzahl der Ermordeten und den Problemen der statistischen Ermittlung vor allem der osteuropäischen Opfer vgl. Wolfgang Benz (Hrsg.), Dimension des Völkermords. Die Zahl der jüdischen Opfer des Nationalsozialismus. München 1991, hier S. 17.

[156] Vgl. zum Beispiel das Zeugnis von Rudolf Vrba: Die mißachtete Warnung. Betrachtungen über den Auschwitz-Bericht von 1944. In: VfZ 44 (1996), S. 1–24; als Entgegnung, vor allem hinsichtlich der Ermordung der ungarischen Juden im Sommer 1944: Yehuda Bauer, Anmerkungen zum »Auschwitz-Bericht« von Rudolf Vrba. In: VfZ 45 (1997), S. 297–307.

[157] Vgl. besonders David S. Wyman, Das unerwünschte Volk. Amerika und die Vernichtung der europäischen Juden. Erweiterte Neuausgabe Frankfurt am Main 2000; Deborah E. Lipstadt, Beyond Belief. The American Press and the Coming of the Holocaust 1933–1945. New York, London 1986.

Zweimal, im Februar 1943 und im Juli 1944, proklamierte das Regime den »totalen Krieg«. Doch die Aussicht auf einen raschen »Endsieg« hatte sich schon im ersten Winter an der Ostfront zerschlagen. Ein Jahr später, nach dem Untergang der 6. Armee bei Stalingrad, war die Kriegswende für jedermann offensichtlich geworden. Um den »totalen Sieg«, den Goebbels Mitte Februar 1943 im Berliner Sportpalast als Lohn einer nochmals gesteigerten Kraftanstrengung in Aussicht stellte, ging es längst nicht mehr. Wer das nicht wußte, ahnte es zumindest. Glauben wollten viele Deutsche dem »kleinen Doktor« dennoch: weil die Wahrheit so unerträglich schien. Die Stunde des Propagandaministers war damit gekommen. Der Mann, der jahrelang im Windschatten der politischen Entwicklung gesegelt und wegen privater Affären zeitweise fast weggetaucht war – jetzt wurde er gebraucht; um so mehr, als der »Führer« sein Volk zu meiden begann.

Die vorderste Reihe, in die Goebbels in der zweiten Kriegshälfte zurückkehrte, hatte sich erheblich verändert. An die Stelle des von jeher einflußarmen »Führer«-Stellvertreters Heß hatte sich nach dessen Englandflug 1941 Martin Bormann geschoben und aus einer nominell subalternen Position heraus ein einzigartiges Immediatverhältnis zu Hitler aufgebaut. Hermann Göring, bei Kriegsbeginn offiziell zum Nachfolger des »Führers« designiert, hatte inzwischen an Einfluß auf die Wehrwirtschaftspolitik verloren; tendenziell war das schon in der Etablierung eines Reichsministeriums für Bewaffnung und Munition unter Fritz Todt im Frühjahr 1940 zum Ausdruck gekommen. Der nach Todts Flugzeugabsturz im Februar 1942 zum Rüstungsminister gekürte Albert Speer verlagerte die Gewichte weiter zuungunsten Görings. Das Prestige des »Reichsmarschalls« sank unaufhaltsam, vor allem bedingt durch die Mißerfolge seiner Luftwaffe. Auf dem Gebiet der Innenpolitik, die sich nun immer mehr reduzierte auf Terror und Gewalt, stand Himmlers Vorherrschaft schon lange vor seiner Ernennung zum Innenminister in der Nachfolge des ins »Reichsprotektorat Böhmen und Mähren« abgeschobenen Wilhelm Frick außer Frage.

Himmler, Speer, Bormann, Goebbels, dazu der Chef der Reichskanzlei Hans Heinrich Lammers als Vermittlungsinstanz für den Rest der Ministerien und die staatliche Verwaltung: Die Zusammensetzung der Regimespitze in der zweiten Kriegshälfte symbolisierte den fortschreitenden Verfall rational geordneter Herrschafts- und Entscheidungsstrukturen. Gewiß, das Dritte Reich war nie der straff durchorganisierte »Führerstaat« gewesen, den aufzubauen Hitler immer vorgegeben hatte; jetzt aber strebten wesentliche Machtkomplexe erkennbar auseinander. Während sich der »Führer« in die Details der Kriegführung verbiß, wuchs die Macht der vielfach miteinander konkurrierenden Kanzleien und Sonderbeauftragten. Es war, als ob die Nationalsozialisten in ihre Anfänge zurückkehrten: Der propagandistische Aktivismus, die Unberechenbarkeit permanenter »Bewegung« und institutionellen Umbaus, dazu die vernichtungswütige Aggressivität ihrer Freund-Feind-Bestimmung – das alles trat wieder klar hervor; mit anderen Konsequenzen jedoch als in der »Kampfzeit«.

Goebbels gab ein besonders eindrucksvolles Beispiel solcher Rückverwandlung. Wohl hatte sein Auftritt im Sportpalast vor ausgesuchtem Publikum stattgefunden, aber anders als Hitler scheute er vor dem Kontakt mit den Menschen nicht zurück. Im Gegenteil, vor der Öffentlichkeit legte Goebbels die Pose des Reichsministers zusehends ab und gefiel sich noch einmal in der halbproletarischen Rolle des Gauleiters von Berlin. Der Kriegssozialismus, den der Durchhalte-Propagandist nun predigte, rief Erinnerungen wach an seine Herkunft vom linken Flügel der NSDAP. Seine quasi-religiös unterlegten Forderungen nach Opfer, Pflichterfüllung und Solidarität gipfelten im Lobpreis der Luftkriegsschäden als einer im Grunde erwünschten Befreiung vom »Ballast der Zivilisation«[158]. Im Bombenkrieg, so diagnostizierte Goebbels, fielen endlich die letzten Klassenschranken.

Richtig daran war, daß der Krieg und seine Folgen – weit stärker als die vorangegangenen Jahre der NS-Herrschaft – eine Vielzahl sozialer, kultureller und regionaler Unterschiede einebneten. Aber richtig war auch, daß sich die Not und Last des

[158] Leitartikel Goebbels'. In: Das Reich vom 30. 6. 1944.

Krieges keineswegs gleichmäßig auf alle Bevölkerungsgruppen verteilte. Die Luftangriffe der Alliierten galten vor allem den Großstädten, wohingegen die ländlichen Gebiete im Reichsinnern bis in die letzten Kriegswochen fast unberührt blieben; Rüstungsarbeiter standen unter weitaus höherem Leistungsdruck als Büro- und Verwaltungsangestellte; an der Ostfront wurde schneller gestorben als im Westen. Trotz einer mit scharfen Strafandrohungen belegten Ablieferungspflicht der Bauern und enormer organisatorischer Anstrengungen bei der Verteilung der Lebensmittel waren Industriearbeiterfamilien in den Ballungsgebieten von den schon im Frühjahr 1942 einsetzenden Zuteilungskürzungen in ganz anderem Maße betroffen als die Menschen in Kleinstädten und Dörfern. Am härtesten allerdings litten jene, die außerhalb der »Volksgemeinschaft« standen und gerade deshalb erbarmungslos ausgebeutet werden konnten: KL-Häftlinge, Kriegsgefangene und vor allem die sogenannten Fremdarbeiter. Gerade die gegenüber diesen Gruppen praktizierte »Arbeitseinsatz«-Politik zeigt, daß der schon in der zeitgenössischen Propaganda betonten Unterscheidung zwischen einer Phase des »Blitzkriegs« und einer erst danach einsetzenden totalen Kräftemobilisierung in anderer als militärstrategischer Hinsicht nicht allzuviel Bedeutung zukommt.

Die Heranziehung von »Fremdvölkischen« für die deutsche Kriegswirtschaft begann unmittelbar nach den ersten militärischen Erfolgen in Polen und dann in Frankreich[159]. Bereits im Sommer 1941 arbeiteten fast drei Millionen Ausländer in Deutschland, und ein Ende des Zwangsarbeitereinsatzes war selbst für den Fall eines schnellen Kriegsendes nicht abzusehen. Je länger der Krieg dauerte und je verlustreicher er wurde, desto stärker war die deutsche Wirtschaft auf die »Fremdarbeiter« angewiesen. Aber bezeichnenderweise begann schon fast ein Jahr vor Goebbels' Proklamation des »totalen Krieges« eine effektivere Rekrutierung. Zu diesem Zweck mußte der neue »Generalbe-

---

[159] Vgl. Ulrich Herbert, Fremdarbeiter. Politik und Praxis des »Ausländer-Einsatzes« in der Kriegswirtschaft des Dritten Reiches. Berlin, Bonn 1985; dort S. 271 die folgenden Zahlenangaben.

vollmächtigte für den Arbeitseinsatz«, der Thüringer Gauleiter Fritz Sauckel, zunächst die (rassen-)ideologischen Bedenken gegen die verstärkte Heranziehung sowjetischer Arbeitskräfte zurückdrängen, die innerhalb der Partei und im Machtbereich Himmlers bestanden. Das zu erreichen, bezog Sauckel seine Gauleiter-Kollegen, denen in ihrer Eigenschaft als Reichsverteidigungskommissare ohnehin eine immer größere Macht zuwuchs, zumindest formal in die Arbeitseinsatz-Politik ein. Zugleich ließ Sauckel dem Himmler-Apparat, dem die sogenannten Arbeitserziehungslager unterstanden, freie Hand, schon geringe Normabweichungen vor allem der als rechtlose Arbeitssklaven gehaltenen »Ostarbeiter« drakonisch zu bestrafen. Während man in den ersten Monaten des Rußlandfeldzugs noch Hunderttausende sowjetischer Kriegsgefangener hatte verhungern lassen[160], begann auf Druck der Wirtschaft, die von der Wehrmachtsführung und dem Reichsarbeitsministerium unterstützt wurde, Mitte 1942 die systematische »Aushebung« immer größerer Mengen von »Ostarbeitern« in den berüchtigten »Sauckel-Aktionen«.

Im Sommer 1944 hielten rund 7,6 Millionen Fremdarbeiter die deutsche Kriegswirtschaft in Gang: fast 2,8 Millionen Sowjetrussen, 1,7 Millionen Polen, 1,3 Millionen Franzosen, 590 000 Italiener, 280 000 Tschechen, 270 000 Holländer und eine Viertelmillion Belgier. In der Landwirtschaft waren fast die Hälfte aller Arbeitskräfte Ausländer, in der Rüstungsindustrie etwa ein Drittel. Im Durchschnitt kam auf drei einheimische Beschäftigte ein Fremdarbeiter. Knapp zwei Millionen der Ausländer waren Kriegsgefangene, alle anderen sogenannte Zivilarbeiter. Doch diese Unterscheidung war im Hinblick auf das Los der Menschen weniger bedeutsam als ihre Nationalität. Während die zum Teil tatsächlich angeworbenen, nicht zwangsverpflichteten »Westarbeiter« in der Regel kaum schlechter ernährt wurden als ihre

[160] Von den 5,7 Millionen sowjetischen Kriegsgefangenen starben 3,3 Millionen in deutscher Gefangenschaft; vgl. Christian Streit, Keine Kameraden. Die Wehrmacht und die sowjetischen Kriegsgefangenen 1941–1945. Bonn 1997; Christian Hartmann, Massensterben oder Massenvernichtung? Sowjetische Kriegsgefangene im »Unternehmen Barbarossa«. In: VfZ 49 (2001), S. 97–158.

deutschen Kollegen und auch eine erträgliche Behandlung erfuhren, waren die Lebensbedingungen der ins Reich verschleppten »Ostarbeiter« meist katastrophal. Noch bei der ökonomischen Ausbeutung schlug der ideologische Rassismus durch: Auf der untersten Stufe der nationalsozialistischen Wertskala standen die sowjetischen Zwangsarbeiterinnen und -arbeiter, hier wiederum die Kriegsgefangenen, die in primitivsten Lagern gehalten, unterhalb des Existenzminimums verpflegt, kaum entlohnt und wie die Polen mit exzessiven Strafen bedroht wurden. Wenn sich die Lage der »Ostarbeiter« im Verlauf des Krieges teilweise etwas verbesserte, dann deshalb, weil rüstungswirtschaftliche Zwänge und ökonomische Rationalität es geboten.

Aus den – selbst von den SS-Ideologen im Reichssicherheitshauptamt nicht zu bestreitenden – Erfordernissen einer gewandelten Kriegslage erklärte sich auch der bemerkenswerte Pragmatismus, mit dem der schon kurz vor der Berufung Sauckels von Hitler eingesetzte neue Minister für Bewaffnung und Munition die Rüstungsproduktion auf Rekordhöhen trieb. Albert Speer, noch nicht 37 Jahre alt und wiederholt als Organisationsgenie hervorgetreten, genoß nicht nur die Sympathie des »Führers«, sondern rasch auch den Respekt der Industriemanager. Das mit der Vierjahresplan-Organisation begonnene enge Zusammenspiel von Privatwirtschaft und Staat effektivierte Speer, indem er die Großindustrie noch stärker in die rüstungspolitische Verantwortung nahm, ihr aber gleichzeitig eine weitgehende Selbstverwaltung erlaubte. Die bereits von Todt eingerichteten Hauptausschüsse zur Lenkung der Rüstungsproduktion, denen Unternehmer vorstanden, wurden um ein Ringsystem für die Zulieferfirmen ergänzt. Ausschließlich orientiert am maximalen Ausstoß, suchte der Munitionsminister nach der jeweils rationellsten Fertigungsstätte für die einzelnen Produkte; in den sogenannten Bestbetrieben sollte die Herstellung dann konzentriert werden. Speers wichtigstes Steuerungsinstrument aber war die »Zentrale Planung«. Alle zwei Wochen wurde dort unter seinem Vorsitz die Verteilung sämtlicher Rohstoffe neu festgelegt und die Bedarfsplanung von Menschen und Material koordiniert. Lange bevor er Anfang September 1943 auch die Zuständigkeit für die zivile Produktion erhielt (und den Titel eines Reichsministers für Rüstung und Kriegsproduktion), hatte Speer mit der »Zentralen Planung« die wichtigsten Aspekte der Kriegswirtschaft unter seine Kontrolle gebracht.

Der Erfolg schien dem fast lautlos, aber deshalb nicht weniger brachial als Sauckel bei der Beschaffung von Arbeitskräften operierenden Organisator Recht zu geben: Unter Speers Management wuchs die Produktion von Rüstungsgütern um ein Mehrfaches. Die Fertigung von schweren Panzern beispielsweise versechsfachte sich zwischen 1941 und 1944, die von Flugzeugen stieg um das Dreieinhalbfache. Erst im Juli 1944, gleichzeitig mit dem alliierten Bombenkrieg, erreichte die Kriegsproduktion ihren Höhepunkt. Diese fast unglaublichen Resultate, die wegen der inzwischen herangewachsenen Übermacht und Entschlossenheit der Gegner nichts mehr bewirken konnten außer einer Verlängerung und weiterer Brutalisierung des Krieges, schienen Speer geradezu zu prädestinieren für die Rolle des Architekten der wirtschaftlichen Nachkriegsplanung, über die bis ins Frühjahr 1945 an verschiedenen Stellen innerhalb des Regimes nachgedacht wurde. Doch inzwischen hatte sich Widerstand formiert gegen den allzu mächtig gewordenen und allzu unideologisch erscheinenden Baumeister des »Führers«.

Vor allem im Machtbereich Himmlers war die pragmatische Selbstverständlichkeit, mit der Speer die Großindustrie als den entscheidenden Faktor der kriegswirtschaftlichen Mobilisierung anerkannt und ihren Interessen Rechnung getragen hatte, auf grundsätzliche Vorbehalte gestoßen. Tatsächlich hatte die Totalisierung des Krieges der Unternehmenskonzentration, die bereits durch die Vierjahresplan-Organisation begünstigt worden war, zusätzlichen Auftrieb gegeben, waren die Großkonzerne auf Kosten der mittelständischen Wirtschaft und des Kleingewerbes weiter gewachsen. Auch die personellen »Auskämm-« und die Stillegungsaktionen seit Anfang 1943, mit denen neue Kräfte für die Front oder für den Einsatz in Rüstungsbetrieben freigemacht beziehungsweise in nicht kriegswichtigen Produktionsbereichen Rohstoffe eingespart werden sollten, hatten in erster Linie Handel, Handwerk und kleinere Gewerbebetriebe getroffen. Diese

Entwicklung wollten Leute wie Dr. Otto Ohlendorf, vormals Forschungsdirektor am Weltwirtschaftsinstitut in Kiel, seit 1939 SD-Chef im Reichssicherheitshauptamt und ab 1943 stellvertretender Staatssekretär im Reichswirtschaftsministerium, nach Kriegsende durch eine gezielte Mittelstandspolitik und eine Entflechtung der Konzerne zurückdrehen. Zu weit hatte man sich nach Auffassung der Ideologen von den nationalsozialistischen Wirtschaftsidealen entfernt.

Wenn Ohlendorf als ökonomischer Fachmann der SS in den letzten Kriegsmonaten zu Speers Gegenspieler wurde, so aus auf die Zukunft gerichteten machtpolitischen und weltanschaulichen Erwägungen, kaum im Hinblick auf die Tagespolitik. In ihrer Offenheit für Technik und modernes Expertentum waren sich die fast gleichaltrigen Männer sogar ziemlich ähnlich; beide zählten zu der neuen technokratischen Elite, die auf ein rationaleres, gleichsam wissenschaftlich-technisch gebändigtes Nachkriegsregime hinarbeitete. Was Speer von Leuten wie Ohlendorf aber wohl unterschied und woran es ihm aus SS-Perspektive mangelte, waren jene weltanschaulichen Grundüberzeugungen, zu denen Ohlendorf im ersten Jahr des Rußlandfeldzugs als Chef der Einsatzgruppe D ein unverrückbares Bekenntnis abgelegt hatte. Mit der Verstrickung in die Verbrechen im Osten hatte Ohlendorf sich als in der Wolle gefärbter Nationalsozialist erwiesen, »würdig« einer ranghohen Position in einem von der SS gesteuerten Nachkriegssystem, das die völkischen Ideale der Bewegung in einem ideologisierten Realismus aufzuheben trachtete[161].

Ungefähr ab Mitte 1944 spielte die Vision von einem deutschen »Lebensraum im Osten« in den Planungen für eine nationalsozialistische Friedensordnung freilich keine Rolle mehr. Großunternehmen wie Siemens begannen, ihre Organisationsstrukturen der von den Alliierten beabsichtigten Aufteilung Deutschlands in drei Besatzungszonen anzupassen. Die Niederlage antizipierend, ohne aber davon zu sprechen, orientierten sich die Fachleute in Richtung Westen um; vorübergehend und schemenhaft wurden die Konturen eines vielleicht doch noch von Deutschland zu

[161] Vgl. Herbst, Totaler Krieg, S. 341–452.

beherrschenden Wirtschaftsgebiets unter Ausschluß des künftig sowjetisch kontrollierten Südosteuropa erkennbar. Goebbels hatte diese latent seit langem kursierenden Vorstellungen nach Stalingrad in einer verstärkten »Abendland«-Propaganda aufgenommen und versucht, so etwas wie europäische Solidarität im »Abwehrkampf« gegen den »Bolschewismus« zu wecken. Die Realität der nationalsozialistischen Besatzungsherrschaft hatte solchen Ideen in den letzten Jahren aber jede Basis entzogen. Und daß es sich – jedenfalls auf seiten der NS-Führung – um nichts anderes handelte als um unglaubwürdige Kopfgeburten der Suche nach einem Ausweg aus dem Zweifrontenkrieg, machten nachfolgende Spekulationen über einen Separatfrieden mit Stalin und Hitlers Ardennenoffensive zur Jahreswende 1944/45 deutlich, die wiederum Himmler in allerletzter Stunde mit Sondierungsversuchen bei den Westalliierten überholte. Mußten die Europaideen der frühen vierziger Jahre schon deshalb Illusionen bleiben, weil sie den Europäern unverändert eine deutsche Suprematie zumuten und die USA vom Kontinent fernhalten wollten, so enthielten sie doch bereits Elemente der späteren, freilich nicht mehr von Deutschland zu dominierenden europäischen Integration.

In den Führungszirkeln der Wirtschaft und in den Kreisen der politischen Opposition hörte das Nachdenken über die Zukunft Deutschlands bis zuletzt nicht auf; die Mehrheit der Menschen hingegen hatte andere Sorgen. Mehr und mehr reduzierte sich ihre Aufmerksamkeit auf die Sicherung des schieren Überlebens. Wie sehr sich mit der Verschlechterung der »Luftlage« die Stimmung verändert hatte, zeigten Goebbels' Versuche, die alliierte Forderung nach einer bedingungslosen Kapitulation als Schreckgespenst in Dienst zu nehmen und damit den Durchhaltewillen der Bevölkerung anzufeuern. Der Fanatismus hatte sich im Alltag des Bombenkrieges erschöpft, die Realität ließ den Versprechungen der Propaganda immer weniger Raum. Gleichwohl klammerten sich viele Deutsche bis in die letzten Kriegswochen hinein an die vom Propagandaminister in Aussicht gestellte Wirksamkeit der »Wunderwaffen«, mit denen das Regime Vergeltung für die Zerstörung der deutschen Städte üben und die Wende doch noch herbeiführen werde. Es war ein aus Ängsten,

Wut, Trotz und politischem Selbstbetrug gespeistes Bewußtsein, das Menschen wider besseres Wissen dazu bewog, am Glauben an den »Endsieg« festzuhalten.

Mit dieser kollektiven Befindlichkeit, in der sich letztlich nur spiegelte, wie hochgradig die politische Integration der deutschen Gesellschaft in den zurückliegenden Jahren gewesen war, hing aufs engste zusammen, daß auch jetzt noch alle Erwägungen von Widerstand im Grunde gegen die Bevölkerung angestellt werden mußten. Die deutsche Opposition gegen Hitler befand sich, je länger dessen Herrschaft währte desto mehr, in »sozialer Isolierung«; es waren »Außenseiter«, die sich mit dem Gedanken eines Attentats trugen[162].

Die augenfällige Unentschlossenheit und Schwäche der kleinen Gruppe militärischer Gegner des Regimes hatte auch darin ihren Grund – nicht nur in der Tatsache, daß die Ziele und Interessen der Wehrmacht als Ganzes viel zu sehr in Übereinstimmung mit denen der politischen Führung waren, als daß sich in ihren Reihen eine breite und grundsätzliche Opposition hätte formieren können. Wohl hatten schon im Sommer 1938 innerhalb der Wehrmacht Überlegungen für einen Staatsstreich existiert. Als aber der drohende Krieg durch das Münchner Abkommen aufs erste abgewendet schien, waren diese Pläne in sich zusammengefallen. Nach Kriegsbeginn wurden Absichten und Termine immer wieder verschoben; ein Attentatsversuch im März 1943 scheiterte.

Neben der Militäropposition und der mit dieser verbundenen Gruppe überwiegend älterer nationalkonservativer Honoratioren um Carl Goerdeler hatten sich seit Ende 1938 um Peter Graf Yorck von Wartenburg jüngere, vor allem im Staatsdienst tätige Regimegegner unterschiedlicher politischer Herkunft gesammelt; der daraus entstandene Kreisauer Kreis traf sich ab 1940 mehrfach zu großen Treffen auf dem niederschlesischen Gut von Hel-

---

[162] Hans Mommsen, Der Widerstand gegen Hitler und die deutsche Gesellschaft. In: Jürgen Schmädecke/Peter Steinbach (Hrsg.), Der Widerstand gegen den Nationalsozialismus. Die deutsche Gesellschaft und der Widerstand gegen Hitler. München, Zürich 1985, S. 3–23; als Überblick zum Folgenden vgl. Hartmut Mehringer, Widerstand und Emigration. Das NS-Regime und seine Gegner. München 1997.

muth James Graf von Moltke. Dort berieten engagierte Vertreter der Generation der 30- bis 40 jährigen (darunter ehemalige sozialistische Politiker und Gewerkschafter, Professoren, Diplomaten und Geistliche beider Konfessionen) über eine politische, soziale und gesellschaftliche Neuordnung Deutschlands für die Zeit nach Hitler. Staatsstreich und Attentat standen hier nicht im Mittelpunkt; Moltke selbst hielt Tyrannenmord für unvereinbar mit seinem christlichen Gewissen.

Seit 1942/43 gab es Anzeichen wachsender Opposition, die freilich weiterhin die Sache kleiner, politisch oder religiös motivierter Gruppen und von Einzelgängern blieb. Aber auch der Terror und die Findigkeit der Verfolger nahmen zu. Ende August 1942 hatten Abwehr und Gestapo in Berlin die größte Spionage- und Widerstandsorganisation des Zweiten Weltkriegs ausgehoben, in der eine Gruppe von linken Intellektuellen, Schriftstellern und Künstlern um Harro Schulze-Boysen und Arvid Harnack mit dem von Paris aus operierenden Sowjetspion Leopold Trepper zusammenarbeitete. Etwa 100 Angehörige der »Roten Kapelle« wurden verhaftet, gefoltert und zum größten Teil als »bolschewistische Landesverräter« hingerichtet.

In München hatte seit Sommer 1942 eine Studentengruppe versucht, die Situation zu beenden, in der »jeder wartet, bis der andere anfängt«, und unter dem Namen »Weiße Rose« zu Sabotage und passivem Widerstand aufgerufen. Am 18. Februar 1943 wurden die Geschwister Hans und Sophie Scholl von einem Hausmeister ertappt, als sie im Treppenhaus der Universität Flugblätter verstreuten; der Volksgerichtshof unter Freisler verurteilte neben den beiden noch vier weitere Mitglieder der Gruppe zum Tode. Lebte die Tat dieser jugendlichen NS-Gegner im Bewußtsein der deutschen Nachkriegsgesellschaft auch ganz besonders fort, so wurde zum Inbegriff des deutschen Widerstands gegen Hitler doch das Attentat vom 20. Juli 1944.

Die Zerschlagung des Kreisauer Kreises im Januar 1944, die Entmachung des mit den Widerständlern kollaborierenden Abwehrchefs Wilhelm Canaris und die Entwicklungen der allerletzten Tage, in denen die »Kreisauer« Sozialdemokraten Julius Leber und Adolf Reichwein verhaftet worden waren und nach Carl

Goerdeler eine öffentliche Fahndung lief, hatten die auf eine Gelegenheit wartenden Verschwörer zu dem Entschluß geführt, das »Unternehmen Walküre« nun nicht mehr länger aufzuschieben. Die Zeitbombe, die Oberst Claus Graf Schenk von Stauffenberg während einer Lagebesprechung im Führerhauptquartier bei Rastenburg in Ostpreußen deponierte, explodierte zwar, aber Hitler wurde nur leicht verletzt. Im Glauben, den »Führer« getötet zu haben, flog Stauffenberg zurück nach Berlin, wo die weiteren Maßnahmen jedoch nur zögernd anliefen. Als im Rundfunk die Nachricht von Hitlers Überleben kam, brach der Staatsstreich zusammen. Stauffenberg und mehrere andere Offiziere wurden noch in der Nacht standrechtlich erschossen. Etwa 200 Todesurteile des Volksgerichtshofs und 7000 Verhaftungen waren die furchtbare Bilanz der folgenden Wochen.

Die moralisch-politische Bedeutung dieser späten Aktion des nationalkonservativen Widerstands blieb unberührt von ihrem Scheitern: Die Verschwörer hatten ein Zeichen gesetzt für das Fortleben eines »anderen Deutschland«. Daß dieses Deutschland nicht das der parlamentarischen Demokratie, sondern bestenfalls das des autoritären Rechtsstaates war, nahm dem »Aufstand des Gewissens« nichts von seiner humanen Würde, begrenzte aber später die Möglichkeiten, daran im Sinne einer demokratischen Traditionslinie anzuknüpfen.

Die Feindseligkeit, mit der große Teile der Bevölkerung auf den Umsturzversuch reagierten, speiste sich aus derselben moralisch-politischen Verblendung, in der die barbarische Behandlung der Fremdarbeiter meist ebenso reglos hingenommen wurde wie die Deportation der jüdischen Nachbarn. Weithin löste die Nachricht von dem Bombenanschlag Empörung aus. Viele glaubten dem »Führer«, der im Rundfunk von einem Komplott einer »ganz kleine(n) Clique ehrgeiziger, gewissenloser und zugleich verbrecherischer, dummer Offiziere« sprach[163].

Gewiß gab es daneben auch Sympathie für die Verschwörer

---

[163] Zitiert nach Eberhard Zeller, Geist der Freiheit. Der zwanzigste Juli. München, 2. Aufl. 1954, S. 282; vgl. insgesamt Peter Hoffmann, Widerstand, Staatsstreich, Attentat. Der Kampf der Opposition gegen Hitler. München, 4. Aufl. 1994.

und Mitgefühl angesichts der drakonischen Behandlung, die das Regime selbst auf die Familien der Widerständler ausdehnte; zunächst aber überwog die Erleichterung über Hitlers Entkommen. Neben der Angst vor einem Bürgerkrieg sprach daraus vor allem der Glaube, kein anderer als Hitler könne den Krieg beenden. So dachten nicht nur überzeugte Nationalsozialisten und Funktionäre, die für den Fall der Niederlage persönliche Konsequenzen fürchten mußten; vielen war es einfach noch nicht möglich, Abschied vom »Führer« als ihrem Objekt jahrelanger mythischer Verehrung zu nehmen. Nachdem die erste Erregung über die Offiziersfronde abgeklungen war, fanden sich in den Stimmungsberichten allerdings zunehmend nüchterne Beurteilungen: Die Chance einer Abkürzung des Krieges, eines »Endes mit Schrekken«, sei vertan[164].

Tatsächlich wurden die kommenden Monate zu einem endlosen Schrecken, kostete die Schlußphase des Krieges noch einmal Hunderttausende von Menschenleben. Die militärisch sinnlose Bombardierung der deutschen Städte ging mit wachsender Bombenfracht weiter; im letzten Kriegsjahr warfen amerikanische und britische Flugzeuge mehr als eine Million Tonnen Sprengstoff ab, nur einen Teil davon nun auch auf strategische Ziele. In den Luftangriffen, die das dichtbesiedelte Rhein-Ruhr-Gebiet und die großstädtischen Ballungsräume, aber auch Städte wie Freiburg, Würzburg, Kassel, Magdeburg, Prenzlau, Emden und im Februar 1945 besonders verheerend Dresden trafen, starben ungefähr eine halbe Million Menschen; Hunderttausende wurden verletzt, Millionen verloren ihr Zuhause. Das Pendel der Gewalt schlug jetzt in vollem Maße gegen die Deutschen zurück.

Fünf Tage nach dem Attentat im Führerhauptquartier ernannte Hitler seinen Propagandaminister zum »Generalbevollmächtigten für den totalen Kriegseinsatz«. Die wenigen Rücksichten, die das Regime bis dahin noch auf die Bevölkerung genommen hatte, waren hinfällig geworden. Im Verein, aber nicht koordiniert mit Speer und Himmler, dem Hitler zusätzlich

---

[164] Vgl. Ian Kershaw, Der Hitler-Mythos. Volksmeinung und Propaganda im Dritten Reich. Stuttgart 1980, S. 186–191.

den Oberbefehl des Ersatzheeres übertrug, befahl Goebbels die hektische Mobilisierung der letzten Reserven. Aus Verwaltung und Wirtschaft wurden Menschen »ausgekämmt«, um an der Front zu sterben oder als Arbeitslose nirgendwo mehr sinnvollen Einsatz zu finden. Im Oktober 1944 zitierte das Regime alle waffenfähigen Männer zwischen 16 und 60 Jahren zum »Deutschen Volkssturm«, vier Monate später wurden Frauen und Mädchen aufgefordert, dort Hilfsdienste zu leisten. Die »Maßnahmen« der drei Bereichsdespoten erwiesen sich als das Endstadium eines Amoklaufs. Noch einmal bäumte sich das Regime auf und setzte dabei ungeheure Zerstörungskräfte frei.

Nach Hitler sollte nichts mehr sein. Die Vorstellung, dem »Tausendjährigen Reich« könnte eine staatliche Ordnung folgen, die sich stützen würde auf das 1933 und in den folgenden Jahren beiseite gefegte politische Personal der Republik, erschien dem »Führer« unerträglich. So erklärte sich im August 1944 die »Aktion Gewitter«, in der mehrere Tausend Politiker und Beamte aus der Weimarer Zeit festgenommen wurden (auch Angst vor einer weitergehenden Oppositionsbewegung spielte dabei eine Rolle), und solchen Motiven folgte im März 1945 Hitlers Politik der verbrannten Erde. Der »Führer« nahm Deutschlands Untergang nicht nur in Kauf, er wollte ihn gegebenenfalls selbst herbeiführen. In der Niederlage sollte die Nation mit ihm von der Weltbühne abtreten: »Wenn der Krieg verlorengeht, wird auch das Volk verloren sein. Dieses Schicksal ist unabwendbar.« Deshalb sei es, so Hitler zu seinem Rüstungsminister, »nicht notwendig, auf die Grundlagen, die das deutsche Volk zu seinem primitivsten Weiterleben braucht, Rücksicht zu nehmen«. Im Gegenteil sei es sogar besser, im Ernstfall alles zu zerstören, denn »das Volk hätte sich als das schwächere erwiesen, und dem stärkeren Ostvolk gehöre dann ausschließlich die Zukunft«[165].

Speer, die Wehrmacht, aber auch die meisten Gauleiter und Reichsverteidigungskommissare widersetzten sich Hitlers »Nero-Befehl«. Zu offenkundig war dessen Sinnlosigkeit und Egozen-

---

[165] Zitiert nach Percy Ernst Schramm (Hrsg.), Kriegstagebuch des Oberkommandos der Wehrmacht. Frankfurt am Main 1961, Band 4, S. 1582 f.

trik, zu stark doch der vom »Führer« so oft beschworene »Lebenswille« des Volkes. Hitlers Verlangen nach der Zerstörung von Deutschlands technisch-zivilisatorischer Substanz – schwerlich vereinbar mit seinem dann im politischen Testament erhobenen posthumen Gestaltungsanspruch – berührte die Deutschen, soweit sie im Durcheinander einer sich auflösenden Herrschaft überhaupt davon erfuhren, nicht mehr. Aus der zerfallenden Volksgemeinschaft noch nicht entlassen, war jetzt doch jeder auf sich gestellt. In einem schmerzhaften Prozeß der Ernüchterung besannen sich die Menschen auf ihre Interessen.

Im Osten zwang der schnelle Zusammenbruch der deutschen Front seit Januar Millionen zur überstürzten Flucht vor der Roten Armee. Wegen der offiziellen Durchhaltepolitik kaum vorbereitet, geriet die Evakuierung der Zivilbevölkerung zur Katastrophe. Tausende starben in den Flüchtlingstrecks, die etwa über das Eis des Frischen Haffs aus Ostpreußen nach Westen zu entkommen suchten; andere wurden von feindlichen Truppen überrollt, Opfer von Morden, Vergewaltigungen, Deportationen und jahrelanger Internierung in Polen, Jugoslawien und der Sowjetunion. Die dort zuvor von Deutschen begangenen Verbrechen provozierten nun Orgien der Rache und neuer Gewalt, mit denen hätte rechnen müssen, wer wie Himmler Anfang November 1944 den Befehl gab, die Gaskammern von Auschwitz und die Massengräber der Ermordeten zu beseitigen.

Im Prozeß der Auflösung der Herrschaft erreichten Widersinn, Niedertracht und Terror des Regimes ihre letzte Stufe. Neben der SS und lokalen Parteiführern war es vor allem die Justiz, die sich im wachsenden Chaos zerstörter Städte, zusammenbrechender Versorgung, aufflammender Widerständigkeit und verzweifelter Selbstbehauptung von Ausgebombten, Flüchtlingen, Deserteuren und freigewordenen Fremdarbeitern als unbarmherziger Büttel des Regimes erbot. Volksgerichtshof, Sondergerichte, aber auch die normalen Strafkammern fällten noch in den letzten Tagen der NS-Herrschaft Todesurteile wegen angeblichen Hoch- und Landesverrats oder »Wehrkraftzersetzung«; »fliegende« Standgerichte ergänzten den Hinrichtungs-Terror der Wehrmachtsjustiz gegen Fahnenflüchtige und »Meuterer«. Schließlich traf der Einsatzbeginn des »Werwolf«, von Goebbels am Ostersonntag 1945 im Rundfunk verkündet, weniger die – in Erwartung starker Partisanenverbände daraufhin unnötig gewaltsam vorrückenden – alliierten Truppen als Einheimische, die durch eine kampflose Übergabe ihrer Ortschaften Blutvergießen und Zerstörung in letzter Stunde verhindern wollten. In einer Anzahl von Dörfern und Städten »exekutierten« fanatisierte Kommandos hitlertreuer SA- und SS-Männer noch couragierte Bürger, während sich die Parteiprominenz längst in Sicherheit gebracht hatte.

Die meisten Spitzen des Regimes, voran Göring, Speer und Ribbentrop, verließen Berlin am Abend von Hitlers 56. Geburtstag. Im »Führerbunker«, fünfzehn Meter unter der ausgebombten Reichskanzlei, war man an diesem 20. April 1945 noch einmal zusammengekommen. Drei Tage später erkundigte sich Göring, inzwischen in die »Alpenfestung« am Obersalzberg geflüchtet, wie es mit der Nachfolge des »Führers« bestellt sei und ob er nun Handlungsfreiheit habe. Hitlers Entourage erlebte einen Ausbruch hemmungsloser Wut, der sich wiederholte, als am 28. April die Kontaktversuche Himmlers mit den Westalliierten bekannt wurden. Der eingegrabene Diktator verstieß den Reichsführer SS aus der Partei und bestimmte Goebbels, der bis zuletzt an der Seite seines Meisters verharrte, zum Reichskanzler. Reichspräsident sollte Admiral Dönitz werden, Bormann »Parteiminister«. Bevor er abtrat, zerschlug Hitler jene Verbindung von Ämtern, die das Dritte Reich zum »Führerstaat« gemacht hatte.

Am 30. April 1945, zwölfeinviertel Jahre nach seinem Einzug in die Reichskanzlei, setzte der »Führer des Deutschen Reiches und Volkes« der Agonie im Bunker ein Ende. Aber der Selbstmord vollzog den Tod nur noch nach, den sein Mythos in quälenden Wochen gestorben war. Die Deutschen waren fertig mit Hitler. Noch ehe das Dritte Reich aufgehört hatte zu bestehen, war der Nimbus seines »Führers« im Nichts versunken, aus dem er gekommen war. Nichts blieb von der politischen Hybris, die Deutschland und später die ganze Welt in Atem und in Angst gehalten hatte – nur Elend, Zerstörung, millionenfaches Leid. Der Nationalsozialismus war tot.

III. Der »Führerstaat«: Prägekraft und Konsequenzen

Entstehen und Ende des Dritten Reiches werfen tausend Fragen auf an die deutsche Geschichte, und nicht nur Historiker werden damit noch lange beschäftigt sein. Aber gerade das monströse letzte Kapitel der Herrschaft Hitlers hält auch Antworten bereit oder doch manchen Schlüssel dazu. Aufschlußreich ist weniger der von außen verfügte völkerrechtliche und militärische Schlußstrich der bedingungslosen Kapitulation vom 8. Mai 1945, als vielmehr der innere, gesellschaftliche Ausstieg aus der NS-Zeit in den Tagen und Wochen davor. Der Kontrast zwischen dem sichtbaren Chaos von Zerstörung und Niederlage und dem lautlosen kollektiven Rückzug aus der NS-Volksgemeinschaft, der sich fast ausschließlich in den Köpfen der Menschen vollzog, hätte größer nicht sein können. Kein Aufstand der Unzufriedenen, Geschundenen, politisch Unterdrückten, kein allgemeines Aufbegehren aus dem Wunsch, endlich Schluß zu machen mit dem aussichtslosen Krieg, nicht einmal Racheaktionen kennzeichneten die Situation, sondern ein von Resignation, Leere und übermächtiger Erschöpfung bestimmtes Warten.

Doch aus dem stillen Ende sprach auch ein untergründiges Gefühl der Verstrickung. Hatte man nicht allzulange begeistert mitgemacht, dem »Führer« zugejubelt? »Ein Volk, ein Reich, ein Führer« – war die Parole nicht auch Wirklichkeit gewesen? Plötzlich aus zwölfjähriger ideologisch-politischer Indienstnahme entlassen, »Führer«-los geworden, begannen viele sich des persönlichen Opportunismus, der mit mehr oder weniger schlechtem Gewissen eingegangenen Kompromisse zu erinnern und bemerkten, nicht unbeschädigt durch die »große Zeit« gekommen zu sein. Das Schweigen war nicht allein Ausdruck grenzenloser Enttäuschung und Erbitterung; mitunter war es auch Zeichen der Scham.

In der Auflösungsphase des Dritten Reiches bestätigte sich

noch einmal die überragende Bedeutung Hitlers als des charismatischen Trägers der politischen Bindekraft. Als Mythos und Medium – nicht in der menschlichen Armseligkeit seiner Person – war der »Führer« bis ins Ende der zentrale Bezugspunkt des Herrschaftssystems. Auf ihn schien alles zurückzugehen: der Aufstieg der »Bewegung«, die innenpolitischen Erfolge, die außenpolitischen Triumphe – vor allem aber, und damit verbunden, eine bisher nicht gekannte Fähigkeit zur Integration der Massen. Diese Fähigkeit hielt lange vor und ging weit über den Bereich profaner Politik hinaus. Die Deutschen verehrten, priesen, liebten Hitler. Gleich einer Religion, bedurfte der Hitler-Glaube immer wieder der Bestätigung und der Erneuerung in Ritualen und Plebisziten, aber in nicht allzulangen Abständen bedurfte er auch der konkreten politischen Fundierung. Seitdem die dazu notwendigen Erfolge ausblieben, ab 1942, zehrte sich der »Führer«-Mythos auf. Goebbels, selbst dringend darauf angewiesen, an seinen »Führer« glauben zu können, vermochte den Verfallsprozeß mit inbrünstiger Propaganda wohl zu verlangsamen, aber nicht zu stoppen. In der zweiten Kriegshälfte, als die Zumutungen an die Leistungskraft und Leidensfähigkeit immer größer und die Anlässe für politische Zuversicht immer seltener wurden, begann die Entnazifizierung der Deutschen.

Das Regime reagiert auf das Nachlassen seiner kriegerischen Erfolge und damit seiner Suggestivität mit verschärfter politischer Repression. Aber selbst noch während der (nach Möglichkeit geheimgehaltenen) Gewalt- und Vernichtungsexzesse auf den Schauplätzen des Weltanschauungskrieges und der Besatzungspolitik im Osten hielt sich der Terror gegenüber der eigenen Bevölkerung in Grenzen. Nach wie vor setzte die NS-Führung mehr auf Zustimmung als auf Zwang, blieb sie für Schwankungen in der genauestens beobachteten »Volksmeinung« anfällig und empfindlich. Der Verzicht auf alle Formen der Rücksichtnahme im Innern war erst eine Erscheinung der letzten Kriegsmonate.

Aus dieser Feststellung ergeben sich Folgerungen für eine angemessene historische Betrachtung der NS-Zeit. So muß daran erinnert werden, daß dem offensichtlichen Gewaltcharakter der Schlußphase eine weitaus kompliziertere Erfahrungsgeschichte der Zeitgenossen gegenüberstand, ohne deren ernsthafte Berücksichtigung die Geschichte des Dritten Reiches weder zu verstehen noch zu erklären ist. Die Entwicklung der Jahre 1933 bis 1945 mag in sich folgerichtig gewesen sein, aber sie war weniger zwangsläufig, als eine allein von den Gewalt- und Vernichtungsorgien ihres Endes ausgehende oder eng darauf fixierte Interpretation suggeriert. Ein solcher, moralisch-politisch oft »gutgemeinter« Darstellungsansatz simplifiziert nicht nur und wirkt damit unvermeidlich entpolitisierend, er unterliegt auch einer besonderen Gefahr selbstgerechter Überheblichkeit. Gewiß gibt es gute Gründe, von einem hohen Maß klar zutage liegender programmatischer Entschlossenheit auszugehen und die Handlungsspielräume anderer als des »Führers« gering anzusetzen, aber schon der Gedanke, Hitler könnte 1938 einem Attentat zum Opfer gefallen sein[1], zwingt zu der Einsicht, daß die faktische Entwicklung durchaus nicht unvermeidlich war.

Aus alledem entsteht die Notwendigkeit, die politische Geschichte und die Gesellschaftsgeschichte der NS-Zeit differenziert in den Blick zu nehmen und die Maßstäbe ihrer Bewertung nicht allein aus der Kriminalität der Weltanschauung und der daraus abgeleiteten Verbrechen zu beziehen. Die Alltagssituation im Dritten Reich war bestimmt durch die ständige Gleichzeitigkeit, nicht durch die Alternative, von Lockung und Zwang, Verführung und Verbrechen, Angeboten zur Integration und Drohung mit Terror. Entsprechend vielschichtig und uneinheitlich verhielten sich die Menschen: Zustimmung zur Politik des Regimes und aktive Unterstützung seiner Maßnahmen, etwa im wirtschaftlichen Bereich, konnte einhergehen mit offener Ablehnung bestimmter weltanschaulicher Postulate – und umgekehrt. Auf manchen Feldern gab es viel Anpassungsbereitschaft, auf anderen hingegen überwiegend Resistenz. Aus zunächst unpolitischen, traditionellen Beharrungskräften konnte unter Umständen politischer Widerstand erwachsen. Was als Zumutung empfunden

---

[1] Vgl. Joachim C. Fest, Hitler. Eine Biographie. Frankfurt am Main usw. 1973, S. 25; dagegen Sebastian Haffner, Anmerkungen zu Hitler. München 1978, S. 54–58.

wurde und was als Selbstverständlichkeit, hing ab von Mentalitäten, religiösen Überzeugungen und wirtschaftlich-sozialem Hintergrund. Ob und wann einer zum Gegner des Regimes wurde, entschied sich häufig nicht im Ideologisch-Grundsätzlichen, sondern an Fragen der praktischen Politik und daran, ob er von konkreten Maßnahmen betroffen war oder nicht. Die empirisch genaue Untersuchung des politischen Verhaltens der Bevölkerung widerlegt die totalitarismustheoretisch inspirierte Vorstellung eines aller sozialen und geistigen Bindungen beraubten, »atomisierten« und dadurch der indoktrinatorischen Gewalt vollständig ausgelieferten Individuums. In gewisser Weise spricht dagegen sogar die partiell existent gewordene Volksgemeinschaft.

So wenig ein Zweifel bestehen kann am totalitären Charakter der nationalsozialistischen Weltanschauung und am Primat der monopolisierten Politik – letztlich auch gegenüber der Wirtschaft –, so deutlich ist doch, daß die Durchsetzung des totalitären Herrschaftsanspruchs in vielen Bereichen der Gesellschaft an Grenzen stieß. Im Bemühen um eine realistische Beschreibung der historischen Lebenswirklichkeit genügt es deshalb nicht, die allenthalben nachweisbaren, weil von der nationalsozialistischen Propaganda lautstark verkündeten totalitären Absichten des Regimes darzustellen. Entscheidend ist die Frage, in welchen Bereichen, zu welchem Zeitpunkt und wie weitgehend diese Ansprüche eingelöst werden konnten. Aus dieser Perspektive eröffnet sich der Blick auf beträchtliche Nischen, Freiräume und Reservate, die der Nationalsozialismus nicht oder nur sehr begrenzt auszufüllen vermochte: vor allem im Massenkulturellen, Künstlerischen, Religiösen, aber auch in vielen Bereichen der technischen Zivilisation und des Alltagslebens.

Mochte diese »Lückenhaftigkeit« der Herrschaft zu einem guten Teil zurückzuführen sein auf ihre chaotischen inneren Strukturen, die in so augenfälligem (und schon von den Zeitgenossen erkannten) Kontrast standen zu der monolithischen »Führerstaats«-Fassade, so war sie in mancher Hinsicht nicht nur funktional, sondern vielleicht sogar unerläßlich. Denn gerade die Fähigkeit des Regimes, in bestimmten Bereichen ganz oder zeitweilig faktische Begrenzungen seiner Macht zu ertragen, garantierte – in Verbindung mit dem »Führer«-Mythos und den politischen Erfolgen – seine außerordentliche Integrationskraft. Gemessen an einem theoretischen Ideal totalitärer Herrschaft wirkte das Regime wenig perfekt, konnte Hitler in der Tat fast als ein »schwacher Diktator«[2] erscheinen; gemessen aber an der praktischen Wirksamkeit und der Effektivität der Machtentfaltung traf das Gegenteil zu.

Kann schon der Aufstieg der NSDAP zur Massenbewegung nicht allein auf die Genialität ihrer Propaganda und deren Zusammentreffen mit der Weltwirtschaftskrise zurückgeführt werden, so erst recht nicht die rasche Entfaltung und breite Anerkennung der NS-Herrschaft mit einer virtuosen Anwendung totalitärer Manipulationstechniken. Letzteres spielte zweifellos eine besondere Rolle; ausschlaggebend aber war, daß es dem Regime, wie vorher der »Bewegung«, gelang, die Bedürfnisse und Sehnsüchte breiter Schichten überzeugend anzusprechen, zu seiner Sache zu erklären und wenigstens zum Teil auch zu befriedigen. Darin lag die Modernität des Hitler-Staats; daraus erklärt sich seine langanhaltende Fähigkeit, die Massen zu mobilisieren und ihre Loyalität zu erhalten.

Bauern, Arbeiter, Angestellte – Hunderttausende entwickelten in den Jahren seit 1933 zum ersten Mal das Gefühl, politisch ernstgenommen und verstanden zu werden. Wann in der deutschen Geschichte war dem Volk so viel laute, demonstrative Aufmerksamkeit und soziale Betreuung zuteil geworden? Wann jemals hatte der Staat den Bereich des Politischen und damit seine Verantwortung für den einzelnen umfassender definiert? Wann zuvor waren so viele eingängige Identifikationssymbole zugleich mit so vielen Chancen der Partizipation angeboten worden? Und endlich: Schien man nicht auf dem Weg in eine emanzipatorische Massengesellschaft, in der Leistung mehr zählte als Herkunft, in der aber auch die angstmachende Unüberschaubarkeit der Industriezivilisation aufgehoben sein würde durch feste Ordnung, klare Feindbilder und einfache Werturteile?

[2] So Hans Mommsen, Nationalsozialismus. In: Sowjetsystem und demokratische Gesellschaft. Freiburg 1971, Band 4, Sp. 695–713, hier 702.

Der populistische Appeal der NS-Bewegung, die Einfachheit ihrer Botschaft und das Charisma ihres »Führers« prägten in erweiterter und gesteigerter Form auch die psychische Realität des Dritten Reiches. Der verbreitete Hunger nach sozialer Integration wurde beantwortet mit permanenter klassenübergreifender Mobilisierung und dem expliziten Verzicht auf politische Normalität. Ergebnis war eine Gesellschaft im Ausnahmezustand. Die davon begünstigte Aufweichung überkommener sozialmoralischer Bindungen setzte enorme gesellschaftliche Energien frei. Sie kamen dem Prozeß der sozialen und ökonomischen Modernisierung ebenso zugute wie der ideologischen Tat.

Eine nicht aufzulösende Verknüpfung von technischer Modernität und reaktionärer Vision war konstitutiv für die Wirklichkeit des Dritten Reiches. Unbehindert von der Rückwärtsgewandtheit vieler seiner ideologischen Postulate bediente sich der Nationalsozialismus aller Mittel moderner Technik und trieb auch ihre Durchsetzung voran. In Bereichen wie der Massenkommunikation, der Motorisierung und der Gestaltung der Freizeit, aber auch im Bildungssystem, in den Familienstrukturen und im Gesundheitswesen, initiierte das Regime in den dreißiger Jahren Entwicklungen, die im wertneutralen Sinne nicht anders denn als Modernisierung zu begreifen sind. Viele dieser Maßnahmen waren ideologisch motiviert, ihre Wirkungen jedoch ließen sich weder eindeutig vorausberechnen noch auf den gewünschten engen Zweck begrenzen. Das galt verstärkt für die Kriegsphase, in der zusätzliche Modernisierungsschübe – etwa in der Wehrmacht – einsetzten und insgesamt die Egalisierung der Gesellschaft beschleunigt wurde. Unübersehbar sind schließlich Elemente struktureller Modernisierung, die mit der militärischen Niederlage einhergingen und insofern durch den Nationalsozialismus ausgelöst, aber natürlich nicht angestrebt worden waren: das Ende des Junkertums und der agrarisch-vordemokratischen Sozialstrukturen Ostelbiens; die Einebnung regionaler und landsmannschaftlicher Unterschiede durch Flucht und Vertreibung; die »Verjüngung« der industriellen Anlagen und der Städte infolge des Bombenkriegs.

Gewiß bewirkte der Nationalsozialismus keine grundstürzende und umfassende Veränderung von Wirtschaft und Gesellschaft (was strengen Modernisierungstheoretikern erst als Modernisierung gilt); dazu lag zu vieles im Trend der Zeit, war Deutschland 1933 schon zu »modern« und eine Herrschaftsdauer von zwölf Jahren auch zu kurz. Aber ebenso sicher hinterließ das Dritte Reich ein nicht nur geographisch tief verändertes Deutschland. Nein, eine Revolution hatte es nicht gegeben, die Klassenstrukturen waren die alten geblieben. Doch die Nationalsozialisten hatten die sozialpsychische Bedeutung der Klassenunterschiede auf vielerlei Weise minimiert. Mit ihrer Volksgemeinschafts-Propaganda, durch ihren sozialpolitischen Aktivismus, durch die Aufwertung des »deutschen Facharbeiters« und komplementär dazu durch die schonungslose Ausbeutung der »rassisch tiefstehenden« Fremdarbeiter hatten sie das Statusbewußtsein großer Teile der Arbeiterschaft wie insgesamt das Bewußtsein der deutschen Gesellschaft von sich selbst verändert.

Am Anfang hatte die Absicht der traditionellen politischen und wirtschaftlichen Eliten gestanden, mit Hilfe der NSDAP die Arbeiterbewegung auszuschalten, das autoritäre Regime zu stabilisieren und die Machtverteilung zwischen Arbeit und Kapital zugunsten von letzterem zu verschieben. Am Ende stand eine säkularisierte, politisch desillusionierte und – wie sich bald zeigen sollte – in hohem Maße entideologisierte Gesellschaft mit strukturell weit besseren Voraussetzungen für einen demokratischen Aufbau als 1918. Während mit dem Untergang des Regimes die verbrecherischen Ideologeme nationalsozialistischer Politik, zumal der Antisemitismus, außer bei isolierten Randgruppen ihre Legitimität verloren hatten, blieben manche in der NS-Zeit geübte »Haltungen« und Einstellungen präsent und erwiesen im wirtschaftlichen Wiederbeginn erneut ihren Gebrauchswert: Leistungsorientierung und Durchsetzungsfähigkeit, Opferbereitschaft, Pragmatismus, Improvisationskunst, Bedürfnislosigkeit sowie Abkehr von sozialem Dünkel und unpraktischem Standesbewußtsein.

In solchen »jungen« industriegesellschaftlichen Tugenden gründete jene technokratische Machermentalität, ohne deren systematische Förderung die enormen rüstungswirtschaftlichen und militärischen Leistungen des Dritten Reiches kaum vorstellbar gewesen wären; allerdings auch nicht die historisch beispiellosen Vernichtungsverbrechen, zu deren Realisierung ideologische Entschlossenheit allein nicht genügte. Das Regime verstand sich darauf, die freiwerdenden gesellschaftlichen Energien auch in moralische Enthemmung umzusetzen, und die in der Struktur des Systems auf allen Ebenen angelegte Dauerkonkurrenz um Macht und Einfluß verstärkte die politische Radikalisierung. So gab es keinen plötzlichen Rückfall in die Barbarei, vielmehr standen die Vernichtungsaktionen während des Krieges in der Kontinuität eines von Technokraten, Wissenschaftlern und Ideologen vorangetriebenen Prozesses der Kulturentledigung, dessen Wirkungsmacht nicht auf die unmittelbaren Täter beschränkt blieb.

Bei aller herausgehobenen Radikalität der NS-Weltanschauung erscheint es notwendig zu betonen, daß die Ursachen und Möglichkeiten der sukzessiven Zerstörung humanitärer Gesittung letztlich in der modernen Industriezivilisation selbst verankert waren – und bleiben. Es war ja kein Zufall, daß in der ideologischen Vorstellungswelt der Nationalsozialisten Versatzstücke sozialdarwinistischer und rassistischer Theorien eine zentrale Rolle spielten. Die Aufnahmebereitschaft der eklektizistischen Weltanschauung für Erkenntnisse aus zeitgenössischen Grenzbereichen naturwissenschaftlicher Forschung wie der Eugenik und der Sozialbiologie ist bekannt, auch die politische Instrumentierbarkeit einer auf der Erkenntnis rassischer Unterschiede basierenden Wissenschaft. Aber vor dem Hintergrund der monströsen Pervertierung dieser Erkenntnis in der planmäßigen, millionenfachen Vernichtung »rassisch Minderwertiger« weniger deutlich geworden sind die weitergehenden, auf ihre Art durchaus »realistischen« Intentionen des nationalsozialistischen Gesellschaftsprojekts.

Im Schatten der »Endlösung« gingen die Planungen ja weiter, war eine erste Generation nationalsozialistischer Experten dabei, aus den Fußstapfen der »Alten Kämpfer« herauszutreten. Was den jungen Technokraten vorschwebte, war eine weltanschaulich geprägte, aber wissenschaftlich fundierte Nachkriegsordnung, die sehr viel »rationaler« und effizienter hätte werden sollen als der Hitler-Staat des quasi-revolutionären Anfangs. Nicht zuletzt mit Hilfe verfeinerter Herrschaftstechniken sollte das System gleichsam auf einer höheren Stufe neu konsolidiert werden. Die Zeit, in der unausgegorene Stammtischideen und private Obsessionen eines Hitler oder Himmler Politik und Weltanschauung bestimmen konnten, sollte überwunden werden. Im sozialpolitischen Bereich und auf dem Gebiet der Wirtschaftspolitik liegen die Konturen dieser Planungen zutage; die Ernsthaftigkeit der Absicht, einen genuin nationalsozialistischen, »deutschen« Weg einzuschlagen zwischen Kapitalismus und Kommunismus, ist unverkennbar.

Aus dieser freilich in die historische Spekulation übergehenden Perspektive stellt sich die Frage nach der Systemfähigkeit des Nationalsozialismus und der Modernität des »Führerstaats« noch einmal neu: Die vielen »zeitgemäßen« Elemente seiner Herrschaft erscheinen dann nicht einfach als unbeabsichtigte oder gar dysfunktionale Nebenwirkungen einer im Grunde reaktionären, atavistischen Politik, sondern als Vorboten des Versuchs, das Projekt der Moderne in der spezifischen Variante einer völkischen Ordnung zu vollenden. Rassismus war der absolute Wert in dieser toten, technokratischen Welt. Die Barbarei trug das Gewand der Modernität.

Dokumente

1. Beobachtungen eines Privatdozenten: Zur Soziologie der nationalsozialistischen Revolution

Rudolf Heberle, der Autor der folgenden Notizen aus der ersten Jahreshälfte 1934, war von 1929 bis 1938 Privatdozent am Institut für Weltwirtschaft der Universität Kiel, danach Professor für Soziologie an der Louisiana State University in Baton Rouge/USA. Bereits 1934 verfaßte Heberle eine noch heute als vorbildlich geltende Arbeit über ›Landbevölkerung und Nationalsozialismus. Eine soziologische Untersuchung der politischen Willensbildung in Schleswig-Holstein 1918–1932‹, die jedoch erst 1963 erscheinen konnte. Heberles Beobachtungen über die Veränderungen vor allem im Universitätsmilieu unterscheiden sich von anderen – insgesamt nicht sehr zahlreichen – zeitgenössischen Niederschriften durch den geschulten »soziologischen Blick«. In seiner kurzen Vorbemerkung zur Erstveröffentlichung des Dokuments schrieb Heberle: »Die Ausdrucksweise ist offensichtlich vorsichtig, ja an manchen Stellen zweideutig. Der Verfasser war sich darüber klar, daß solche Notizen, wenn etwa von der Gestapo gefunden, gefährlich werden könnten. Es muß aber für den heutigen Leser gesagt werden, daß man einige Monate später solche Gedanken überhaupt nicht mehr zu Papier gebracht haben würde. Denn jede noch so objektiv gehaltene Analyse erregte den Verdacht der Partei- und Staatsfeindlichkeit.«

Zitiert nach: Vierteljahrshefte für Zeitgeschichte 13 (1965), S. 438–445.

Es wäre sehr interessant, eine Soziologie und Sozialpsychologie der »deutschen« Revolution zu schreiben – vor allem über die Prozesse der Anpassung und Umstellung bei den früheren Gegnern der NS. Einige, die ehrlich, aber nicht sehr klar denkend sind, haben ganz bewußt das Opfer des Intellekts gebracht und sich entschlossen unter Bruch mit ihrem bisherigen Standpunkt zum neuen Regime bekannt; sie arbeiten aktiv mit, wo sie können, und versuchen, sich den Geist des NS zu eigen zu machen. Eine zweite Kategorie sind diejenigen, die im Herbst 1932 Hitler noch für den Gottseibeiuns hielten, seit dem 5. März oder seit dem 1. Mai aber behaupten, sie seien eigentlich schon immer innerlich nationalsozialistisch gewesen, sie hätten die Bewegung nur verkannt, es sei ja gerade das, was sie immer gewollt hätten. Bei einigen ist das glatter Selbstbetrug, bei anderen Lüge, bei einigen aber wirklich so: diese hatten in Hitler den Führer einer plebejischen, halb bolschewistischen Revolution gesehen, von der sie den Ruin der bürgerlichen Gesellschaft fürchteten, und nun erkannten sie mit einem Male, daß Hitler gerade die Erhaltung dieser bürgerlichen Gesellschaft bedeutete, daß die Nationalsozialisten »zugelernt« hätten, daß sie keineswegs alles ruinieren. Das sind die Spießer, die besonders begeistert waren, als offiziell der Schluß der revolutionären Periode und der Beginn der Evolution erklärt wurden: Demokraten, Zentrumsleute, Volksparteiler.

Ehrliche Opportunisten, die offen erklären, man müsse eben mit den Wölfen heulen und sich keine Rechtfertigungsideologie machen, sind selten. Häufiger schon die stillen Oppositionellen, die sich von allen öffentlichen Angelegenheiten fernhalten und nur unter vier Augen einmal ihrem Herzen Luft machen. Dazu gehören viele Deutschnationale und Konservative.

Da diese zur Untätigkeit gezwungen sind, bleibt die Opposition unfruchtbar. Überdies geht ihre grundsätzliche Sympathie mit dem neuen Regime so weit, daß ihre Kritik an den Einzelheiten und an sekundären Erscheinungen haftet: sie »meckern«. Besonders schimpfen sie über die mangelnde Qualität der *homines novi*, über die egalitären Züge, über die Unterdrückung des freien Wortes und was dergleichen bürgerlich-liberale Gesichtspunkte mehr sind.

Wirklicher Widerstandswille, wenn auch nur in Form passiven Widerstandes, scheint sich nur in der Arbeiterklasse gezeigt zu haben. Wer noch etwas zu verlieren hatte, war dank der absoluten ökonomischen Abhängigkeit aller von den politischen Machthabern, die sofort hergestellt wurde, bei Gefahr des Verhungerns genötigt, sich zu fügen.

Am eifrigsten in der Beteuerung ihrer nationalsozialistischen Gesinnung waren die politisch vorbelasteten »Märzgefallenen«; *alte* Pgs verhielten sich vielen neuen Erscheinungen und Maßnahmen gegenüber viel kritischer und benahmen sich auch denen, die nicht geschwenkt waren, gegenüber geschmack- und taktvoller.

Der lebendige Sinn für Symbolik, der die Nationalsozialisten kennzeichnet, ermöglichte eine weitgehende Kontrolle der Gesinnungen. Zum Beispiel der Hitlergruß – ich habe ihn erst angewandt, als es allgemein für Beamte befohlen wurde, und habe oft beobachtet, daß alte nationalsozialistische Studenten mich im Institut mit Kopfnicken oder Verbeugung grüßten, während frischgebackene Nazis mich mit »Heil Hitler« begrüßten. Die Anpassung an all diese neuen Konventionen bedeutet für Leute mit einigem Rückgrat eine fortdauernde Serie von Demütigungen.

Dazu kam die Gleichschaltung der verschiedenartigsten Organisationen, vom Interessenverband bis zum Turnverein, die ebenfalls oft in Formen vollzogen wurde, die für den unterliegenden Teil schwere Demütigungen mit sich brachte. Zumal fast überall die langjährigen und oft sehr erfahrenen und verdienstvollen Organträger unter Umgehung der »nächsten« Generation durch ganz junge unerfahrene Leute ersetzt wurden, deren einziges Befähigungszeugnis die Tatsache der Pg-schaft war.

In vielen Fällen hat sich an diesen jungen Leuten, die sehr oft der Nachkriegsgeneration angehörten (Jahrgang 1900 und folg.), das Sprichwort bewahrheitet: »Wem Gott ein Amt gibt, dem gibt er auch Verstand.« (Aber damit ist das Unrecht und die Kränkung gegen die Abgesetzten und Übergangenen nicht kompensiert – doch kann man hier sagen »c'est la guerre«.)

Mit sicherem politischen Instinkt haben die Nationalsozialisten erkannt, daß Politik Kampf ist und daß es in der Revolution keine Schonung für den Gegner gibt. Gewalttat, Mißhandlung, Konzentrationslager und einfache Einschüchterung sind daher angewandt worden, um jeden Widerstand zu brechen. Daß die Nationalsozialisten oft Leute von zweifelhafter Gesinnungstreue in ihre Reihen aufgenommen haben, brauchte sie nicht zu beunruhigen, denn sie haben ein vollkommenes System der Kontrolle über jeden Pg und SA-Mann, so daß gerade *diese* Elemente nichts riskieren konnten.

Andererseits waren sie in der Lage, ihre Anhänger zu belohnen durch Posten: bei der Polizei, im Dauerbetrieb der SA und SS; durch Privilegierung der Pgs bei Vergebung von Arbeitsstellen in privaten Unternehmungen und Säuberung der Betriebe von »Marxisten«, die durch Nationalsozialisten ersetzt wurden. Das Gefühl der Unsicherheit des Lebens, das die Gegner im Anfang beherrschte und lähmte, wich mit dem Nachlassen des physischen Terrors dem Gefühl der Ohnmacht, des ständig Überwachtseins, wobei das Mißtrauen gegen den lieben Nächsten eine große Rolle spielte. Kritische Bemerkungen, die durchaus konstruktiv gemeint waren, wurden oft mit der Bemerkung geschlossen: »Sie werden mich doch nicht anzeigen« oder »Man darf das ja eigentlich nicht sagen.«

Das Mißbehagen machte sich bald in einer Fülle von Witzen Luft: wenigen über Hitler, vielen über Goebbels, besonders aber über Göring, dessen Prunkliebe dem Volksempfinden die Zielscheibe zu vielen guten Witzen gab.

Die Wirtschaftskrise ist nicht nur eine wesentliche Bedingung für das Entstehen, sondern auch für den Erfolg der nationalsozialistischen Bewegung gewesen. Hätte nicht jedermann um den Verlust seiner Stellung gezittert, so würde sich viel mehr Widerstand erhoben haben, wie er sich in der protestantischen Kirche denn auch unter dem teilweisen Schutz durch die Deutschnationalen erhoben hatte gegen die »Deutschen Christen«.

Aber auch dieses Moment wäre den Nationalsozialisten nicht so zugute gekommen, wenn sie nicht in alle Betriebe, Organisationen und Behörden ihre Vertrauensleute delegiert hätten und wenn nicht die innige Einbeziehung jedes Individuums in den Gesamtzusammenhang der modernen Volkswirtschaft es selbst dem sonst so unabhängigen Bauern und dem kleinen Unternehmer unmöglich gemacht hätte, wider den Stachel zu löcken.

Immerhin: gegen »Übergriffe« untergeordneter Organe hat energisches Beharren auf dem eigenen Recht und persönlicher Mut in vielen Fällen sich als wirksam erwiesen. Aber das ändert nichts an dem Wesen der Sache. Die Diktatur der NSDAP war jedenfalls Ende des Sommers vollkommen, sie vollendete sich mit der Unterstellung des Stahlhelm unter die Oberste SA-Führung. Denn der Stahlhelm war an vielen Orten zu einem Sammelbecken *aller* Gegner des Nationalsozialismus geworden, von den Deutschnationalen bis zur SPD. Nur die ehemaligen KPD-Leute haben offenbar den Eintritt in die SA vorgezogen und auch leichter dort Aufnahme gefunden, wie z. B. die Braunschweiger Konflikte zwischen St(ahlhelm) und SA zeigten.

Die NSDAP war natürlich der Gefahr der Verwässerung ausgesetzt. Daher die häufigen Aufnahmesperren, die Einführung einer langen Probezeit für neue Mitglieder. Schließlich gegen Ende des Jahres 1933 die Trennung zwischen PO und den angegliederten Organisationen, welche es ermöglicht, der NSDAP den Charakter des politischen Ordens zu bewahren, ohne in den wirtschaftlichen und kulturellen Fachorganisationen auf die Mitwirkung erfahrener Leute aus anderen Lagern verzichten zu müssen.

Ein Beispiel für die Einschüchterung politischer Gegner: Vor dem Plebiszit im November 1933 hatte sich das begreifliche Gerücht verbreitet, die Stimmabgabe werde kontrolliert werden, d. h. es werde nicht nur Stimmzwang ausgeübt werden, wie es wirklich geschah, sondern auch nachgeprüft werden, wer gegen die Regierung gestimmt habe. Das wurde natürlich von der Regierung dementiert, und in Wirklichkeit ist auch nicht versucht worden, das Wahlgeheimnis zu verletzen. Dafür sprachen die zum Teil recht hohen Anteile der Nein-Stimmen, bzw. die Differenzen zwischen Volksentscheid und Reichstagswahl. Aber die Furcht, es könne geschehen, hat einige von meinen persönlichen Bekannten, die ausgesprochene Gegner des Nationalsozialismus sind, veranlaßt, mit »Ja« zu stimmen und auch bei der Reichstagswahl ihre Stimme für Hitler abzugeben.

Die Einschränkung der Pressefreiheit hat zu einer Subtilisierung des Stils geführt, die den Leser nötigt, zwischen den Zeilen zu lesen. Diese Kunst hat sich überhaupt sehr entwickelt; denn da wichtigste Maßnahmen ohne Kommentar angekündigt wurden, oft in die Geheimsprache einer harmlos scheinenden Verordnung gekleidet, so muß, wer sich auf dem Laufenden halten will, verstehen, den wirklichen Sinn einer Anordnung von dem scheinbaren zu unterscheiden oder aus dem Wortlaut von Parteibefehlen auf die Tatbestände zu schließen, die dadurch geregelt werden sollen.

Die Monopolisierung der öffentlichen Meinung durch die NSDAP und die Regierung bewirkte das Entstehen von Latrinenparolen, die Ausbildung einer Agitation von Mund zu Mund unter den Proletariern, die Hinwendung der Gebildeten zu ausländischen Zeitungen und zum ausländischen Radiosender; doch kann das wegen der Kosten an Zeit und Geld und der Sprachschwierigkeiten quantitativ nicht sehr viel ausmachen. Immerhin sieht man schweizerische, englische, skandinavische und französische, ja sogar amerikanische Zeitungen an den Zeitungsständen in der Stadt, während sie früher nur am Bahnhof zu haben waren. Quantitativ bedeutsamer ist der Absatzrückgang bei den großen Tageszeitungen und bei der Generalanzeigerpresse.

Dem Informationsbedürfnis sucht die Zusammenstellung von Pressestimmen des ›Blick in die Zeit‹ abzuhelfen. Eine vorsichtige immanente Kritik erlaubt sich die von Fr. Klein herausgegebene ›Deutsche Zukunft‹, die eigentlich Vergangenheit heißen sollte, da sie im wesentlichen für das Wertvolle und Dauernde am Liberalismus zu Felde zieht.

Ein sehr wirksames Mittel der Massensuggestion seitens der NS ist, die von der neuen Regierung ergriffenen Maßnahmen als vollkommen neu, als originäres Gedankengut der NS hinzustellen, auch wenn es sich um Dinge handelt, zu denen die Pläne schon in den Schiebladen der Brüning-Regierung lagen und die erst im Sommer 33 tatreif geworden waren, wie z.B. die Eider-Regulierung, oder um Maßnahmen, die in ähnlicher Weise auch früher schon getroffen waren, wie z.B. die Winterhilfe.

Oder es werden Ziele als spezifisch nationalsozialistisch verkündet, die andere Völker unter liberaler Ideologie längst verwirklicht haben: z.B. jene erzieherische Wirkung der SA, die zu einer weitgehenden Aufhebung des Standes- oder Klassendünkels führt und zu einem tätigen Kameradschaftsgeist – was bewirkt sie anderes als die Achtung vor jedem Mann ohne Ansehen seiner sozialen Stellung, die bei den Amerikanern selbstverständlich ist (bis zu auch bei uns nicht aufhebbaren Grenzen plutokratischer Art), und den team spirit des amerikanischen Collegeboys oder Angestellten?

Ohne die Leistungen des Nationalsozialismus zu verkleinern, kann man doch konstatieren, daß dieser Kunstgriff die wichtige gegenrevolutionäre Funktion hat, die Aufmerksamkeit der Menge von all dem abzulenken, was auf eine Stabilisierung der Herrschaft des Großkapitals hinzielt.

Auch die Symbolik dient vielfach einer Ablenkung vom Wesentlichen, z. B. wenn in der Hitler-Jugend »radikale« Opposition sich über das Abzeichenwesen empört, so ist das zwar Symptom einer bestimmten anti-bürgerlichen oder jedenfalls philisterfeindlichen Haltung, lenkt aber gleichzeitig die Kräfte ab von dem Kampf gegen die Zinsknechtschaft, von der energischen Durchführung der Ostsiedlung und anderen Zielen, welche den entschiedenen revolutionären Nationalsozialisten vorschweben.

Eine solche Funktion hat ja auch der Antisemitismus. Übrigens ist dieser, z. T. infolge schwerer Fehler auf jüdischer Seite, so weit verbreitet, daß man sich kaum vorstellen kann, daß in diesem Punkte jemals eine Umkehr erfolgen wird. Selbst Leute, welche die Art und Weise, wie man diese Frage zu lösen unternommen hat, verurteilen, offenbaren sich als ganz tief gefühlsmäßige Antisemiten, und wenn man andererseits das Verhalten der Juden in der Revolution beobachtet hat, so kann man es verstehen. Wenige sind so mutig gewesen wie der junge Sp(iegel), der am Tage nach der Ermordung seines Vaters an der Wahlurne erschien.

Da die Ideologie des Nationalsozialismus in der Zeit des Kampfes um die Macht weitgehend ad hoc ausgebildet worden ist und die Schöpfer dieser Ideologie zum Teil nur durch die gegenrevolutionäre Front verbunden waren, so mußten nach der Machtergreifung sich Diskrepanzen zwischen Ideologie und Handeln herausstellen, neben den Diskrepanzen zwischen den verschiedenen Willensrichtungen innerhalb der Bewegung, und natürlich Meinungsverschiedenheiten über den Sinn bestimmter Maximen der Ideologie.

Mit am konsequentesten ist die Ideologie verwirklicht in der Agrargesetzgebung – aber nun zeigte sich schnell, daß die Bauern diese Ideologie gar nicht so ernst genommen hatten und die Verwirklichung zum Teil sehr unbequem fanden. Diese Unbestimmtheit der Ideologie ist natürlich ein »realpolitischer« Vorzug, verleiht dem System eine große Elastizität.

Zu dieser Freiheit von dogmatischen Bindungen kommt für die oberste Führung die Freiheit von Kontrollinstanzen, der Besitz der absoluten Staatsgewalt. Sie ermöglicht Schnelligkeit und Folgerichtigkeit der Regierungstätigkeit – keine Kompromisse mehr mit Opposition und Koalitionsgenossen – und gestattet, Mängel und unvorhergesehene Nebenfolgen schnell zu korrigieren (z. B. die Doppelverdienerfrage!).

Die Aufhebung der Trennung von Legislative und Exekutive erweist sich in Krisenzeiten als ein Vorzug, der die Nachteile: Mangel an Öffentlichkeit, ungenügende Durchdachtheit der Maßnahmen, zum großen Teil aufwiegt.

Andererseits läßt sich nicht verkennen, daß Interessenkämpfe, die sich früher in der Öffentlichkeit abspielten, jetzt hinter den Kulissen sich vollziehen, wobei nun die Verquickung von »sachlichen« Gegensätzen mit persönlichen Rivalitäten sehr viel schwerer aufgedeckt werden kann.

Da von der Hitlerjugend aufwärts überall ein neuer Stand von Berufspolitikern und Berufs-Funktionären entstanden ist, die auf Gedeih und Verderb mit den Posten, die sie bekleiden, verbunden sind, liegt es sehr nahe, daß sachliche Gegensätze zu persönlichen Existenzfragen werden.

Die charismatische Gefolgschaft, als welche die nächste Umgebung des Führers in der Reichsregierung angesehen werden muß, reicht noch nicht bis in alle provinziellen Parteistellen hinein und wird es auch niemals tun.

Daß andererseits die jüngere Generation, besonders die Frontgeneration, in sehr hohem Maße zur Gefolgschaftsbildung und zu genossenschaftlicher Gemeinschaftsbildung befähigt ist, scheint mir durch die Erfahrung, z. B. in der Universität, erwiesen. Man reagiert zum Beispiel sehr sauer auf persönliche Empfindlichkeit usw.

Psychologische Nebeneffekte: Existenzangst, allgemeine Erkenntnis der Unsicherheit *aller* sozialen Verhältnisse – daher z. T.

männlich-stoisches dem Schicksal ins Auge schauen, z. T. Wunsch nach Sicherheit *à tout prix* bei den Besitzenden (was für den weiteren Verlauf der Revolution sehr gefährlich), z. T. begünstigt durch den Willen zum Aufbau und die Furcht vor der Alternative der Anarchie und des Bolschewismus.

Der Mensch ist außerordentlich erfinderisch, wenn es gilt, seinen Verstand zu beruhigen: wer vor dem März geglaubt hatte, Hitler werde wie ein Zauberer mit einem Schlage alle wirtschaftlichen Nöte beheben, versüßt sich seine *Enttäuschung* mit der an sich sehr richtigen Wahrheit: »Hitler kann sich doch nicht zerreißen«[1]; oder: man beschuldigt die französische Rüstungsindustrie, daß sie die Verständigung und Abrüstung verhindere, aber man sieht nicht das Vorhandensein entsprechender Kräfte im eigenen Lande.

Man weiß genau, daß der radikale vollkommene Nationalsozialismus, wie alle Kulturgüter des Liberalismus, auch die Freiheit der Wissenschaft negiert, aber man macht sich vor, daß die Freiheit der Wissenschaft von den »vernünftigen Nationalsozialisten« geschützt werden werde (wobei ich die Frage offen lassen will, ob nicht auch der Nationalsozialismus in the long run Freiheit der Wissenschaft [auch der Sozialwissenschaft] *braucht*). Außer sofern die *Lehre* gegen das Interesse der Nation verstoße – ohne zu bedenken, daß die *erste* Entscheidung darüber, ob dies der Fall sei, eben nicht den Gelehrten selbst überlassen bleibt, ja daß überhaupt ein ganzes System von Siebungen erdacht ist, durch das ermöglicht wird, bestimmte Menschen von unliebsamer Gedankenrichtung überhaupt von wissenschaftlicher Tätigkeit auszuschließen.

Das sei immer der Fall gewesen, sagt man – vergißt aber, daß früher der von wissenschaftlicher Betätigung im Staatsdienst ausgeschlossene Oppositionelle immer noch die Möglichkeit *privater* Forschung und Schriftstellerei hatte, was heute nicht mehr der Fall ist.

---

[1] Ausspruch einer mit dem Parteiabzeichen geschmückten Klosettwärterin in Laboe im Sommer 1933, auf die Frage, ob denn nun alles besser sei (Anmerkung von Heberle).

Ich kritisiere nicht die Haltung der nationalsozialistischen Regierung, sondern, daß man die Konsequenzen nicht zugibt, die aus dem Regime eines politischen Ordens erwachsen, obwohl Rußland und Italien Erfahrungsmaterial genug bieten. Der Nationalsozialismus ist nicht nur für viele seiner Anhänger, psychologisch gesehen, ein Religionsersatz, wie z. B. bei L. L., was sich u. a. in dem häufigen Gebrauch biblischer Phraseologie in nationalsozialistischen Reden zeigt – sondern die NSDAP beansprucht für das Gebiet der Öffentlichen Meinung genau dieselbe Stelle, die die römische Kirche für das Gebiet des Glaubens in Anspruch nimmt.

Sie kann daher wissenschaftliche Forschung nicht dulden, wenn sie zu Ergebnissen führt, welche mit den Dogmen des Nationalsozialismus in absolutem Widerspruch stehen.

Eine gewisse Freiheit ergibt sich daraus, daß von diesen Dogmen noch nicht viele »theologisch« fixiert sind.

Während die Katholische Kirche vor allem mit den Naturwissenschaften in Konflikt geraten mußte, werden diese (abgesehen von der Vererbungs- und Rassenlehre) von der nationalsozialistischen Dogmatik nicht beengt, sondern die Gefahr droht allein den Sozialwissenschaften einschließlich der Sozialphilosophie – auch die Ethik wird etwas berührt und die Geschichte.

Am meisten bedroht ist die Rechtsphilosophie, die Staatslehre und die Soziologie. Die letztere wird namentlich dort »gefährlich«, wo sie genötigt ist, Ideologien zu analysieren und zu enthüllen.

2. Kartoffeln statt Schweinefleisch: Rudolf Heß zur »Fettkrise« 1936

Der »Stellvertreter des Führers« zählte nicht zu den nationalsozialistischen Starrednern und brillierte auch nicht durch gedankliche Schärfe. Zusätzlich entbehrten Heß' öffentliche Alleinauftritte allen Glanzes dadurch, daß der »zweite Mann« in der Partei meist auch nur »zweite Fragen« anzusprechen hatte. Die Schwierigkeiten in der Lebensmittelversorgung im Herbst 1936 waren allerdings alles andere als sekundär:

Schlechte Ernten, verfehlte Marktordnungspolitik des Reichsnährstands und gestiegene Weltmarktpreise bei knappen Devisen führten
fast zur Einführung einer »Fettkarte«. Der im September auf dem
Reichsparteitag in Nürnberg verkündete Vierjahresplan sollte den Au-
ßenwirtschaftsproblemen beikommen und gleichzeitig den Autarkie-
und Rüstungskurs absichern. Außerdem appellierte das Regime an die
Genügsamkeit der Bevölkerung. Als praktizierender Gesundheitsapo-
stel war Hitlers Stellvertreter für den ernährungspolitischen Dialog
mit der deutschen Hausfrau prädestiniert. Heß sprach im oberfränki-
schen Hof zur Einweihung der neuen Adolf-Hitler-Halle, und das
Parteiorgan ›Völkischer Beobachter‹ druckte seine Rede beginnend auf
der Titelseite.
   Zitiert nach: Völkischer Beobachter (Berliner Ausgabe) vom 13. 10.
1936.

Wie ungeheuer sind doch die Leistungen des neuen Reiches
allein auf wirtschaftlichem Gebiet! ... Was bedeutete es doch,
im Januar 1933 einen Staat zu übernehmen, der vor dem Zusammenbruch steht, mit einer Wirtschaft, die eigentlich längst hätte
Konkurs ansagen müssen, und dann innerhalb kürzester Frist
mittels dieses Staates, mittels dieser Wirtschaft die Gesundung
herbeizuführen, Millionen wieder in Arbeit und Brot zu bringen, eine moderne Wehrmacht auszubauen und zugleich mit
diesen gewaltigen Anstrengungen unserem Volke das Brot zu
sichern! Diese Sicherung des Brotes für das deutsche Volk mußte
geschehen durch die Erhöhung der Eigenerzeugung an Lebensmitteln.
   Wir haben erreicht, daß das deutsche Volk mit Brot und Mehl,
Kartoffeln, Zucker und Trinkmilch zu 100 Prozent, also vollkommen aus deutscher Erzeugung eingedeckt werden kann.
   Gemüse und Fleisch müssen wir zu einem geringen Prozentsatz des Gesamtbedarfs, Eier und Molkereierzeugnisse zu einem
etwas höheren, und den Fettbedarf zu einem noch relativ hohen
Prozentsatz durch Einfuhr aus dem Auslande decken. Aus dieser
Lage ergeben sich die Schwankungen in der Versorgung und in
der Preisgestaltung. Aber daß wir bereits in einem so hohen
Maße unabhängig geworden sind und auf wichtigen Gebieten
uns vollkommen selbst ernähren, das allein ist eine ungeheure

Leistung, die wir dem Reichsnährstand danken, die wir danken dem hingebungsvollen Schaffen des deutschen Bauern.

Was trotzdem noch fehlt, muß eingeführt werden. Eingeführt werden müssen jedoch nicht nur Lebensmittel, sondern müssen ebenso, wie Sie wissen, eine große Zahl von Rohstoffen, die notwendig sind, unsere Industrie in Gang zu halten, die Arbeit von Millionen zu sichern, die Aufrüstung zu vollenden ...

Wir sind bereit, auch künftig – wenn notwendig, mal etwas weniger Fett, etwas weniger Schweinefleisch, ein paar Eier weniger zu verzehren, weil wir wissen, daß dieses kleine Opfer ein Opfer bedeutet auf dem Altar der Freiheit unseres Volkes. Wir wissen, daß die Devisen, die wir dadurch sparen, der Aufrüstung zugute kommen. Auch heute gilt die Parole: »Kanonen statt Butter!« Der Führer gehört nicht zu denen, die eine Sache halb tun. Da uns eine Welt in Waffen gezwungen hat, aufzurüsten, rüsten wir auch ganz auf: jedes Geschütz mehr, jeder Tank mehr, jedes Flugzeug mehr ist ein Mehr an Sicherheit für die deutsche Mutter, daß ihre Kinder nicht hingemordet werden in einem unseligen Krieg – nicht hingefoltert werden durch bolschewistische Banden. Wir sorgen dafür, daß die Lust, uns anzugreifen, endgültig vergeht!

Wir wissen noch eines: der Verbrauch an Lebensmitteln ist im Laufe der Regierung des Führers nicht geringer, sondern wesentlich größer geworden. Wir müssen stolz darauf sein, daß die Nachfrage des deutschen Volkes nach Lebensmitteln gestiegen ist, weil daraus hervorgeht, daß eben das deutsche Volk und insbesondere der deutsche Arbeiter in seiner Gesamtheit wieder mehr, zum Teil bessere und früher entbehrte Nahrungsmittel kaufen kann. Millionen und aber Millionen sind in der Lage, mehr Nahrungsmittel für sich und ihre Familie zu kaufen als früher, und sie sind ferner in der Lage, sich auch solche Lebensmittel zu kaufen, die sie sich früher nicht leisten konnten.

Es sind ungefähr 6½ Millionen Menschen, die heute sagen dürfen, daß sie nicht nur unter Adolf Hitler wieder Arbeit gefunden haben, sondern daß sie im Durchschnitt im Monat nicht weniger als etwa 85 RM mehr ausgeben können als vor der

Machtergreifung, d. h. als sie arbeitslos waren und Unterstützung erhielten ...

Wundert es da jemanden, daß es gelegentlich kleine Schwierigkeiten gibt?! Ich weiß, daß unser Volk es freudig auf sich nimmt, von Zeit zu Zeit etwas weniger Fett, Schweinefleisch oder dergleichen zu verzehren, im Bewußtsein, daß dafür Millionen Volksgenossen laufend etwas besser ernährt werden als einst, da sie arbeitslos waren ...

Jede gute Hausfrau weiß, wie sie ihre Familie in guter Stimmung hält und besonders diejenigen, die einmal – unabhängig von der Gesamtlage – persönlich wirtschaftlich ernstere Zeiten haben durchmachen müssen, wissen, wie man mit einfachen Mitteln eben durch die Hausfrauenkunst auch dann ein gutes Essen bereiten kann, wenn es einmal entweder kein Fleisch oder keine Butter oder keine Eier enthält. Und die tüchtigen deutschen Hausfrauen wissen, was sie zu tun haben, um im Dienst dieser großen deutschen Familie: des deutschen Volkes zu wirken, wenn dieses vorübergehend kleine Notstände überwinden muß. Sie kaufen eben ein, wie es im Interesse der großen deutschen Familie liegt! Sie versuchen nicht unbedingt das zu kaufen, was gerade weniger am Markt ist, sondern sie kaufen von dem viel, das reichlich vorhanden ist und verwenden es so, daß es ihren Männern und ihren Kindern gerade besonders gut erscheint und besonders gut schmeckt. Keine gute Hausfrau trauert gerade dem Viertelpfund Schweinefleisch nach, das sie nun einmal nicht bekommt.

Jede gute deutsche Hausfrau ist zu ihrem Teil eine Mutter des deutschen Volkes. Sie hat in vielen Fällen gleiche und höhere Pflichten zu erfüllen als die Männer dieses Volkes, die ihre Haltung achten und ehren werden. Deutsche Frauen, zeigt, was ihr könnt! ...

Wenn in Deutschland Führer und Gefolgschaft miteinander einen Übelstand besprechen und miteinander klar werden, wie er zu beheben ist, so folgert das Ausland sehr eilfertig, gottlob, die Deutschen fangen unter der Hitlerschen Führung zu hungern an, und die deutsche Wirtschaft zerfällt. Dieses Ausland möge sich beruhigen. Wir Deutsche haben voreinander nichts zu verbergen.

Es wäre töricht, wenn die deutsche Regierung jede Sorge auf das Volk abladen würde, wie es töricht wäre, dem Volke nicht zu sagen, in welcher Lage es sich befindet, und was zu tun ist zum allgemeinen Wohle.

Wir sind eine ehrliche Schicksalsgemeinschaft! Und wir werden immer unbeschadet dessen, was die anderen draußen glauben oder erzählen, als Führende oder Geführte dieser Schicksalsgemeinschaft offen voreinander stehen. Was ist denn schließlich schon das Motiv derer draußen, die so sehr bei uns den Hunger erhoffen? Es ist ja doch nur das letzte kleine Hälmchen, an das sie sich in ihrer Sehnsucht klammern, es möge doch endlich in der großen Auseinandersetzung: hie jüdischer Bolschewismus, hie deutscher Nationalsozialismus der Nationalsozialismus einmal eine Position oder eine Schlacht verlieren, damit man doch noch hoffen könnte, daß Juden und Bolschewiken noch einmal in Deutschland siegreich werden! Diesem Ausland müßten wir sagen, es hofft umsonst.

Wir aber wollen glücklich sein, daß uns schlimmstenfalls an einigen Tagen im Jahr einmal der Butteraufstrich für das Brot und nicht das Brot selbst für Monate fehle, wie in dem gepriesenen Lande des Glücks und der Wohlfahrt der Massen, in Sowjetrußland. Es wisse die Welt, wie jeder einzelne von uns, der einmal einen Blick in andere Länder tun konnte, daß Deutschland das sozialste Land der Erde ist.

3. Joseph Goebbels: »Der Führer ist ganz glücklich«

Das erste und wehrloseste Opfer der persuasiven Fähigkeiten des Propagandaministers hieß Joseph Goebbels. Die beiden folgenden Tagebuch-Ausschnitte von 1936 und 1937 zeigen Goebbels nicht nur im Vollbesitz von Macht und Einfluß am Hofe Hitlers, sondern auch als Zielscheibe der eigenen verbalen Dauerkanonade. Sie vermitteln einen Eindruck von der rastlosen Aktivität und den weitgespannten Interessen eines Mannes, der sich in jahrelangem Selbsttraining dazu erzogen hatte, keinen Unterschied mehr zu machen zwischen Politik und Propaganda, Realität und Wunschvorstellung. Daraus bezog Goebbels

seine außerordentliche Energie und Aufnahmefähigkeit, aber es koste-
te ihn auch Kraft. Kaum eine Tagebuch-Eintragung, die nicht mit dem
Hinweis endet, er habe »wenig Schlaf« gehabt und sei »todmüde«.
Zitiert nach: Elke Fröhlich (Hrsg.), Die Tagebücher von Joseph
Goebbels. Teil I: Aufzeichnungen 1923–1941. München usw. 2001,
Band 3/2, S. 221 f., Band 4, S. 90–94.

22. Oktober 1936. (Do.)
Gestern: morgens beim Aufstehen: draußen alles voll Schnee. Ein
herrlicher Anblick!
Unten parlavert [sic]. Mit Hanke gearbeitet. Vielerlei zu tuen.
Der Führer arbeitet mit Meißner. Funk berichtet aus Berlin: alles
dreht sich um Italien. Göring läßt die Presse weiter dröhnen.
Bis Mittag vollauf beschäftigt. In Spanien machen die Nationa-
listen glänzende Fortschritte. Ihr Sieg ist wohl nur noch eine
Frage von kurzer Zeit.
Unten Führer mit Meißner und Wagner. Ciano-Besuch be-
sprochen und festgelegt. Und sehr groß aufgezogen, fast zu groß.
Aber immerhin. Meißner ist sehr witzig.
Oben beim Führer Besprechung über 9. November. Im traditionellen Stil. Daran darf auch nichts geändert werden. Der
Führer will die Partei auf 7 Millionen Mitglieder bringen. 10%
des Volkes. Das ist richtig. Frisches Blut in die Organisation.
Sonst wird sie senil. Dr. Dietrich hat bei Göring gegen mich zu
intrigieren versucht. Fehlgeschlagen. Aber er ist doch ein Mist-
käfer.
Mit Führer allein noch meine Restfragen: Degrelle soll ich
unterstützen. Der kommt heran. Führer will Film und Presse
mehr nationalsozialistisch. Ich suche seit langem die Leute. Wo
sind sie zu finden? Für Neubau von Sendern will der Führer 70
Millionen bereitstellen. Befehl, der mir sehr gelegen kommt. Wir
wollen größten Sender der Welt bauen. Moskau muß weichen.
Also heran!
Mit Amanns Pressegesetz ist auch der Führer einverstanden.
Er lobt Amann sehr. Aber Dr. Dietrich hat nichts mehr zu
bestellen. ›Frankfurter Zeitung‹ muß weg. Dieses Dreckblatt
nützt doch nichts mehr. Ins D.N.B. setze ich ein paar geriebene

Propagandisten. Die müssen alle Nachrichten sieben und zurechtstutzen. Und dann steuere ich jetzt auf den antibolschewistischen Film los.

In Sachen Theaterpolitik bin ich allein maßgebend. Mutschmann muß sich fügen. Auch Rosenberg. Speer wird maßgebend in Berliner Baufragen. Dr. Lippert kann dann sein Berlin-Gesetz durchbringen und Oberbürgermeister werden.

Spaziergang durch den Schnee. Der Führer ist rührend. Schenkt mir sein ganzes Vertrauen. Beklagt sich über Heß, der die Partei verspießert. Keine Inspiration. Gauleiter-Parlamente müssen weg. Mehr Richtung geben, weniger mit Stunk beschäftigen. Und entweder keine Repräsentation oder richtig, anständig, großzügig und elegant. Dafür hat Heß kein Gefühl. Der Führer will sich mehr um die Gauleiter kümmern.

Am 30. Januar will er alle Reichsminister in die Partei aufnehmen und ihnen das goldene Ehrenzeichen verleihen. Das soll dann der höchste deutsche Orden werden. Richtig.

Über Bormann äußert sich der Führer zufrieden. Er hat Energie und Umsicht.

Wir kommen müde und ausgesprochen wieder zurück. Noch Problem Kritik. Sie muß auf die Dauer ganz abgeschafft werden. Es darf da nur Berichterstattung geben. Genau wie in der Politik. Die Dummen dürfen nicht die Klugen kritisieren. Wenn einer etwas kann, soll er seine Fähigkeit nicht in der Kritik, sondern in der Leistung abreagieren.

Es wird Zeit. Abschied vom Führer sehr herzlich und vertraut. Er mag Magda und mich sehr gerne. Er geht bis unten zum Wagen mit und winkt uns noch lange nach.

Mit Frau Dr. Brandt ab nach Berlin. Die Berliner Presse ist ganz voll vom Ciano-Besuch. Das hat sie gut gemacht. Ich arbeite mit Hanke, verwerte die Ergebnisse meines Besuches, lese, schreibe, diktiere. Ein Unmaß von Arbeit häuft sich auf.

Unterwegs steigt Amann in den Zug ein, um mit mir das Pressegesetz durchzusprechen. Ich habe noch einige Einzelheiten, durch die die Macht des Ministeriums stabilisiert wird. Sonst sind wir einig. Ich hoffe, Dezember ist das Gesetz perfekt. Ich verkaufe Amann meine Tagebücher. 20 Jahre nach meinem Tode zu veröffentlichen. Gleich 250 000 Mk und jedes Jahr laufend 100 000 Mk. Das ist sehr großzügig. Magda und ich sind glücklich. Amann hat damit eine gute Kapitalanlage ...

13. April 1937. (Di.)
Gestern: ein Tag voll Ärger, Verdruß und Arbeit.

Die Auslandspresse faselt von einem Flugblatt einer ominösen »Freiheitspartei«. Das geschieht alles wie auf Kommando. Also eine richtige Judenmache. Das Flugblatt ist überall unbekannt.

Der Führer hat noch keine Entscheidung getroffen, ob Ludendorff Plakate ankleben darf. Es wird ihm wohl auch etwas unbehaglich dabei. Ich würde es glatt verbieten.

Ich wähle ein paar fixe Journalisten für die demnächstige Berichterstattung in Coblenz aus. Die Pfaffen werden sich wundern. Der Rossaint-Prozeß deckt die ganze Zusammenarbeit der Schwarzen mit der Kommune auf. Par nobile fratrum.

Ich lasse das Kabarett der Komiker überwachen. Dort werden Witze gegen den Staat gerissen. Das darf man nicht dulden. Diese Snobisten sollen Witze über sich selbst machen. Da haben sie genug Anlaß. Man darf da nicht generös sein. Das ist Sentimentalität. Leider ist gerade am Sonntag noch Magda mit Helldorffs in dieses Kabarett gegangen. Das fehlte mir noch. Ich habe eine Granatenwut. Magda macht allein nur Dummheiten.

Mit Funk Film- und Personalfragen. In der Ufa werde ich nun bald den neuen Aufsichtsrat einsetzen. Auch Hanke legt mir unentwegt Filmfragen vor. Höchste Zeit, daß die Stelle des Reichsfilmdramaturgen neu besetzt wird. Nierentz ist eine Niete.

Rede zum Geburtstag des Führers diktiert. Sie ist, glaube ich, sehr gut geworden ...

Göring läßt sich sehr scharf gegen Rosenberg aus. Er ist ein sturer Theoretiker und vermasselt uns die ganze Tour. Wenn er zu sagen hätte, gäbe es kein deutsches Theater mehr, sondern nur noch Kult, Thing, Mythos und ähnlichen Schwindel.

Heß hat Blomberg ein Blücherbild geschenkt. Nun stellt sich heraus, daß es Blücher im Freimaurerornat darstellt, das Bild aber aus einer Loge beschlagnahmt ist. Peinliche Sache!

Göring will nach Italien reisen, um eine Kooperation für den

4 Jahresplan einzuleiten. Der Plan macht ihm viel Arbeit und Sorge. Wir haben alle zuviel zu tuen. Man kennt sich manchmal kaum noch aus. Mit Göring verstehe ich mich jetzt sehr gut.

Zu Hause gelesen und korrigiert. Walter Granzow hat, wie mir Darré mitteilt, gegen ihn intrigiert. Das wird ihm wohl den Hals brechen. Der gute, biedere Walter! Die Weiber sind unser Unglück!

Mit Schwierigkeiten zum Bogensee. Alles geht daneben. Schließlich lande ich doch hier. Das Wetter ist herrlich. Draußen wird an Steg und Terrasse gebaut. Das wird sehr schön werden. Es dauert nur etwas.

Arbeit in Fülle. Und ein wenig Zeit zu Lektüre und Musik. Führer noch in Godesberg. Draußen geblieben. Zeitig ins Bett. Heute ein schwerer Arbeitstag.

14. April 1937. (Mi.)

… Das Kongreßwesen nimmt nun unser Ministerium ganz in die Hand. Herr Knothe geht während der Pariser Weltausstellung ganz nach Paris, um unsere Stellung zu wahren.

Großes Rätselraten: wer bekommt den Buchpreis am 1. Mai. Wenn ich nichts Besseres mehr finde, dann Möller für das ›Frankenburger Würfelspiel‹.

Funk hat eine Menge Kleinigkeiten. Wir kaufen jetzt ein paar schöne Bilder an, einen Defregger und einen Spitzweg. Das kann ich gut gebrauchen.

Unterredung v. Demandowski. Er macht einen guten Eindruck. Soll Nachfolger von Nierentz als Reichsfilmdramaturg werden. Ich glaube, ein guter Tausch.

Prof. Ziegler hat Sorgen wegen des Hauses der deutschen Kunst. Er muß sich mehr heranmachen und durchsetzen. Ich stärke ihm etwas das Rückgrat. Vor allem in München muß man Ellenbogen haben.

Frau v. Kalckreuth hat meine Büste fertig. Sie ist ganz ausgezeichnet geworden. Sie freut sich über alle Maßen.

Glasmeier und Kriegler schildern mir ihre Aufräumungsarbeit im Rundfunk. Daraus hat Hadamovsky einen richtigen Saustall gemacht. Aber Glasmeier geht nun mit Verve heran, und ich glaube, er wird es schaffen. Jedenfalls geht er rücksichtslos vor, das ist die Hauptsache. Der Rundfunk war ein richtiges Vettern- und Baseninstitut geworden. Das hört jetzt auf.

Schmeling schildert seine Schwierigkeiten in Amerika. Brad- dock ist feige und sucht immer neue Ausreden. Ich rate Schme- ling, ihn in einem offenen Brief, der sehr geschickt abgefaßt sein muß, vor der Öffentlichkeit zu fordern. Das wird wohl ziehen.

Randolph schildert die Lage in England. Ganz gegen uns. Ribbentrop verfährt psychologisch nicht immer geschickt. Er muß mehr an die Feinde Deutschlands heran. Und weniger re- den, dafür aber umso mehr handeln. Randolph hat ein gutes Verhältnis zu ihm hergestellt. Er wird ihn in meinem Sinne zu beeinflussen versuchen.

Zu Hause im Fluge weiter gearbeitet. Obschon die warme Frühlingssonne zum Spazieren und Faulenzen verlockt. Rede für die 4. Jahresausstellung diktiert. Sie wird sehr gut.

Mit den Kindern im Garten Mutti und Besuch gespielt. Sie haben beide eine geradezu blühende Phantasie. Vor allem Helga ist unerschöpflich im Erfinden von Begriffen und Vorstellungen.

Gearbeitet, korrigiert. Der Führer ist vom Rheinland zurück. Ich gehe zu ihm zum Abendessen. Er ist sehr nett und voller Pläne und Eindrücke. Ich erzähle ihm das Neueste. Dann legen wir den 1. Mai in Einzelheiten fest. Sehen einen schlechten ame- rikanischen Film an.

Noch lange Debatte über Kirchenfrage. Wir machen die Pfaf- fen nun mit Prozessen und durch Wirtschaftsdruck tot. Ich habe alle Druckereien enteignen lassen, die den Papstbrief gedruckt haben. Das zieht auf die Dauer. Und wenn nun noch die Coblen- zer Prozesse neu aufleben, na prosit.

Auch die Tschechei hat auf unseren Pressedruck hin klein bei- gegeben. Wir sind jetzt wieder eine Großmacht und können uns wehren. Das gibt ein wunderbares Gefühl. Der Führer ist ganz glücklich darüber.

Noch bis in die tiefe Nacht zu Hause gearbeitet.

Heute wieder ein schwerer Tag.

4. Der »Führer« über den »Führerstaat«: »Die schönste Art der Demokratie«

Zum ersten Jahrestag der Einweihung der von der DAF errichteten Partei-Schulungsstätten Crössinsee, Vogelsang und Sonthofen sprach Hitler am 29. April 1937 vor 800 Kreisleitern auf der Ordensburg Vogelsang in Ostpommern. Ausgehend von der »Krise der Demokratie«, die überall in Europa zu beobachten sei, versuchte sich der »Führer« an einer Definition des »Führerstaates« nationalsozialistischer Prägung und an einer Erklärung für die offenkundige Zufriedenheit des deutschen Volkes. Er fand sie in seiner »festen Führung«, aber auch in den Führungsqualitäten seiner Unterführer und der Offenheit des Systems für junge politische Talente.

Die außerordentliche Trivialität und die rhetorische Glanzlosigkeit der geschriebenen Rede geben keinen Aufschluß darüber, was Hitlers Zuhörer etwa zwei Stunden lang zu fesseln vermochte; immerhin sind die Reaktionen des Auditoriums verzeichnet. Die folgenden Auszüge umfassen ein knappes Achtel der Rede.

Zitiert nach: Hildegard von Kotze/Helmut Krausnick (Hrsg.), »Es spricht der Führer«. 7 exemplarische Hitler-Reden. Gütersloh 1966, S. 123–177.

Wir Nationalsozialisten haben für den Staat eine ganz bestimmte Definition gefunden, d. h. wir sagen, der Staat kann nicht eine x-beliebige Organisation x-beliebiger Menschen sein, sondern Sinn hat er nur dann, wenn seine letzte Aufgabe doch wieder die Erhaltung eines lebendigen Volkstums ist. Er muß sein nicht nur der Lebenserhalter eines Volkes, sondern damit vor allem der Wesenserhalter, der Bluterhalter eines Volkes. Sonst hat auch der Staat auf die Dauer keinen Sinn. Nur eine Organisation um der Organisation wegen bilden, ist sinnlos ... Der Staat selbst hat die Aufgabe, das Volkstum als solches zu sichern, das Volkstum als solches zu erhalten und damit zu garantieren für alle Zukunft. Wir kennen also nicht einen Staat mit unbestimmter Zweckbestimmung, sondern mit einer klar begrenzten Zweckbestimmung. Allein, dann wissen wir auch, daß alle Leistungen nur denkbar sind unter der Voraussetzung der Existenz dieses Staates, d. h. also, nur durch die Zusammenfassung aller Kräfte in dieser

Organisation ist es möglich, wirklich große, gewaltige und gemeinsame Leistungen zu vollbringen.

Daher ist für uns auch keine Diskussion möglich über die Frage der, sagen wir, Primate im Staat, d. h. also, um ein konkretes Beispiel anzuführen: Wir werden niemals dulden, daß im völkischen Staat sich irgendetwas über die Autorität dieses völkischen Staates stellt. Es mag dies sein, was es sein will, auch keine Kirche! (Stürmischer Beifall) Auch hier gilt der unabänderliche Grundsatz: über allem steht die Autorität des Staates, d. h. dieser lebendigen Volksgemeinschaft. Alles hat sich dieser Autorität zu unterwerfen. Wenn jemand versucht, gegen diese Autorität Stellung zu nehmen, dann wird er unter diese Autorität gebeugt werden, so oder so! (Bravo) Es ist nur eine Autorität denkbar, und das kann nur die des Staates sein, unter der Voraussetzung, daß dieser Staat selbst wieder als höchsten Zweck nur die Lebenserhaltung, Sicherung und Forterhaltung eines bestimmten Volkstums kennt. Dann ist ein solcher Staat die Quelle aller Leistungen ...

Der Gedanke lebt nicht in der breiten Masse. Das müssen wir nun einmal erkennen, und das ist auch ganz klar. Wenn jeder menschliche Fortschritt eine höhere Leistung darstellt als die gegebene, vorhandene, dann ist es verständlich, daß stets irgendeiner vorangegangen sein muß. Und dieser eine, der vorangegangen sein wird, er ist der Träger des Gedankens, und nicht die breite Masse, die hinter ihm steht. Er ist der Pionier, und nicht das, was nachfolgte. Und es ist nur zu logisch und verständlich auch, daß eine Organisation dann vernünftig ist, wenn sie von vornherein darauf abgestellt ist, zu suchen, die fähigsten Köpfe auf allen Gebieten zu einem führenden und entscheidenden Einfluß zu drängen und ihnen dann auch zu folgen.

Das mag natürlich sehr hart sein. Es ist für den einzelnen Menschen und besonders für den Schwächling, das betone ich ausdrücklich, und am meisten für den Asozialen, schrecklich. Es ist immer etwas Hartes, wenn gesagt wird: »Es kann nur einer befehlen; einer befiehlt, und die anderen müssen gehorchen.« Dann sagt der: »Wieso, wieso, wieso muß ich gehorchen?« – Wieso? Weil nur auf dem Weg etwas zu erreichen ist, und weil wir Männer genug sind einzusehen, daß das, was notwendig ist, auch zu geschehen hat. Und weil darum nicht mit dem Einzelnen diskutiert wird. Es ist ganz zwecklos, jedem Einzelnen dann zu sagen: »Natürlich, wenn du natürlich nicht willst, dann brauchst du natürlich nicht nachfolgen.« Nein, so geht das nun einfach nicht! Die Vernunft hat auch ein Recht und damit eine Pflicht, sie hat das Recht, sich zu diktatorischer Gewalt zu erheben, und die Pflicht, die anderen zu zwingen, dem zu gehorchen.

Daher ist auch unser Staat keineswegs aufgebaut auf Volksabstimmung, das möchte ich betonen, sondern es ist unser Bestreben, das Volk zu überzeugen von der Notwendigkeit dessen, was geschieht ...

Ich darf Ihnen hier aus dem ganz großen geschichtlichen Geschehen ein Beispiel sagen: Im vergangenen Jahr, Ende Februar, wurde mir klar persönlich, daß es notwendig sei, nun die gegebene geschichtliche Lage sofort auszunutzen und die für später vorgesehene Besetzung der früheren entmilitarisierten Zone sofort vorzunehmen. Natürlich ein Entschluß von einer ungeheueren Tragweite, über den man so und so denken konnte. Und über diesen Entschluß wurde mit den zuständigen Stellen natürlich gesprochen. Und es war gar nicht denkbar, über einen solchen Entschluß eine vollkommen einheitliche Auffassung zu erzielen. Denn die Tragweite war ungeheuer, unabsehbar möglicherweise die Folgen: Es war nun verständlich, daß sich an Gegengründen, Gegeneinwänden auch wieder die eigene Auffassung weiterbilden konnte. Aber es mußte in einer verhältnismäßig kurzen Zeit so oder so nun gehandelt werden, wenn man eben nicht das Handeln hinausschieben wollte. Nach früherer demokratischer Art wäre diese Frage nun zuletzt dem Parlament vorgelegt worden, im Parlament besprochen worden, dann in die Volksversammlung gekommen, in der Volksversammlung besprochen worden. Mit anderen Worten, über die schwerste Schicksalsfrage der Nation, über die sich also die führendsten Männer nicht vielleicht ganz einig werden konnten, da hätten nun die kleinen Menschen da draußen am Ende entscheiden müssen. Diese kleinen Menschen, die ja gar nicht in der Lage sind, das zu beurteilen. Es wäre vor die Volksversammlung getragen worden; die Presse hätte darüber geschrieben, Leitartikel wären geschrieben worden, wie das ja in den anderen Ländern geschieht. Nun stellen Sie sich vor, mit was belastet man so einen kleinen menschlichen Wurm, der Tag für Tag da draußen seiner Arbeit nachgeht, der seiner ganzen Bildung, seiner ganzen Einsicht, seinem Wissen nach gar nicht in der Lage sein kann, die Tragweite dieser Probleme irgendwie zu ermessen! Den belaste ich nun damit, hier eine Entscheidung zu finden!

Man wird mir vielleicht sagen: »Ja, Sie haben ja auch eine Volksabstimmung gemacht.« Ich habe aber erst gehandelt. Erst gehandelt, und dann allerdings habe ich der anderen Welt nur zeigen wollen, daß das deutsche Volk hinter mir steht, darum handelte es sich. Wäre ich der Überzeugung gewesen, daß das deutsche Volk vielleicht hier nicht ganz mitgehen könnte, hätte ich trotzdem gehandelt, aber ich hätte dann keine Abstimmung gemacht. (Lebhafter Beifall) ...

Das ist nun in einem wahrhaften Führerstaat, sagen wir, die Ehre desjenigen, der führt, daß er auch die Verantwortung übernimmt. Alle wirklich großen Organisationen der Welt bauen sich auf solchen Gesichtspunkten auf, auf solchen Prinzipien etwa auf. Alle. Stets hat einer die Verantwortung zu tragen für einen bestimmten Entschluß. Und er kann nun nicht Abstimmungen veranstalten. Der ganze Widersinn dieser parlamentarischen Demokratie wird einem ja immer am klarsten, wenn man zu ganz einfachen Vorgängen kommt. Man muß sich vorstellen, daß die parlamentarische Demokratie, d. h. also dieser auserlesene Haufen, der aus einer Majoritätsabstimmung kommt, daß der dann über die größten Probleme zu entscheiden hat. Nun gehen wir ins ganz kleine Leben. Lassen Sie doch einmal das Haus da unten, das gebaut wird, lassen Sie doch das durch Mehrheitsabstimmung erbauen, zunächst den Plan durch Mehrheitsabstimmungen machen, lassen Sie nun einmal die Bewohner und die Arbeiter zusammentreten und lassen Sie nun die abstimmen über den Plan. Welcher Plan ist der richtige? Ja, Sie werden lachen, Sie werden sagen, das ist natürlich eine Idiotie. Natürlich ist das eine Idiotie! Man kann natürlich weder die Bewohner noch die Arbeiter abstimmen lassen über den Plan dieses Hauses, das wissen wir alle. Aber es ist anscheinend Vernunft, sie abstimmen zu lassen über den Bau, sagen wir, eines Staates, eines Reiches, weil das natürlich »viel leichter« zu verstehen ist. Es ist ja »viel einfacher«, ein 68-Millionen-Volk zu regieren ...

Das Volk ist heute in Deutschland glücklicher als irgendwo in der Welt. Es wird nur dann unsicher, wenn es keine Führung hat. In dem Moment, in dem eine feste Führung da ist, ist es glücklich, denn es weiß von sich ganz genau: »Ja, das verstehen wir ja gar nicht.« Sie haben alle das Empfinden: »Gott, wir können schon auf unsere Führung vertrauen, sie wird es schon richtig machen.« Ich habe den Wahnsinn des Glaubens, daß der gewöhnliche Mensch von vornherein keine Führung will, habe ich nie stärker gesehen als im Krieg. Lassen Sie eine kritische Situation über eine Kompanie kommen, die Kompanie hat nur einen Wunsch, daß sie einen anständigen Kompanieführer hat, und an den hängt sie sich dann dran. Und wenn das ein wirklicher Kerl ist, ein Mann ist, dann hat er seine Männer hinter sich, die sagen nicht: »Ja, warum werden wir nicht gefragt?« Da denkt gar keiner daran! Im Gegenteil, die wollen ja gar nicht, daß sie gefragt werden, die wollen einen Führer, der ihnen Anordnungen gibt, und dann folgen sie ihm nach. (Heilrufe und stürmischer Beifall) ...

Man kann nur, glauben Sie, diese Krise der heutigen Zeit beheben durch einen wirklichen Führungs- und damit Führerstaat. Dabei ist es ganz klar, daß der Sinn einer solchen Führung darin liegt zu versuchen, auf allen Gebieten des Lebens durch eine natürliche Auslese, immer aus dem Volk heraus, die Menschen zu gewinnen, die für so eine Führung geeignet sind. Und das ist auch die schönste und in meinen Augen germanischste [sic] Demokratie. Denn was kann es Schöneres für ein Volk geben als das Bewußtsein: Aus unseren Reihen kann der Fähigste ohne Rücksicht auf Herkunft und Geburt oder irgendetwas anderes bis zur höchsten Stelle kommen. Er muß nur die Fähigkeit dazu haben. Wir bemühen uns, die fähigen Menschen zu suchen. Was sie gewesen sind, was ihre Eltern waren, was ihre Mütterchen gewesen sind, das ist gänzlich gleichgültig. Wenn sie fähig sind, steht ihnen jeder Weg offen. Sie müssen nur auch dann verantwortungsfreudig sein, d. h. sie müssen dann wirklich das

Zeug in sich haben zur Führung. Reine abstrakte Geistigkeit gilt nicht. Es muß einer wirklich auch führen können. Wenn er irgendwo hingestellt wird, dann muß er auch den Mut haben zu sagen: »Ja, das muß jetzt gemacht werden. Ich erkenne das.« Er muß sich mit seinen Männern besprechen, die verantwortlich mit ihm sind für die Durchführung, aber letzten Endes, er muß dann geradestehen für seine Gedanken und für seinen Entschluß. Er muß den Entschluß finden.

Das ist die schönste Art der Demokratie, die es gibt ...

Und der Führerstaat braucht ja vorm Genie keine Angst zu haben, das ist ja der Unterschied von der Demokratie. Wenn in der Demokratie einer z. B. Gauleiter sein würde, so müßte er eine wahnsinnige Angst haben, daß vielleicht unter ihm ein Talent kommt, von dem er sagen muß: »Wenn der Kerl so weitermacht, in kurzer Zeit hat der die Leute hinter sich, und dann setzt er mich ab. Bums! Dann habe ich den Lohn für meine ganze Arbeit.« Also, in der Demokratie muß man aufpassen, daß ja kein Talent zum Vorschein kommt. Wenn irgendwo ein Talent zum Vorschein kommt, dann muß man es schleunigst umbringen. Das ist Selbsterhaltungstrieb dort. (Gelächter) Im Führerstaat ist das gar nicht der Fall, denn er weiß ganz genau, der kann noch so talentiert sein, der kann ja den gar nicht beseitigen. Im Gegenteil, wenn er sich Mühe macht ihn zu beseitigen, versündigt er sich an der Disziplin und am Gehorsam, und damit zeigt er, daß er nicht fähig ist, selber zu führen. Damit ist er erledigt.

Daher wird im Führerstaat weitaus eine größere Wahrscheinlichkeit bestehen, daß das Talent gefördert wird. Es kann ja keinem Führer gefährlich werden. Im Gegenteil, indem er das Talent findet, stützt er sich selbst noch, er schafft sich klassische [sic!], glänzende Mitarbeiter, und von all diesen Mitarbeitern kann nur der rechnen, es zu etwas zu bringen, der selber wieder absolut treu und gehorsam ist. Denn der zeigt nur, daß er allein fähig ist, wirklich auch eines Tages zu führen. Denn wo käme man denn hin, wenn der, der selbst nicht Treue und Gehorsam üben will, später einmal Treue und Gehorsam verlangen wollte? Denn das muß er ja auch, ohnedem geht es nun einfach nicht. Das sind eiserne Grundsätze, die durchgehalten werden müssen.

5. Heinrich Himmler: Rauchverbot und »Sonderbehandlung«

SS-Ehre und heimische Erdölvorkommen, Runenforschung und Menschenzucht, Heilkräutergärten und Judenvernichtung – im Kopf des Reichsführers SS floß vieles zusammen. Die folgende kleine Auswahl aus seinen Briefen kann die Fürchterlichkeit und den Wahnwitz Himmlerscher Ideen nur andeuten. Über dem angewiderten Kopfschütteln, das Himmler-Lektüre hervorzurufen vermag, ist nicht zu vergessen: Die meisten seiner Befehle und etliche seiner »Anregungen« wurden Politik und mörderische Wirklichkeit.

Zitiert nach: Helmut Heiber (Hrsg.), Reichsführer! ... Briefe an und von Himmler. Stuttgart 1968.

An: SS-Stabsführer Prof. Dr. Karl Gebhard,   14. 1. 1938
Chefarzt der Heilanstalten Hohenlychen

Lieber Karl!
Ich habe vor längerer Zeit schon einmal mit Dir darüber gesprochen, daß ein altes Rezept gegen Tuberkulose seit mehreren Generationen in einer mir bekannten Familie vererbt wurde.

Ich schicke Dir anliegend das Rezept und bitte Dich, es einmal zu erproben.

Heil Hitler!
Dein HH

An: SS-Sturmbannführer Prof. Dr. Walther Wüst,   28. 3. 1938
Präsident des »Ahnenerbe e. V.«

Lieber Professor Wüst!
Ich möchte heute auf die Kalenderkunde zurückkommen, über die ich Ihnen schon einmal schrieb.

Vor allem wäre zu klären, ob es zweierlei Rechnungen bezüglich der Jahreseinteilung gegeben hat und zwar 13 Monate nach den natürlichen Mondmonaten von 28 Tagen und später dann 12 Monate willkürlich festgesetzter Art.

Seit wann gibt es die verschiedenen Zeitrechnungen? Hier

müßte die Welteislehre mit herangezogen werden, denn die Mondmonate zu 28 Tagen kann es ja erst geben, seitdem dieser Mond um die Erde kreist.

In diesem Zusammenhang werden sicher noch eine Menge anderer Fragen auftauchen.

Heil Hitler!
Ihr HH

An: SS-Sturmbannführer Adalbert Graf Kottulinsky   16. 9. 1938

Lieber Kottulinsky!
Sie waren sehr krank und haben stark mit dem Herzen zu tun gehabt. Im Interesse Ihrer Gesundheit lege ich Ihnen für die Dauer von zwei Jahren ein völliges Rauchverbot auf.

Nach Ablauf dieser zwei Jahre wollen Sie mir ein ärztliches Gesundheitszeugnis einreichen; danach werde ich entscheiden, ob das Rauchverbot aufgehoben wird oder aufrecht erhalten bleibt.

Heil Hitler!
Ihr gez. H. Himmler

An: SS-Gruppenführer Oswald Pohl,   29. 11. 1941
Chef des SS-Hauptamts Verwaltung und Wirtschaft

Lieber Pohl!
Anliegend übersende ich Ihnen eine Abhandlung über die biologisch-dynamische Düngung. Ich habe einige Bemerkungen dazu gemacht. Die Berichte der IG-Farben kann ich mir sehr gut vorstellen, denn ähnlich frisierte Berichte wurden von mir vor nunmehr 19 Jahren als junger Assistent im Stickstoffkonzern verlangt, in denen ich beweisen sollte, daß eine bestimmt große Anwendung von Kalkstickstoff das beste für die Landwirtschaft wäre, was ich selbstverständlich nicht tat.

Ich komme erneut darauf zurück, daß die von mir befohlene Art einer wirklich exakten und neutralen wissenschaftlichen

Erprobung auf demselben Boden und im selben Klima in Auschwitz wohl zum ersten Mal objektive und ungefärbte Ergebnisse bringen wird. Ich bitte daher, daß SS-Sturmbannführer Vogel sich der Frage dieser Versuche persönlich sehr stark annimmt und wenn nötig, eigens jemand in seinem Stabe dafür einstellt.

Heil Hitler!
Ihr gez. H. Himmler

An: SS-Obergruppenführer August Heißmeyer,   30. 6. 1942
Chef des SS-Hauptamts Dienststelle Heißmeyer

Lieber Heißmeyer!
Wie ich höre, gehen eine große Anzahl der Schüler der Nationalpolitischen Erziehungsanstalt in Putbus in den Konfirmandenunterricht. Ist Ihnen das bekannt? Wer ist der verantwortliche Leiter für diese Dinge?

Sicherlich werden die Jungens am Anfang den verschiedenen Konfessionen angehören. Meines Erachtens müßte aber die weltanschauliche Erziehung im Verlaufe weniger Jahre den neu eingetretenen Jungen doch so weit bringen, daß er seine Eltern bewegt, ihn aus der Kirche austreten zu lassen.

Welche Gründe haben Sie insgesamt, daß allenfalls der Austritt aus den Konfessionen nicht so stark vorangetrieben wird? Ich könnte mir als Erklärung denken, daß Sie vermeiden wollen, die Eltern zu früh abzuschrecken, wodurch Sie sonst den Zustrom wertvollen Blutes aus noch konfessionell gebundenen Familien in die Reichsschulen verhindern würden.

Teilen Sie mir doch Ihre Ansicht über das Gesamt-Problem mit und geben Sie mir eine klare Darstellung der Lage von allen Nationalpolitischen Erziehungsanstalten in dieser Hinsicht.

Heil Hitler!
Ihr getreuer HH

An: SS-Obergruppenführer Arthur Greiser,   27. 7. 1942
Gauleiter und Reichsstatthalter im Wartheland

Lieber Parteigenosse Greiser!
Es ist mir leider erst heute möglich, abschließend auf Ihren Brief
vom 1. 5. 1942 zu antworten.

Ich habe keine Bedenken dagegen, daß die im Gebiet des
Reichsgaues Wartheland lebenden, mit offener Tuberkulose behaf-
teten Schutzangehörigen und Staatenlosen polnischen Volkstums,
soweit ihre Krankheit nach amtsärztlicher Feststellung unheilbar
ist, der Sonderbehandlung im Sinne Ihres Vorschlages unterzogen
werden. Ich würde jedoch bitten, daß die einzelnen Maßnahmen
vorher mit der Sicherheitspolizei eingehend besprochen werden,
damit die Durchführung möglichst unauffällig erfolgen kann.

Heil Hitler!
Ihr gez. H. Himmler

An: SS-Obergruppenführer Friedrich-Wilhelm   27. 8. 1943
Krüger, Höherer SS- und Polizeiführer Ost (Krakau)

Lieber Krüger!
Ich genehmige sehr gern Deinen Erholungsurlaub. Nimm lieber
4 Wochen. Strenge Dich aber auf der Jagd in Norwegen nicht so
stark an. Sie ist sehr strapaziös. Teile mir mit, wen Du als Vertreter bestimmst.

Heil Hitler!
Dein gez. H. Himmler

An: SS-Obergruppenführer Richard Hildebrandt,   17. 12. 1943
Chef des Rasse- und Siedlungshauptamts-SS

Lieber Hildebrandt!
Der Wichtigkeit halber bestätige ich auch noch schriftlich Ihren
Brief vom 1. 12. 43 betr. die jüdische Abstammung der SS-Ange-
hörigen Katzenstein, Julius und Rolf Sütterlin.

In diesen drei Fällen ist meine Entscheidung, daß alle drei auf eigene Verantwortung der Braut heiraten können und daß ich die Wiedervorlage dieser Akten nach dem Kriege angeordnet habe. Klar stelle ich schon heute, daß – ganz gleich wie meine endgültige Entscheidung lauten mag – die Kinder dieser 3 Sippen für eine Aufnahme in die SS oder für die Genehmigung einer Verheiratung mit einem SS-Mann nicht in Frage kommen und diese Sippen für die SS gesperrt werden.

Das Gutachten des Prof. Dr. B. K. Schultz kann ich in keiner Weise anerkennen. Es ist wissenschaftlich in meinen Augen überhaupt nicht haltbar. Denn mit derselben Berechtigung, mit der er erzählt, daß in der dritten Generation von dem Vorhandensein auch nur eines vom Juden stammenden Chromosoms nicht mehr gerechnet (sic) werden kann, könnte man behaupten, daß die Chromosome aller anderen Vorfahren ebenfalls verschwinden. Dann muß ich die Frage stellen: woher bekommt der Mensch überhaupt das Erbgut, wenn nach der dritten Generation von den Chromosomen seiner Vorfahren nichts mehr vorhanden ist? Für mich steht eines fest: Herr Prof. Dr. Schultz ist als Chef des Rassenamtes nicht geeignet.

Über die gesamte in Ihrem Brief angeschnittene Frage kann ich nicht jetzt, sondern werde ich erst nach dem Kriege entscheiden. Sie hat unendlich viel Für und Wider. Insgesamt neige ich aber der Meinung zu, daß wir mindestens bei Neuaufnahmen oder Neuverheiratungen an dem Grundsatz, zunächst bis 1750, dann nach dem Stand der Ahnenforschung bis 1700 und dann bis 1650 zurückzugehen und hier restlose Sauberkeit zu verlangen, festhalten müssen.

Heil Hitler!
Ihr HH

An: Chef des Reichssicherheitshauptamts   8. 9. 1943

Ich bestätige den Empfang des Fernschreibens vom 26. 8. 1943 – Nr. 151 671 –. Zu der Frage des Geschlechtsverkehrs von und mit Arbeitskräften aus dem Baltikum habe ich folgende Ansicht:

1. Ich bin dafür, daß das Verbot des Geschlechtsverkehrs für Esten und Letten sowie mit Esten und Letten aufgehoben wird.
2. Ich wünsche, daß das Verbot für alle Litauer und Litauerinnen aufrecht erhalten bleibt. Die Litauer sind ein Volk, das sich dermaßen schlecht benimmt und auch solch einen schlechten rassischen Wert besitzt, daß eine Aufhebung nicht berechtigt und nicht gerechtfertigt ist.

Ich beauftrage das Reichssicherheitshauptamt, diese Fragen über SS-Obergruppenführer Berger mit Reichsleiter Rosenberg zu besprechen.

HH

An: SS-Obergruppenführer Karl Wolff,   8. 11. 1943
Höchster SS- und Polizeiführer Italien

Liebes Wölfchen!
Ich rege an, die Methode, für abgelieferte englische Gefangene eine entsprechende Anzahl Lire oder 5 Engl. Pfund auszuschreiben, in allen italienischen Städten durchzuführen. Ich glaube, wir werden eine ganze Anzahl von heute sich noch herumtreibenden Briten auf diese Art bekommen.

Heil Hitler!
HH

An: SS-Oberführer Prof. Dr. Walther Wüst,   31. 3. 1944
Kurator des »Ahnenerbe e. V.«

Bei der künftigen Wettererforschung, die wir ja nach dem Krieg systematisch durch die Organisation ungezählter Einzelbeobachtungen aufbauen wollen, bitte ich, auf folgende Tatsache das Augenmerk zu richten:
Die Wurzeln bzw. die Zwiebel der Herbstzeitlose sind in den verschiedenen Jahren in unterschiedlicher Tiefe im Boden. Je

tiefer sie wachsen, desto stärker der Winter; je näher sie der Oberfläche sind, umso milder der Winter.

Auf diese Tatsache machte mich der Führer aufmerksam.

gez. H. Himmler

An: Generaldirektor Paul Pleiger, 13. 8. 1944
Aufsichtsratsvorsitzender und Vorstand der Hermann-Göring-Werke

Habe Ihr Fernschreiben vom 11. 8. erhalten. Ich finde es unglaublich, daß man bisher diese Ölvorkommen noch nicht erbohrt hat. Ich halte es für Ihre nationale Pflicht, daß Sie mit der Ihnen eigenen Energie unter Überwindung aller Schwierigkeiten unverzüglich an die Erbohrung und – sollten Sie Erfolg haben – an die Erschließung dieser Vorkommen gehen.

Ich darf Sie 8-tägig um fernschriftlichen Bericht über das Fortschreiten ersuchen.

Heil Hitler!
gez.: H. Himmler

6. Robert Ley: Berufswettkampf und keine Müdigkeit

Als vollmundiger Propagandist der Volksgemeinschaft war der Reichsorganisationsleiter der NSDAP und Leiter der Deutschen Arbeitsfront schwer zu übertreffen. Der promovierte Chemiker aus dem Rheinland gab sich nicht nur vor Arbeiterversammlungen mit Vorliebe anti-bürgerlich; er war beinahe schon eine Karikatur auf den rabaukenhaften »Alten Kämpfer«. Leys Reden hatten den Vorzug, besonders knapp und konkret zu sein, und in mancher Hinsicht waren sie auch besonders offen. Im Auszug aus der folgenden liefert Ley die Begründung für den »Reichsberufswettkampf aller schaffenden Deutschen 1938«.

Zitiert nach: Robert Ley, Soldaten der Arbeit. München 1938, S. 209–211.

Deutschland ist arm an materiellen Gütern. Wir waren nie reich. Das deutsche Volk hat im Laufe der Jahrtausende der Welt mancherlei gebracht, aber für sich selber hat es im Laufe dieser Jahrtausende wenig an materiellen Gütern, nicht einmal genügend Land, errungen. Wir sind ein Volk ohne Raum! Wir sind arm an Erzen; von Gold und Edelsteinen gar nicht zu reden. Man sagt uns das ja auch immer wieder: »Ihr seid arme Hungerleider.« Wir nehmen das zur Kenntnis. Wir antworten: »Wir sind trotzdem glücklich; denn wir haben das fleißigste Volk der Erde!«

Es ist keine Schande, arm zu sein. Wir wollen lieber arm und jung sein, als reich und verkalkt. Wir sind jung! Gerade dieses neue Deutschland hat als Merkmal die Jugend! Wir sind jung, dieses Kapital, das wir als einzigstes haben, unseren Fleiß, unsere Fähigkeiten und unsere hohe rassische Eignung, müssen wir hüten, bewahren und fördern. Wir können gar nicht genug tun, um die Fähigkeiten des deutschen Menschen zu heben. Wir können im Existenzkampf um Deutschland nichts anderes einsetzen als den Fleiß, die Kräfte und die Fähigkeiten des deutschen Menschen. Das wollen wir tun. Es darf in Deutschland keinen ungelernten Arbeiter mehr geben. Man erzähle uns doch nicht, unsere sozialen Maßnahmen seien Luxus. Im Gegenteil: sie sind höchste Wirtschaftlichkeit. Ein Unternehmer, der das nicht begreift, ist weder ein Wirtschaftler, noch ist er ein Deutscher. Will er mit Erfolg wirtschaften, muß er die Kräfte, die in seiner Gefolgschaft liegen, freimachen und auswerten.

Wir wollen die Gemeinschaft! Höchstleistungen können überhaupt nur in der Gemeinschaft erzielt werden. Das Glück der Menschen wird nur aus der Gemeinschaft kommen. In der Gemeinschaft der Menschen sehen wir unser höchstes Ziel, in einer nach Zellen und nach Leistungsgemeinschaft aufgebauten Ganzheit. Wir wollen keinen Haufen von Menschen, sondern wir wünschen, daß jeder seinen Platz hat. Wenn wir aber diese geordnete Gemeinschaft wollen, müssen wir auch dem einzelnen zubilligen, daß er an diese (sic) Gemeinschaft Rechte hat. Wenn wir ihm Pflichten auferlegen, müssen wir ihm auch Rechte geben. Erstes und vornehmstes Recht: dem Tüchtigen die Bahn frei zu machen. Der junge Mensch aus dem letzten Bauerndorf soll seinen Weg nach oben machen können, wenn er etwas kann. Hierbei denke ich auch an meinen eigenen Lebensweg. Wie schwer war es früher! Fast unmöglich für einen jungen Kerl, der draußen in irgendeinem gottverlassenen Dorf sein Leben fristen mußte, hochzukommen. Der Krieg und die Revolution, die wir erlebten, haben das geändert. Wir haben die Bahn freigemacht für den einzelnen Menschen. Die Möglichkeit der Entwicklung muß unabhängig sein von Geldbesitz und Herkommen. Der arme Mensch soll die gleichen Chancen haben wie der reiche.

Ehe wir zur Macht kamen, konnten wir oft die Redensart hören: »Ich bin so müde, ich muß Erholung haben.« Die Nichtstuer waren am meisten müde.

Man wird von der Arbeit nicht müde, das ist nicht wahr. Ein Mensch, der seinen Beruf meistert, wird nicht müde. Es wird nur der müde, der seine Aufgabe nicht meistern kann, der hoffnungslos ist, der keinen Glauben hat. Diese bürgerliche Müdigkeit von ehedem muß aus unserem Volk verschwinden.

7. Das Regime und die »Gemeinschaftsfremden«

Unter Federführung der SS (Reichskriminalpolizeiamt) fanden seit 1940 Überlegungen statt, die in den zurückliegenden Jahren stark erweiterten polizeilichen und rechtlichen Möglichkeiten des Vorgehens gegen sozial unerwünschte und als »volksschädigend« angesehene Personen(-gruppen) in einem ›Gesetz über die Behandlung Gemeinschaftsfremder‹ zusammenzufassen und zu systematisieren. Kompetenzstreitigkeiten, vor allem aber die dann notwendig werdenden umfangreichen Anpassungsänderungen des Reichsstrafgesetzbuchs und der strafverfahrensrechtlichen Vorschriften, verzögerten das Gesetzesvorhaben. Im Frühjahr 1944 waren sich die beteiligten Instanzen über den Wortlaut des Gesetzes einig (es sollte unterzeichnet werden vom »Führer«, vom Vorsitzenden des Ministerrats für die Reichsverteidigung, von den Reichsministern für Justiz, Inneres, Arbeit, Finanzen, vom Chef des OKW, vom Chef der Reichskanzlei und vom Leiter der Partei-Kanzlei). Für Anfang August 1944 war bereits ein einwöchiger

Fortbildungslehrgang zu den Neuregelungen vorgesehen; der Münchner Rechtsprofessor Mezger, der das Justizministerium per Postkarte über seine Verbrecher-Klassifikation unterrichtete, sollte den zweistündigen Einführungsvortrag halten über ›Das Gemeinschaftsfremdengesetz im Lichte der Kriminalbiologie‹.

Die Kriegsentwicklung – der Sommer 1944 sah den 20. Juli und den Höhepunkt des alliierten Bombenkrieges – verhinderte dann aber die Verabschiedung des Gesetzes. Gleichwohl bildete die nachstehende Gesetzesbegründung, in ihrer letzten Fassung in der Gefängnisdruckkerei Tegel gedruckt, eine sprachlich wie inhaltlich aussagekräftige Zusammenfassung der herrschenden Lehre.

Zitiert nach: Bundesarchiv Koblenz, R 22/944, Bl. 228 f.; Hervorhebungen im Original.

Dr. Edmund Mezger   München, 25. 3. 44
Professor der Rechte an der Universität   Kaulbachstr. 89

Postkarte

Herrn Ministerialdirigent Grau
Reichsjustizministerium
(1) Berlin
Wilhelmstrasse 65

Sehr verehrter Herr Ministerialdirigent!
Ich habe mich nun in der von uns erörterten Frage der »Einteilung der Verbrecher« eindeutig für folgenden Aufbau entschieden:
  I. Situationsverbrecher
     1. Konflikts   ''
     2. Entwicklungs ''
     3. Gelegenheits ''
 II. Charakterverbrecher
     4. Neigungs   ''
     5. Hang   ''
     6. Zustands   ''

Mit verbindlichen Grüßen
Heil Hitler!
Ihr erg.
Dr. Mezger

Begründung

Jahrzehntelange Erfahrung lehrt, daß das Verbrechertum sich fortlaufend aus minderwertigen Sippen ergänzt. Die einzelnen Glieder solcher Sippen finden sich immer wieder zu Gliedern ähnlich schlechter Sippen und bewirken dadurch, daß die Minderwertigkeit sich nicht nur von Geschlecht zu Geschlecht vererbt, sondern häufig zum Verbrechertum steigert. Diese Menschen sind meist weder gewillt noch fähig, sich der Volksgemeinschaft einzuordnen. Sie führen ein dem Gemeinschaftsgedanken fremdes Leben, haben selbst keinerlei Gefühl für Gemeinschaft, sind oft gemeinschaftsuntauglich oder gar -feindlich, also jedenfalls gemeinschaftsfremd.

Es ist eine alte Forderung der mit der öffentlichen Fürsorge betrauten Stellen, Gemeinschaftsfremde (Asoziale) zwangsweise zu bewahren, die infolge ihrer Unfähigkeit, sich der Gemeinschaft einzufügen, der Allgemeinheit dauernd zur Last fallen. Bisher kennt das geltende Fürsorgerecht nur eine Bewahrung bei erwiesener Hilfsbedürftigkeit und bei freiwilliger Unterwerfung ... Die Gemeinschaftsordnung erfordert aber eine Rechtsgrundlage, um Gemeinschaftsfremde über die unzulänglichen Möglichkeiten des Fürsorgerechts hinaus in ausreichendem Maße zwangsweise in Bewahrung nehmen zu können.

Die Regierungen der Systemzeit versagten gegenüber den Gemeinschaftsfremden. Sie machten nicht die Erkenntnisse der Erblehre und Kriminalbiologie zur Grundlage einer gesunden Fürsorge- und Kriminalpolitik. Sie sahen infolge ihrer liberalistischen Denkweise stets nur die »Rechte« des Einzelmenschen und waren mehr auf dessen Schutz gegenüber staatlichen Machtäußerungen als auf den Nutzen der Allgemeinheit bedacht.

Dem Nationalsozialismus gilt der einzelne nichts, wenn es um die Gemeinschaft geht.

Die von der Reichskriminalpolizei nach der Machtübernahme auf Grund des sich allmählich entwickelnden nationalsozialistischen Polizeirechts gegen die Gemeinschaftsfremden eingeleiteten Maßnahmen zur vorbeugenden Verbrechensbekämpfung entsprangen diesem Grundsatz. Dabei setzte sich die Erkenntnis durch, daß die Behandlung Gemeinschaftsfremder nicht so sehr in den Aufgabenkreis der Fürsorge als in denjenigen der Polizei gehört. Fürsorge kann nach nationalsozialistischer Auffassung nur Volksgenossen zugute kommen, die ihrer bedürftig, aber auch würdig sind. Bei Gemeinschaftsfremden, die der Volksgemeinschaft nur Schaden zufügen, ist nicht Fürsorge, sondern Zwang auf polizeilicher Grundlage notwendig mit dem Ziel, sie entweder durch geeignete Maßnahmen wieder als nützliche Glieder der Volksgemeinschaft zu gewinnen oder doch an einer weiteren Schädigung zu hindern. Der Schutz der Gemeinschaft steht dabei im Vordergrund.

Der Entwurf eines Gesetzes über die Behandlung Gemeinschaftsfremder will diese Erfordernisse erfüllen, indem er die bisherigen polizeilichen Maßnahmen übernimmt und neu gestaltet, ferner zusätzlich neue Rechtsgrundlagen schafft für gerichtliche Entscheidungen, soweit Gemeinschaftsfremde straffällig werden, sowie für die Unfruchtbarmachung Gemeinschaftsfremder, wenn zu erwarten ist, daß sie einen für die Volksgemeinschaft unerwünschten Nachwuchs haben werden.

Als gemeinschaftsfremd bezeichnet das Gesetz in Anwendung der Erkenntnisse der Erblehre und der Kriminalbiologie 3 Personengruppen:

1. Die Versagergruppe,
   Menschen, die nach ihrer Persönlichkeit und Lebensführung, insbesondere infolge von außergewöhnlichen Defekten des Intellekts oder des Charakters erkennen lassen, daß sie nicht imstande sind, aus eigener Kraft den Mindestanforderungen der Volksgemeinschaft zu genügen,
2. Die Gruppe der Arbeitsscheuen und Liederlichen,
   Menschen, die bald als Tunichtgute oder Schmarotzer ein nichtsnutzes, unwirtschaftliches oder ungeordnetes Leben führen und damit andere oder die Allgemeinheit belasten oder gefährden, bald als Taugenichtse einen Hang zum Betteln oder Landstreichen, zu Arbeitsbummelei, D"iebereien, Betrügereien oder anderen kleinen Straftaten an den Tag legen; zu dieser Gruppe können auch Personen gerechnet werden, die aus Un-

verträglichkeit oder Streitlust den Frieden anderer oder der Allgemeinheit wiederholt stören und die der Entwurf deswegen als *Störenfriede* bezeichnet.

3. Die Verbrechergruppe,
Menschen, die nach ihrer Persönlichkeit und Lebensführung erkennen lassen, daß ihre Sinnesart auf die Begehung von Straftaten gerichtet ist.

Um sicherzustellen, daß diese Gemeinschaftsfremden, die durch ihr Verhalten der Volksgemeinschaft Schaden zufügen, wieder für die Gemeinschaft zurückgewonnen oder aber, wenn dies nicht möglich ist, an einer weiteren Schädigung mit staatlichem Zwang gehindert werden, sieht der Entwurf zunächst für die nichtstraffälligen Gemeinschaftsfremden *polizeiliche Maßnahmen* vor. Dabei ist in erster Linie an die polizeiliche Überwachung gedacht, worunter eine Überwachung mit besonderen Auflagen, Geboten und Verboten zu verstehen ist. Reichen Überwachungsmaßnahmen nicht aus, so schafft der Entwurf die Rechtsgrundlage für die Einweisung dieser Gemeinschaftsfremden in die Anstalten der Landesfürsorgeverbände. Reicht auch diese mehr bewahrende Freiheitsentziehung nicht aus, so wird der Gemeinschaftsfremde in einem Lager der Polizei untergebracht. Damit hat sich der im Fürsorgerecht entwickelte Bewahrungsgedanke auch auf dem Gebiet des vorbeugenden Schutzes der Gemeinschaft durchgesetzt.

Besondere Bedeutung kommt der Bekämpfung der straffälligen Gemeinschaftsfremden zu. Das Gesetz regelt daher neben der polizeilichen Behandlung Gemeinschaftsfremder auch die *Behandlung straffälliger Gemeinschaftsfremder durch die Gerichte*. Die Aufgabe, die *straffälligen* Gemeinschaftsfremden der Gemeinschaft wieder als nützliche Glieder zuzuführen, obliegt nicht der Polizei, sondern den Justizbehörden, desgleichen ihre Unschädlichmachung, soweit dies mit der Strafe und deren Vollzug möglich ist.

Die Strafe der verbrecherischen Gemeinschaftsfremden darf daher nicht ausschließlich Ahndung ihrer Straftaten sein, sondern soll vorwiegend der Resozialisierung dienen und dabei der Eigenart der kriminellen Gemeinschaftsfremden entsprechen. Da sich im voraus nicht übersehen läßt, welcher Zeitraum erforderlich ist, um den verbrecherischen Gemeinschaftsfremden nach seiner erb- und konstitutionsbiologischen Eigenart so nachhaltig zu beeinflussen, daß er für die Volksgemeinschaft weder eine Gefahr noch eine Last mehr bildet, muß die Strafe gegen ihn von unbestimmter Dauer sein.

Der Entwurf stellt daher wie der Polizei die Freiheitsentziehung auf unbestimmte Zeit, so auch den Gerichten die unbestimmte Verurteilung zur Verfügung und stattet sie damit über das Gewohnheitsverbrechergesetz vom 24. 11. 1933 hinaus mit einer Waffe aus, die von der Strafrechtswissenschaft und von der Kriminalbiologie seit langem gefordert wird.

Die unbestimmte Strafe hat nicht nur den Vorzug vor der bestimmten Strafe, daß sie der sittlichen und geistigen Entwicklung des Verurteilten in der Strafhaft angepaßt werden kann, sondern sie packt auch den Verurteilten weit stärker: Sie gestattet ihm nicht, die Strafzeit mehr oder minder innerlich unbeteiligt abzusitzen, sondern rüttelt ihn auf und zwingt ihn zur Arbeit an sich selbst, um sich die Entlassung aus der Anstalt durch innere Umkehr zu verdienen.

Im einzelnen unterscheidet der Entwurf zwischen Verbrechern, die nach ihrer Lebensführung und Persönlichkeit einen starken Hang zu ernsten Straftaten offenbaren, und anderen, die eine minder ausgesprochene Neigung zu Straftaten aller Art betätigen. Für die ersteren setzt er das Mindestmaß der unbestimmten Strafe auf 5 Jahre Zuchthaus fest, die letzteren bedroht er je nach der Bedeutung ihrer Straftaten mit Zuchthaus oder Gefängnis nicht unter einem Jahr.

Unverbesserliche Verbrecher soll der Richter von vornherein ausscheiden und der Polizei überweisen, der die Durchführung der Aufgabe, die Volksgemeinschaft vor diesen Elementen zu schützen, obliegt. Sie werden damit zu Personen minderen Rechts erklärt und um ihrer minderwertigen Veranlagung willen einer im wesentlichen auf Verwahrung abgestellten Behandlung zugeführt. Überweisung an die Polizei sieht der Entwurf ferner vor für Landstreicher, gewerbsmäßige Bettler und ähnliche mehr lästige als schädliche Taugenichtse; der Grund hierfür liegt darin, daß diese Gruppe von Gemeinschaftsfremden der Gruppe der Schmarotzer nahesteht, insofern bei beiden die Grundlage ihres Verhaltens in Arbeitsscheu oder Liederlichkeit zu suchen ist; daher ist für beide Gruppen dieselbe Art der Behandlung angezeigt. Verbrecher aus Hang oder Neigung dagegen, bei denen Besserung und innere Umkehr nach straffster Arbeitserziehung erwartet werden kann, sollen in den Strafanstalten einem Versuch der Resozialisierung unterworfen werden. Schlägt der Versuch fehl, so ermächtigt und verpflichtet der Entwurf die höhere Vollzugsbehörde, den Verurteilten nachträglich der Polizei zu überweisen. Diese Regelung der Behandlung straffälliger Gemeinschaftsfremder bedeutet eine erhebliche, aber dringend notwendige Umgestaltung des Strafrechts, nämlich den Verzicht auf die Zweispurigkeit der strafgerichtlichen Erkenntnisse (Strafe und zusätzliche Sicherungsverwahrung) zugunsten der entsprechend gestalteten Erziehungsstrafe, während die reine Sicherung als Aufgabe der Polizei anerkannt wird.

Der Entwurf dehnt schließlich die schon im geltenden Recht gegen Sittlichkeitsverbrecher vorgesehene Entmannung auch auf Personen aus, die sich einer Neigung zu gleichgeschlechtlicher Unzucht hingeben. Die neuere ärztliche Erfahrung lehrt, daß auch gegen diese Personen die Entmannung eine wirksame Waffe ist.

Bei Minderjährigen muß der Tatsache Rechnung getragen werden, daß für ihre Erziehung in erster Linie die Erziehungsmaßregeln der öffentlichen Jugendhilfe, namentlich Fürsorgeerziehung und Schutzaufsicht, und bei straffällig Gewordenen der Jugendstrafvollzug zur Verfügung stehen. Gegen Minderjährige sollen daher die *polizeilichen Maßnahmen* des Gesetzes nur zulässig sein, wenn nach der Erklärung der Erziehungsbehörde eine Einordnung in die Volksgemeinschaft mit den Mitteln der öffentlichen Jugendhilfe voraussichtlich nicht zu erreichen ist. Zu unbestimmter *Strafe* sollen *Jugendliche* nur verurteilt werden, wenn die Voraussetzungen der Verordnung gegen jugendliche Schwerverbrecher vom 4. 10. 1939, RGBl. I S. 2000, oder der Verordnung über die unbestimmte Verurteilung Jugendlicher vom 10. 9. 1941, RGBl. I S. 567, gegeben sind.

Die Gemeinschaftsfremden, insbesondere die Versager und Taugenichtse, gehören überaus häufig Sippen an, die im ganzen oder in ihren einzelnen Gliedern Polizei und Gerichte dauernd beschäftigen oder sonst der Volksgemeinschaft zur Last fallen. Der Entwurf ermöglicht es daher, Gemeinschaftsfremde *unfruchtbar zu machen,* wenn von ihnen unerwünschter Nachwuchs zu erwarten ist. Darüber, *ob* unerwünschter Nachwuchs von einem Gemeinschaftsfremden zu erwarten ist, sollen die Erbgesundheitsgerichte entscheiden.

Die Durchführung des Gesetzes im einzelnen wird in Durchführungsverordnungen der beteiligten Fachminister geregelt werden.

8. Ein Euthanasiearzt schreibt an seine Frau:
»Die Arbeit flutscht nur so«

Dr. Friedrich Mennecke war bei Kriegsbeginn Direktor der Landesheilanstalt Eichberg im Rheingau und noch nicht 35 Jahre alt. Er hatte einen rasanten sozialen Aufstieg hinter sich: Sein Vater, als »Kriegszitterer« gelähmt aus dem Ersten Weltkrieg zurückgekehrt und früh verstorben, war Steinhauer gewesen und aktiver Sozialdemokrat. Im Frühjahr 1932, während seines Medizinstudiums in Göttingen, hatte sich Friedrich Mennecke der NSDAP und der SS angeschlossen, 1937 wurde er Kreisbeauftragter des Rassenpolitischen Amtes der NSDAP, 1939 Ortsgruppenleiter in Erbach-Eichberg und SS-Obersturmführer. In den ersten Kriegsmonaten Truppenarzt am »Westwall«, wurde Mennecke im Sommer 1940 von der Kanzlei des Führers als Euthanasie-Gutachter herangezogen. Bis 1942 nahm der ehrgeizige Mediziner wiederholt an »Selektionsreisen« in psychiatrische Anstalten und Konzentrationslager teil. Mit beklemmender Akribie und anhaltendem Enthusiasmus schilderte Mennecke seiner Frau, einer acht Jahre jüngeren medizinisch-technischen Assistentin, die banalsten Details seines Tagesablaufs, aber auch seine Tätigkeit als »Kreuzelschreiber«. Die folgenden Briefe stammen aus einem ursprünglich etwa 8000 Seiten starken Bestand, der zu einem Drittel als Beweismittel 1946 im sogenannten Eichberg-Prozeß vorgelegt werden konnte. In diesem Verfahren wurde Mennecke wegen der Ermordung von mindestens 2500 Menschen zum Tode verurteilt; er starb, seit längerem an Lungentuberkulose erkrankt, wenig später in der Haft. Im ersten hier abgedruckten Brief berichtet Mennecke über seinen Aufenthalt als »Gutachter« der »Aktion 14 f 13« im KL Sachsenhausen bei Oranienburg; es folgen Berichte über seine Tätigkeit im KL Ravensbrück bei Fürstenberg, Buchenwald bei Weimar und von einem Treffen mit den Organisatoren der Euthanasie-Aktionen in der Reichskanzlei.

Zitiert nach: Peter Chroust (Bearbeiter), Friedrich Mennecke. Innenansichten eines medizinischen Täters. Eine Edition seiner Briefe 1935–1947. 2 Bände. Hamburg 1987; Hervorhebungen im Original.

Direktor   *Oranienburg*, den 7. 4. 41.
Dr. med. Fr. Mennecke   *23.40 h*
Facharzt für Neurologie
und Psychiatrie

Mein liebstes Muttilein!
Gerade soll noch mein letzter Brief aus dieser ersten K-Z-Epoche beginnen, den ich Dir allerdings mitbringen u. nicht schicken werde. Soeben bin ich fertig geworden mit der statistischen Zusammenstellung der von mir untersuchten Häftlinge, bis jetzt 109 an der Zahl. Morgen kommen noch ca. 25–30 weitere als letzte Arbeit dazu. Ich lege gerade auf diese Unterlagen besonderen Wert für eventuelle spätere wissenschaftliche Verwertung, weil es sich ausschließlich um »Antisoziale« – und zwar in höchster Potenz – handelt. Ehe ich also meine Meldebögen in der Tiergartenstraße abliefere, notiere ich mir alle wichtigen Angaben listenmäßig. Es sind für morgen noch 84 Häftlinge zu untersuchen. Da ab heute Herr Dr. Hebold (Anstaltsarzt in Eberswalde) als dritter mitarbeitet, entfallen auf jeden nur noch ca. 26 Häftlinge. Ich hoffe, daß wir früh genug fertigwerden, sodaß ich eventuell noch morgen meine Heimfahrt antreten kann …

Einen endgültigen Plan kann ich heute abend noch nicht machen; – erst die Arbeit beenden!! Da heute hier unten im Restaurant eine gerammelt volle Versammlung der Oranienburger Gastwirte mit ihren Frauen tagte, war es mir unten zu voll und zu laut zu sitzen, lesen oder schreiben. Deshalb habe ich mich nach den

20.00 h-Nachrichten mit einer Flasche 1937er Piesporter Falkenberg hier in mein Zimmer zurückgezogen. – Nun ist es Mitternacht, und es geht gleich in die Haya. Etwas wesentlich Neues hat der Nachrichtendienst von den Fronten in Südost noch nicht gebracht, aber vielleicht kommt morgen gleich die Einnahme von Belgrad – hoffentlich!! Wir werden es abwarten können!! Ich habe mir ausgezeichnetes Kartenmaterial gekauft; die theoretische Front-Verfolgung kann beginnen, – So, mein Lieb, nun ist Schluß, denn die Gucken werden immer schwerer und werden »auf der dritten Seite« im Beumelburg alsbald zufallen. Aber erst muß ich Dir noch den Eingang Deines lieben Briefes bestätigen, den ich nun endlich um 18.00 h im Hotel Deutsches Haus in Empfang nehmen konnte. Herzlichsten, heißesten Dank dafür, meine liebe Mu! Ich habe mit Wonne gelesen, daß Du mir sooooooo gut bist, was ich Dir ebenso bin!!! Aber allein reise ich demnächst nicht wieder, Du mußt mit, kleine »Schlechte«!! – Nun spitze bitte Dein Mündchen zum Gute-Nacht-Küßli – und reich mir Deinen P…o zum Abklatschen – und dann: schlaf wohl!! Gute, gute Nacht!! Träume süß!! In 48 Stunden bin ich bei Dir!! – Gute Nacht!! Ahoi!!

Fürstenberg, d. 20. 11. 41.

Meine liebste Mutti!
Es ist 17.45 h, ich habe mein Tagewerk vollbracht und sitze wieder im Hotel. Das Ergebnis meiner heutigen Arbeit sind 95 Bögen. Da bei einer nochmaligen Besprechung mit dem Lagerarzt, SS-Obersturmführer Dr. Sonntag, und dem Lagerkommandanten, SS-Sturmbannführer Koegel die Anzahl der Infragekommenden nach meinen grundsätzlichen Erfassungsausführungen noch um etwa 60–70 erweitert wird, so werde ich etwa bis Montag einschl. zu tun haben. Ich habe heute morgen um 8.15 h mit Prof. Heyde telephoniert und ihm gesagt, daß ich es hier allein schaffen würde. Daraufhin ist heute dann auch niemand erschienen, Dr. Schmalenbach braucht also nicht zu kommen. Ich habe nun mit Heyde vereinbart, daß ich nach Beendigung meiner hiesigen Arbeit wieder nach Berlin komme, um dort dann den Einsatz in Buchenwald zu besprechen. Ich werde wohl am

Dienstagfrüh nach Bln fahren u. noch am selben Tage nach Weimar weiterfahren. – Die Arbeit flutscht nur so, weil ja die Köpfe jeweils schon getippt sind und ich nur die Diagnose, Hauptsymptome etc. einschreibe. Über die Zusammensetzung der Pat. möchte ich hier im Brief nichts schreiben, später mündlich mehr. Dr. Sonntag sitzt dabei und macht mir Angaben über das Verhalten im Lager, ein Scharführer holt mir die Pat. herein, – es klappt tadellos. Ich sitze im Lager; heute mittag gab's im Kasino Linsensuppe mit Speckeinlage, als Nachtisch Omelette ...

Weimar, d. [26.] 11. 1941
(Hotel Elephant)

... *19.50 h* Wieder daheim, mein Mausli!! Der erste Arbeitstag in Buchenwald ist beendet. Wir waren um 8.30 h heute früh draußen. Ich stellte mich zunächst bei den maßgeblichen Führern vor. Der stellvertretende Lagerkommandant ist SS-Hauptsturmführer *Florstedt,* Lagerarzt: SS-Obersturmführer *Dr. Hofen.* Zunächst gab es noch ca. 40 Bögen fertig auszufüllen von einer 1. Portion Arier, an der schon die beiden andern Kollegen gestern gearbeitet hatten. Von diesen 40 bearbeitete ich etwa 15. Als diese ganze Portion dann fertig bearbeitet war, haute Schmalenbach ab, um nach Dresden zu fahren und bis zum Ende unserer hiesigen Arbeit nicht mehr wiederzukommen. Anschließend erfolgte dann die »Untersuchung« der Pat., d. h. eine Vorstellung der einzelnen u. Vergleich der aus den Akten entnommenen Eintragungen. Hiermit wurden wir bis Mittag noch nicht fertig, denn die beiden Kollegen haben gestern nur theoretisch gearbeitet, so daß ich diejenigen »nachuntersuchte«, die Schmalenbach (u. ich selbst heute morgen) vorbereitet hatte u. Müller die seinigen. Um 12.00 h machten wir erst Mittagspause u. aßen im Führer-Kasino (*1 a!* Suppe, gekochtes Rindfleisch, Rotkohl, Salzkartoffeln, Apfelkompott – zu 1,50 Mk!), *keine* Marken. Bei der Bekanntmachung mit all den vielen SS-Führern stellte ich auch den U-Sturmführer fest, der im Dezbr. 1940 Adjutant im Lager Hinzert war. Auch er erkannte mich sofort, erkundigte sich, auch nach Deinem Wohlergehen. – Um 13.30 h fingen wir wieder an zu untersuchen, aber bald kam die Rede von Ribbentrop, die wir uns erst anhörten. Er hat sehr viel Schönes gesagt, hast Du die Rede auch gehört? Danach untersuchten wir noch bis gegen 16.00 h, u. zwar ich 105 Pat, Müller 78 Pat, so daß also damit endgültig als 1. Rate 183 Bögen fertig waren. Als 2. Portion folgten nun insgesamt 1200 Juden, die sämtlich nicht erst »untersucht« werden, sondern bei denen es genügt, die Verhaftungsgründe (oft sehr umfangreich!) aus der Akte zu entnehmen u. auf die Bögen zu übertragen. Es ist also eine rein theoretische Arbeit, die uns bis Montag einschließlich ganz bestimmt in Anspruch nimmt, vielleicht sogar noch länger. Von dieser 2. Portion (Juden) haben wir heute dann noch gemacht: ich 17, Müller 15. Punkt 17.00 h »warfen wir die Kelle weg« und gingen zum Abendessen: kalte Platte Cervelatwurst (9 große Scheiben), Butter, Brot, Portion Kaffee! Kostenpunkt 0,80 Mk ohne Marken!! ...

Berlin, d. 14. 1. 42.
Hotel Esplanade

Mein liebstes Muttilein!
War das eine typische Kriegswinterfahrt von Fürstenberg nach hier: Der Personenzug, der 7.47 h aus Fürstenberg abfahren sollte, fuhr erst 9.20 h ab, brechend u. völlig ungeheizt. In Oranienburg hieß es plötzlich: »Nach Berlin alles aussteigen!« Also raus und der ganze Schwung von Menschen – ich mit meinem Koffer, der Aktentasche und dem Meldebogenpaket (850 Stück) – treppab, treppauf – in den Vorortzug (S-Bahn) nach Bln.

... Um 14.30 h betrat ich die Reichskanzlei und sofort begann die Besprechung mit Dr. Hefelmann, der verschiedene Punkte zur Rücksprache hatte. Alles tadellos! Da die vorgesehene große Sitzung ausfallen mußte, tagen wir morgen im engen Kreise: Dr. Hefelmann, Prof. Nitsche, Prof. Schneider, Dr. Heinze, Dr. Straub u. Dein Oller! Um 11.30 h werde ich mich wieder in die Reichskanzlei begeben. Zur Erörterung steht die Frage »Förderung der Jugend-Psychiatrie«, auf diesem Gebiete sind Schneider u. Heinze als führende Wissenschaftler im Reich anzusehen; ich sitze (mit Straub) als Mann der Praxis daneben ... Ich soll mit meiner Kinderfachabteilung, die noch weiter ausgebaut wird, in engstem Einvernehmen mit Schneider, Heinze u. Straub zusammen wirken, und die »Ausmerze« dieser neuen »Jugend-psychiatrischen Klinik« wird den Schluß ihrer Behandlung bei mir finden. Da haben wir bereits *das* Zukunftsprojekt, was ich immer von der Kinderfachabteilung erwartet habe! Neben sehr wohltuenden Schmeicheleien über den tadellosen Aufbau meiner Kinderfachabteilung als der besten neben der von Heinze, sprach Dr. Hefelmann noch manche erfreulichen Zeichen der Anerkennung für mich aus, was nicht nur seine, sondern auch die von Herrn Brack gewonnene Erkenntnis sei ...

Gegen 17 h verließ ich Dr. H., der mich noch zum Schluß bat, für ihn Wein einzukaufen, was ich tun werde. Er gab mir seine Wohnungsanschrift. Danach ging ich zur Tiergartenstraße, um nun mit Prof. Nitsche zu sprechen. Schon bei Dr. H. hatte ich Aufklärung über die »völlig neuen Veränderungen« bekommen, von denen mir Frl. Schwab am Telephon Andeutungen machte: Seit vorgestern ist eine große Abordnung unserer Aktion unter Führung von Herrn Brack im Kampfgebiet des Ostens, um an der Bergung unserer Verwundeten in Eis u. Schnee zu helfen. Es sind Ärzte, Bürokräfte, Hadamar- u. Sonnenstein-Pfleger u. -Pflegerinnen dabei, ein ganzes Kommando von 20–30 Personen! Dies ist *streng geheim!* Nur diejenigen, die zur Durchführung der dringendsten Arbeiten unserer Aktion nicht entbehrt werden können, sind nicht mitgenommen ... Er sprach davon, daß ich ja dann auch noch in all die andern Kz's müßte und daß ich die Kz-Bearbeitung zunächst nun ruhig als meine Spezialaufgabe betrachten solle. Ich werde ihm nun aber morgen früh sagen, daß ich jetzt doch lieber erst wenigstens Gr. Rosen noch fertig machen will, zumal ich schon für den »16.–19. 1.« angekündigt bin, und weil ich jetzt einmal hier im Osten bin. Es sind dort bei Gesamtbelegung von etwa 1000 nicht sehr viele Erfassungen nötig, sodaß ich bestimmt nicht länger als 8 Tage zu tun haben werde. Im Anschluß an die Arbeit in Gr. Rosen wird dann erst Schluß gemacht, um vielleicht im Frühjahr die restlichen Kz's zu erfassen. Das ist doch sicher auch Deine Meinung, gelt, Mutti? – Ich ging dann noch auf die Rechnungsstelle und nahm mir 200,-Mk Reisekostenvorschuß. Der Herr Riedel meinte, ich würde ja diesmal wohl eine dicke Rechnung vorlegen, denn ich sei doch schon so lange unterwegs u. hätte noch keine Teil-Rechnung vorgelegt. Es war dann etwa 17.45 h geworden, als ich die Tiergartenstraße verließ.

9. Land des Ostens, Land der Illusion: NS-Liedgut und Durchhaltelieder

War schon das Marschlied-Repertoire der aufstrebenden NS-Bewegung beträchtlich, so wuchs die Varietät des ideologischen Liedguts während des Dritten Reiches ins kaum noch Überschaubare. Jeder Feldzug wurde vertont, jede Waffengattung hatte ihre eigenen Lieder. Das hier abgedruckte Beispiel illustriert Pathos und Borniertheit der nationalsozialistischen Lebensraum-Ideologie: die Vorstellung, »im Osten« sei ein Land ohne Geschichte, Kultur und Menschen zu kolonisieren.

Als Kontrast und Ergänzung folgen die Refrains einer Reihe von Unterhaltungsschlagern aus dem Krieg. Ihre Funktion der Zerstreuung, Ablenkung und des Muntermachens ist offensichtlich, auch wenn nicht eine politische Vokabel fällt.

Zitiert nach: Gemeinschaftslieder. Lieder für Frauengruppen, hrsg. von der Reichsfrauenführung, o. O. 1940 (›Im Osten ...‹); alle Schlager nach: Monika Sperr (Hrsg.), Schlager. Das Große Schlager-Buch. Deutscher Schlager 1800-Heute. München 1978.

Im Osten steht unser Morgen, steht Deutschlands kommendes Jahr,
dort liegt eines Volkes Sorgen, dort wartet Sieg und Gefahr.

Dort hielten Brüder die Treue, daß niemals die Fahne sank,
ein halbes Jahrtausend Treue – so wachten sie ohne Dank.

Dort wartet gute Erde, die niemals Saaten trug,
dort stehn keine Höfe und Herde, dort ruft das Land nach dem Pflug.

Dort müssen wir Fremde gewinnen, die einmal schon Deutschen gehört,
dort gilt es ein neues Beginnen, nun rüstet euch, Deutsche hört.
(Worte und Weise: Hans Baumann)

Heimat deine Sterne,
sie strahlen mir auch am fernen Ort.
Was sie sagen, deute ich ja so gerne
als der Liebe zärtliches Losungswort.
Schöne Abendstunde,
der Himmel ist wie ein Diamant.
Tausend Sterne stehen in weiter Runde,
von der Liebsten freundlich mir zugesandt.
In der Ferne träum' ich vom Heimatland.
(Filmmusik aus: ›Quax, der Bruchpilot‹, 1942)

Es geht alles vorüber,
es geht alles vorbei!
Auf jeden Dezember
folgt wieder ein Mai!

Es geht alles vorüber,
es geht alles vorbei!
Doch zwei, die sich lieben,
die bleiben sich treu!
(1942)

Ich weiß, es wird einmal ein Wunder geschehn
und dann werden tausend Märchen wahr.
Ich weiß, so schnell kann keine Liebe vergehn,
die so groß ist und so wunderbar.
Wir haben beide denselben Stern
und dein Schicksal ist auch meins.
Bist mir fern und doch nicht fern,
denn unsere Seelen sind eins.
Und darum wird einmal ein Wunder geschehn –
und ich weiß, daß wir uns wiedersehn!
(Filmmusik aus: ›Die große Liebe‹, 1942)

Davon geht die Welt nicht unter,
sieht man sie manchmal auch grau.
Einmal wird sie wieder bunter,

einmal wird sie wieder himmelblau.
Geht's mal drüber und mal drunter,
wenn uns der Schädel auch raucht,
davon geht die Welt nicht unter,
die wird ja noch gebraucht.
(Filmmusik aus: ›Die große Liebe‹, 1942)

Mit Musik geht alles besser,
mit Musik fällt alles leicht,
ob man die Trompete schmettert
oder Baß und Fiedel streicht.
Nur piano sich zu äußern,
nein, das ist nicht so gedacht.
Ein Fortissimo ist wohl ebenso
hier und da recht angebracht.
(Filmmusik aus: ›Sophienlund‹, 1943)

Drum kauf Dir einen bunten Luftballon
und mit etwas Phantasie
fliegst du in das Land der Illusion
und bist glücklich wie noch nie.
(1944)

10. Helmuth James Graf von Moltke:
   Das Bild des Menschen aufrichten

Für viele Mitglieder der deutschen Oberschicht, insbesondere des preußischen Adels, die sich im Widerstand gegen Hitler fanden, spielten neben politischen und militärstrategischen Erwägungen ethischreligiöse Gesichtspunkte eine wichtige Rolle. Für Helmuth James Graf von Moltke, der als Gastgeber des oppositionellen Kreisauer Kreises bereits im Januar 1944 verhaftet und ein Jahr später hingerichtet wurde, waren sie zentral. Den folgenden Brief vom April 1942, der einen Einblick in die Beweggründe des damals erst 35jährigen Völkerrechtsexperten gibt, konnte Moltke auf einer Dienstreise in der Türkei an seinen englischen Freund Lionel Curtis schreiben.

Zitiert nach: Helmuth James Graf von Moltke, Letzte Briefe aus dem Gefängnis Tegel. Berlin 1950, S. 17–22; vgl. darüber hinaus ders., Briefe an Freya 1939–1945, hrsg. von Beate Ruhm von Oppen. München 1988.

Die Dinge sind schlimmer und besser, als man es sich außerhalb Deutschlands vorstellen kann. Schlimmer, weil die Tyrannei, der Terror, der Zerfall aller Werte größer ist, als ich es mir je hätte vorstellen können. Die Zahl der Deutschen, die auf legalem Wege im November durch Verurteilung vor ordentlichen Gerichten getötet worden sind, beträgt 25 täglich und vor Kriegsgerichten wenigstens 75 täglich. Hunderte werden in Konzentrationslagern und durch Erschießung ohne Gerichtsverhandlung täglich getötet. Die ständige Gefahr, in der wir leben, ist furchtbar. Zur gleichen Zeit ist der größte Teil der Bevölkerung entwurzelt und, zur Zwangsarbeit eingezogen, über den ganzen Kontinent verstreut. Dadurch sind alle Bande der Natur und der Umgebung gelöst, und das Tier im Menschen herrscht. Die wenigen wirklich guten Leute, die versuchen, der Flut zu stemmen, sind, wenn sie in dieser unnatürlichen Umgebung arbeiten, isoliert, weil sie ihren Kameraden nicht trauen können, und sie sind durch den Haß der Unterdrückten gefährdet, selbst wenn es ihnen gelingt, einige vor dem Schlimmsten zu bewahren. Tausende von Deutschen, die überleben werden, werden geistig tot sein, unfähig für eine normale Betätigung.

Aber die Dinge sind auch besser als Du glauben wirst, und das in mannigfacher Weise. Das wichtigste ist das beginnende geistige Erwachen, verbunden mit der Bereitschaft, wenn notwendig, zu sterben. Das Rückgrat dieser Bewegung bilden die beiden christlichen Konfessionen, die protestantische wie die katholische ...

Du weißt, daß ich die Nazis vom ersten Tage an bekämpft habe, aber den Grad von Gefährdung und Opferbereitschaft, der heute von uns verlangt wird und vielleicht morgen von uns verlangt werden wird, setzt mehr als gute ethische Prinzipien voraus, besonders da wir wissen, daß der Erfolg unseres Kampfes wahrscheinlich den totalen Zusammenbruch als nationale Einheit bedeuten wird. Aber wir sind bereit, dem ins Gesicht zu sehen ...

Für uns ist Europa nach dem Kriege weniger eine Frage von Grenzen und Soldaten, von komplizierten Organisationen oder großen Plänen. Europa nach dem Kriege ist die Frage: Wie kann das Bild des Menschen in den Herzen unserer Mitbürger aufgerichtet werden. Das ist eine Frage der Religion, der Erziehungen, der Bindungen an Arbeit und Familie, des richtigen Verhältnisses zwischen Verantwortung und Rechten. Ich muß sagen, daß wir unter dem unglaublichen Druck, unter dem wir arbeiten müssen, Fortschritte gemacht haben, die eines Tages sichtbar sein werden. Kannst Du Dir vorstellen, was es bedeutet, als Gruppe zu arbeiten, wenn man das Telefon nicht benutzen kann, wenn Du die Namen Deiner nächsten Freunde anderen Freunden nicht nennen darfst aus Angst, daß einer von ihnen erwischt werden und die Namen unter Druck preisgeben könnte?

... Das schwerste Stück des Weges liegt noch vor uns, aber nichts ist schlimmer, als unterwegs nachzulassen. Vergeßt bitte nicht, daß wir darauf vertrauen, daß Ihr es, ohne mit der Wimper zu zucken, durchsteht, wie wir auch bereit sind, unseren Teil zu leisten, und vergeßt nicht, daß für uns ein sehr bitteres Ende in Sicht ist, wenn Ihr es überstanden habt. Wir hoffen, daß Ihr Euch klar darüber seid, daß wir bereit sind, Euch zu helfen, den Krieg und den Frieden zu gewinnen.

11. Adolf Eichmann: Die Wannsee-Konferenz

Während 15 hohe Herren in nobler Umgebung künftige Maßnahmen erörterten, flüsterte er in einer Ecke einer Sekretärin Stichworte für sein Protokoll: So beschrieb Adolf Eichmann seine Rolle bei der Konferenz am 20. Januar 1942 in Berlin-Wannsee. Der Judenreferent des Reichssicherheitshauptamts hatte das Treffen bürokratisch vorbereitet. Als die Konferenz vorüber war, saß er mit Heydrich und Gestapochef Heinrich Müller noch eine Weile Cognac trinkend zusammen. Aber er will dabei, wie er in seinem Prozeß in Jerusalem aussagte, nur »eine Art Pilatussche Zufriedenheit« empfunden haben – hatten doch die »Päpste« befohlen und er nur zu »gehorchen«. Der folgende Wortwechsel ist ein Ausschnitt aus einer Vernehmung vor dem Prozeß, bei der Eichmann sein Protokoll gegenüber Polizeihauptmann Avner Less interpretierte.

Im Dezember 1961 wurde der Schreibtischtäter, den der israelische Geheimdienst in Argentinien ausfindig gemacht und gekidnappt hatte, wegen Verbrechen gegen das jüdische Volk zum Tode verurteilt und ein halbes Jahr später hingerichtet.

Zitiert nach Norbert Frei: »... unsere Arbeiten auf anständige Art und Weise bearbeitet ...« Adolf Eichmann und die Wannsee-Konferenz. In: Tribüne 21 (1982), S. 43–59, hier S. 53 f.

L. Hier, auf Seite 7, sagt Heydrich dann: »Unter entsprechender Leitung sollen nun im Zuge der Endlösung die Juden in geeigneter Weise im Osten zum Arbeitseinsatz kommen. In großen Arbeitskolonnen, unter Trennung der Geschlechter, werden die arbeitsfähigen Juden straßenbauend in diese Gebiete geführt, wobei zweifellos ein Großteil durch natürliche Verminderung ausfallen wird.« Was ist hier unter »natürlicher Verminderung« zu verstehen? [...]

E. »Natürliche Verminderung« ist immer bei uns verstanden worden – ich habe das Wort ja auch übernommen, ich habe das nicht selbst geprägt, »natürliche Verminderung« ist ja ein, ist ein – ein – wie soll ich nur sagen – ein Fachwort, nicht aufgebracht etwa von der Sicherheitspolizei, sondern ein Fachwort für das normale Absterben. In Theresienstadt z. B. habe ich dieses Wort ebenfalls – ah – angewandt, wenn die Leute normal gestorben sind und von den jüdischen Ärzten behandelt worden sind, und die jüdischen Ärzte haben die Todesursache festgestellt und alle diese Sachen, – so war das eine natürliche Verminderung gewesen.

L. Gut, ich möchte das nur klar bekommen; ich kann mir vorstellen, wenn ein Mensch schwere physische Arbeit leisten muß, nicht genug zu essen bekommt, – er wird schwächer – er wird so schwach, daß er einen Herzschlag bekommt!

E. Sicher, wenn das – das würde sicherlich als »natürliche Verminderung« gemeldet worden sein von den zuständigen Stellen im Osten und wäre selbstverständlich im Reichssicherheitshauptamt – unter diese Rubrik natürliche Verminderung gefallen – weil's ja so gemeldet worden ist. [...]

L. Hier auf Seite 8 im 1. Absatz fährt dann Heydrich fort: »Der allfällig endlich verbleibende Restbestand wird, da es sich bei diesem zweifellos um den widerstandsfähigsten Teil handelt, entsprechend behandelt werden müssen, da dieser, eine natürliche Auslese darstellend, bei Freilassung als Keimzelle eines neuen jüdischen Aufbaues anzusprechen ist.« – Was bedeutet hier: »entsprechend behandelt werden müssen«?

E. Das ist – das ist eine – diese Sache die stammt vom Himmler – »natürliche Auslese« das ist – das ist sein, – das ist sein Steckenpferd – »natürliche Auslese« –

L. Ja, aber was bedeutet es hier?

E. Getötet, getötet, sicherlich ...

12. Das Ende des »Führerstaats«: Die Deutschen steigen aus

Differenziert, realistisch und in bemerkenswerter Offenheit analysiert der letzte erhalten gebliebene Bericht des Sicherheitsdienstes der SS von Ende März 1945 Stimmung und Lage der Bevölkerung. Zum Ärger von Hitlers »Sekretär« Martin Bormann, der den Boten für die schlechte Nachricht zu beschimpfen pflegte, unternahm die Ohlendorf-Dienststelle im Reichssicherheitshauptamt keinerlei Versuche, die Aussichtslosigkeit der Situation zu beschönigen. Das Dokument ist mehr als eine Momentaufnahme; es bietet eine dichte Beschreibung des Katastrophenalltags unmittelbar vor der Besetzung, der nun überall im Reichsgebiet die Regel wurde. Nicht überliefert sind die in der Inhaltsübersicht angekündigten beiden letzten Punkte des Berichts (»5. Der Führer ist für Millionen der letzte Halt und die letzte Hoffnung, aber auch der Führer wird täglich stärker in die Vertrauensfrage und in die Kritik einbezogen. 6. Der Zweifel am Sinn des weiteren Kampfes zerfrißt die Einsatzbereitschaft, das Vertrauen der Volksgenossen zu sich selbst und untereinander.«); im übrigen wird er hier ungekürzt abgedruckt.

Zitiert nach: Heinz Boberach (Hrsg.), Meldungen aus dem Reich 1938–1945. Die geheimen Lageberichte des Sicherheitsdienstes der SS. Herrsching 1984, Band 17, S. 6734–6740; Hervorhebungen im Original.

Volk und Führung

Die Entwicklung der militärischen Lage seit dem Durchbruch der Sowjets aus dem Brückenkopf von Baranow bis an die Oder hat unser Volk von Tag zu Tag stärker belastet. Jeder Einzelne sieht sich seitdem vor die nackte Existenzfrage gestellt. Aus dieser Situation ergeben sich eine Reihe von Fragen, Erscheinungen und Verhaltensweisen, die das Verhältnis von Volk zu Führung und die Volksgemeinschaft in eine äußerste Zerreißprobe hineindrücken. Dabei gibt es kaum noch Unterschiede zwischen Wehrmacht und Zivil, Partei und Nichtpartei, solchen, die führen und solchen, die geführt werden, zwischen einfachen Volkskreisen und Gebildeten, zwischen Arbeitern und Bürgern, zwischen Stadt und Land, zwischen der Bevölkerung im Osten und Westen, Norden und Süden, solchen, die zum Nationalsozialismus stehen und solchen, die ihn ablehnen, zwischen Volksgenossen, die der Kirche anhängen, und Volksgenossen, die konfessionell nicht gebunden sind.

Folgende Grundtatsachen zeichnen sich ab:

1. Niemand will den Krieg verlieren. Jeder hat sehnlichst gewünscht, daß wir ihn gewinnen.

Seit dem Einbruch der Sowjets weiß jeder Volksgenosse, daß wir vor der größten nationalen Katastrophe mit den schwersten Auswirkungen für jede Familie und jeden Einzelnen stehen. Das ganze Volk ist ohne Unterschied von einer täglich drückender gewordenen Sorge erfüllt. Mit den Evakuierten und Flüchtlingen aus dem Osten ist das Grauen des Krieges in alle Städte und Dörfer des enggewordenen Reiches gelangt. Die Luftangriffe haben den einigermaßen normal gewesenen Lebensablauf in einem Ausmaß zerschlagen, daß es für jeden spürbar wird. Die Bevölkerung leidet schwer unter dem Bombenterror. Die Verbindung zwischen den Menschen ist weitgehend abgerissen. Zehntausende von Männern an der Front sind bis heute ohne Nachricht, ob ihre Angehörigen, ihre Frauen und Kinder, noch am Leben sind und wo sie sich befinden. Sie wissen nicht, ob sie nicht längst von Bomben erschlagen oder von den Sowjets massakriert worden sind. Hunderttausende von Frauen bleiben ohne

Nachricht von ihren Männern und Söhnen, die irgendwo draußen stehen, sie sind ständig von dem Gedanken erfüllt, daß sie nicht mehr unter den Lebenden sein könnten. Allgemein ist der Drang, daß sich die Sippen und Familien zusammenschließen; wenn das äußerste Unglück über Deutschland hereinbricht, dann wollen es die Menschen, die zusammengehören, wenigstens gemeinsam tragen.

Wohl werde da und dort krampfhaft versucht, sich selbst damit zu beruhigen, daß es vielleicht am Ende doch nicht so schlimm werde. Schließlich könne ein 80-Millionen-Volk nicht bis zum letzten Mann, bis zur letzten Frau und bis zum letzten Kind ausgerottet werden. Eigentlich könnten sich die Sowjets nicht gegen die Arbeiter und Bauern wenden, denn sie würden in jedem Staat gebraucht. Aufmerksam wird im Westen auf alles gehört, was aus den von den Engländern und Amerikanern besetzten Gebieten herüber dringt. Hinter allen so lauten Trostsprüchen aber steht eine tiefgehende Angst und der Wunsch, daß es nicht so weit kommen möchte.

Erstmalig in diesem Krieg macht sich die Ernährungsfrage empfindlich bemerkbar. Die Bevölkerung wird mit dem, was sie hat, nicht mehr satt. Kartoffeln und Brot reichen nicht mehr aus. Die Großstadtfrauen haben jetzt schon Mühe, das Essen für die Kinder zu beschaffen. Zu allem Unglück kommt daher das Gespenst des Hungers.

Einen Sieg hat seit Tagen niemand mehr zu erhoffen gewagt. Jedermann wäre längst zufrieden, wenn wir den Krieg nicht regelrecht verlieren, sondern einigermaßen heil aus ihm herauskommen würden.

Die ganze Heimatbevölkerung hat bis in die letzten Tage hinein noch immer ein Beispiel täglicher Pflichterfüllung und vorbildlicher Arbeitsdisziplin gegeben. In den vom Bombenterror getroffenen Städten machen sich Zehntausend auf den Weg zur Arbeitsstätte, obwohl sie ihre Wohnung verloren haben, trotz Schlaflosigkeit und aller Hemmnisse, die der Kriegsalltag mit sich bringt, nur um die Aufgabe nicht zu versäumen, von deren Erfüllung ein glimpflicher Ausgang des Krieges mit abhängen könnte. Das deutsche Volk und insbesondere der Arbeiter, der in diesem Krieg bis an die Grenze der physischen Leistungsfähigkeit geschuftet hat, haben Treue, Geduld und Opferbereitschaft in einem Umfang bewiesen, wie ihn kein anderes Volk kennt.

2. Keiner glaubt mehr, daß wir siegen. Der bisher bewahrte Funken ist am Auslöschen.
Wenn Defaitismus so oberflächlich interpretiert wird, wie dies bisher meist geschehen ist, dann ist er seit der Offensive der Sowjets eine allgemeine Volkserscheinung. Niemand kann sich eine Vorstellung machen, wie wir den Krieg noch gewinnen können und wollen. Es war schon vor dem Durchstoß des Feindes in oberrheinisches Gebiet die Überlegung aller, daß wir ohne die Gebiete an der Oder, ohne das oberschlesische Industriegebiet und ohne das Ruhrgebiet nicht mehr lange Widerstand leisten können. Jedermann sieht das chaotische Verkehrsdurcheinander. Jedermann spürt, daß der totale Krieg unter den Schlägen der feindlichen Luftwaffe zu Bruch geht. Für Hunderttausende, die in den letzten Monaten in den Arbeitsprozeß hereingeholt worden sind, ist in den Betrieben und Büros kein Platz mehr. Immer mehr Fabriken, in denen die Gefolgschaften wissen, daß ihre Tätigkeit für die Rüstung lebenswichtig ist, müssen feiern. Das Herumlaufen um jede Arbeitskraft wird abgelöst durch eine rasch um sich greifende Arbeitslosigkeit. Hunderttausende von Ausländern, die uns wertvolle Hilfe leisteten, werden zu unnötigen Mitessern.

Alles Planen beginnt zu versagen. Es sieht so aus, als wenn alles rastlose Improvisieren nichts mehr hilft. Noch immer werden Wunderleistungen im Zustopfen von Löchern vollbracht, aber wo eine Lücke zugemacht wird, klaffen zwei oder drei andere auf. Wenn alles so weiter läuft wie bisher, wird sich jeder Volksgenosse an den fünf Fingern abzählen können, daß es eines Tages nicht mehr geht. Es breitet sich der Schrecken aus, daß wir auf dem letzten Loch pfeifen, daß wir im Grunde genommen schon am Ende sind. Alles wurde ertragen, solange nur der persönliche Besitz verloren ging, die Wohnung, das Eigentum, solange Verwaltungsgebäude und Kulturdenkmäler zerstört wurden. Mit dem Verlust der Arbeitsstätten, mit den Schädigungen an der wichtigsten Rüstungsproduktion, schwindet jedoch alle Hoffnung, den Krieg militärisch durchzuhalten, eine Wendung zum Besseren herbeizuführen, und damit der Glaube an den Sinn allen weiteren Mühens und Opferns.

Das deutsche Volk hat in den letzten Jahren alles auf sich genommen. In diesen Tagen zeigt es sich erstmalig müde und abgespannt. Noch wehrt und sträubt sich jeder anzuerkennen, daß es aus sein soll. Bis in die letzten Tage hielt sich ein Rest an Wundergläubigkeit, die seit Mitte des vergangenen Jahres von einer geschickten Propaganda um die neuen Waffen zielbewußt genährt worden ist. Noch wurde im Grunde des Herzens gehofft, daß wir, wenn die Fronten einigermaßen halten, zu einer politischen Lösung des Krieges gelangen. Niemand glaubt, daß wir mit den bisherigen Kriegsmitteln und -möglichkeiten noch um die Katastrophe herumkommen. Der letzte Hoffnungsfunke gilt einer Rettung von außen, einem ganz gewöhnlichen Umstand, einer geheimen Waffe von ungeheurer Wirkung. Auch dieser Funke ist am Verlöschen.

Die breiten Massen der einfachen Bevölkerung haben sich gegen die entsetzliche Hoffnungslosigkeit am längsten zur Wehr gesetzt. Die Überzeugung, daß der Krieg verloren ist, war umso früher da, je stärker der Einblick in größere Zusammenhänge ist. Dies darf kein Anlaß sein, um auf die »Intellektuellen« zu schimpfen. Die Intelligenz hat in diesem Krieg keine geringere Leistung vollbracht als der Rüstungsarbeiter, das Bürgertum den Bombenterror in der gleichen Weise getragen wie der einfache Mann. Es läßt sich nicht verhindern oder gar verbieten, daß sich der leitende Beamte, der Betriebsführer, daß sich Offiziere, Parteigenossen in höheren Funktionen und andere Personen der – im weitesten Sinne – Führungsschicht über die Entwicklung Gedanken machen. Gerade das deutsche Volk hat insgesamt kein Talent, mit Scheuklappen herumzulaufen. Alle diejenigen, die, wenn nicht einschneidende Veränderungen erfolgen, keine Möglichkeit eines guten Kriegsausganges mehr sehen, verwehren sich gegen den Vorwurf, Defaitisten genannt zu werden. Sie würden es unter Hinweis auf ihre eigene Leistung in diesem Krieg und ihres noch immer restlosen Einsatzes als Beleidigung empfinden, mit denen auf eine Stufe gestellt zu werden, die 1914–18 die deutsche Heimatfront unterhöhlt haben. Sie sehen sich nur außerstande, daran zu glauben, daß schwarz weiß sein soll und umgekehrt. Sie halten sich an das, was sie sehen, was sie selbst täglich in ihrem Lebensbereich und im Vergleich mit anderen Gebieten erfahren, sie lassen sich auch nicht mit Gewalt davon abbringen, daraus ganz nüchtern – wenn auch bisher widerstrebend und mit einer letzten Hoffnung, daß es am Ende nicht stimmen möchte – die bitteren Schlußfolgerungen zu ziehen. Man kann ihnen den Mund verbieten. Sie glauben deshalb nicht mehr und nicht weniger.

Aus der allgemeinen Hoffnungslosigkeit werden persönlich die verschiedensten Folgerungen gezogen. Ein Großteil des Volkes hat sich daran gewöhnt, nur noch für den Tag zu leben. Es wird alles an Annehmlichkeiten ausgenützt, was sich darbietet. Irgendein sonst belangloser Anlaß führt dazu, daß die letzte Flasche ausgetrunken wird, die ursprünglich für die Feier des Sieges, für das Ende der Verdunklung, für die Heimkehr von Mann und Sohn aufgespart war. Viele gewöhnen sich an den Gedanken, Schluß zu machen. Die Nachfrage nach Gift, nach einer Pistole und sonstigen Mitteln, dem Leben ein Ende zu bereiten, ist überall groß. Selbstmorde aus echter Verzweiflung über die mit Sicherheit zu erwartende Katastrophe sind an der Tagesordnung. Zahlreiche Gespräche in den Familien mit Verwandten, Freunden und Bekannten sind von Planungen beherrscht, wie man auch bei Feindbesetzung durchkommen könnte. Notgroschen werden beiseitegelegt, Fluchtorte gesucht. Insbesondere die älteren Menschen quälen sich Tag und Nacht mit schweren Gedanken und finden vor Sorge keinen Schlaf mehr. Dinge, die sich noch vor wenigen Wochen niemand auszudenken wagte, sind heute Gegenstand einer öffentlichen Diskussion in den Verkehrsmitteln und unter stockfremden Menschen.

3. Wenn wir den Krieg verlieren, sind wir nach allgemeiner Über-
zeugung selbst daran schuld, und zwar nicht der kleine Mann,
sondern die Führung.

In der gesamten Breite unseres Volkes besteht keinerlei Zweifel
darüber, daß die negative militärische Entwicklung bis zur heutigen Lage nicht hätte sein brauchen. Nach allgemeiner Auffassung
war es nicht notwendig, daß es mit uns so weit bergab gegangen
ist, so daß wir den Krieg, ohne Änderung in letzter Minute, mit
Sicherheit verlieren. In den breiten Massen werden mehr gefühls-
mäßig, unbestimmt und sicher mit vielen Ungerechtigkeiten
zahlreiche Vorwürfe gegen unsere Kriegsführung erhoben, vor
allem in bezug auf die Luftwaffe, die Außenpolitik und unsere
Politik in den besetzten Gebieten. Es ist beispielsweise schwer,
einen Menschen anzutreffen, der der Meinung ist, daß die deutsche Politik in den besetzten Ostgebieten richtig war. Jeder
meint, eine Menge Fehler und Versager zu erkennen.

Es ist sicher typisch deutsch, daß ein großer Teil des Volkes in
der Heimat wie an der Front selbstquälerisch nur Fehler und
Schwächen entdecken will, daß er von den Idealmaßstäben aus-
geht und ohne rechten geschichtlichen Blick zu Urteilen gelangt,
die einseitig und überspitzt sind. Die Volksgenossen sind nur
schwer zu einem realistischen Vergleich mit unseren Gegnern zu
bewegen, zu der Einsicht, daß auch die Gegenseite kriegsmüde
ist, oder daß beispielsweise die wegen ihrer Erfahrung im Umgang mit Völkern vielgerühmten Engländer heute in Europa vor
vielen ungelösten politischen Problemen stehen. Entscheidend ist
nicht, inwieweit das, was von den Volksgenossen in schonungs-
loser Selbstkritik geäußert wird, berechtigt ist oder nicht. Wichtig allein ist das Faktum, daß sich die Ansicht von unserer eigenen Schuld an einem Kriegsverlust derart durchgesetzt hat und
auf das Vertrauen zur Führung auswirkt.

Dabei ist es eine ebenso allgemeine Erscheinung, daß die breiten Schichten des Volkes sich schon von jeder Schuld für die
Kriegsentwicklung freisprechen. Sie beziehen sich darauf, daß
nicht sie die Verantwortung für Kriegsführung und Politik gehabt haben. Vielmehr sei von ihnen alles getan worden, was die
Führung seit Beginn dieses Krieges verlangt hat.

Der Arbeiter, der in all den Jahren nichts als geschuftet hat, der Soldat, der millionenfach sein Leben in die Schanze geschlagen hat, der Beamte, den man aus der Pension wieder in den Dienst zurückholte, die Frauen, die in den Rüstungsbetrieben an der Maschine stehen – sie alle haben sich auf die Führung verlassen. Diese habe immer wieder erklärt, daß alles gründlich vorgeplant sei, daß von ihr alle Schwierigkeiten vorausgesehen würden, und daß von ihr alles getan werde, was notwendig ist. Sache des Volkes sei es gewesen, in den Fragen der Kriegsführung und der großen Politik der Führung Vertrauen zu schenken. Dies sei voll und ganz geschehen. Allerdings habe man schon seit Stalingrad viele Zweifel gehabt, ob nicht unser Krieg an vielen halben Maßnahmen kranke, und ob nicht über vielen Maßnahmen, so z. B. über dem totalen Kriegseinsatz, immer wieder das Wort »zu spät« gestanden habe. Das Volk habe sich immer wieder beruhigen lassen. Nun werde die Frage nach der Verantwortung und nach der Schuld umso schärfer herausgekehrt.

Aus der tiefgehenden Enttäuschung, daß man falsch vertraut hat, ergibt sich bei den Volksgenossen ein Gefühl der Trauer, der Niedergeschlagenheit, der Bitterkeit und ein aufsteigender Zorn, vor allem bei denen, die in diesem Krieg nichts als Opfer und Arbeit gekannt haben. Die Vorstellung, daß alles keinen Sinn gehabt haben soll, bereitet Hunderttausenden deutscher Menschen geradezu körperlich spürbare Schmerzen. Aus dem Empfinden der Ohnmacht, daß die Gegner mit uns machen, was sie wollen, daß wir dem Untergang entgegensehen, entwickelt sich jenseits der Einstellung gegenüber dem Feind eine gefährliche Einstellung zur eigenen Führung, die sich in Äußerungen ankündigt wie: »Das haben wir nicht verdient, daß es so um uns steht«, oder: »Das haben wir nicht verdient, daß wir in eine solche Katastrophe geführt werden« usw.

4. Das Volk hat kein Vertrauen zur Führung mehr. Es übt scharfe Kritik an der Partei, an bestimmten Führungspersonen und an der Propaganda.
Das Vertrauen zur Führung ist in diesen Tagen lawinenartig abgerutscht. Überall grassiert die Kritik an der Partei, an bestimm-

ten Führungspersonen und an der Propaganda. Mit dem guten Gewissen, alles getan zu haben, was möglich war, nimmt sich insbesondere der »kleine Mann« das Recht heraus, seine Meinung in offenster Weise und mit äußerstem Freimut auszusprechen. Man nimmt sich kein Blatt mehr vor den Mund. Bisher hat man sich immer wieder gesagt: Der Führer wird es schon machen. Erst wollen wir den Krieg gewinnen. Nun aber bricht ungestüm, gereizt und zum Teil gehässig die Enttäuschung darüber heraus, daß die nationalsozialistische Wirklichkeit in vieler Hinsicht nicht der Idee, die Kriegsentwicklung nicht den Verlautbarungen entspricht.

Im Gegensatz zu den Kommentierungen der Propaganda dämmerte dann allmählich die Erkenntnis, daß sich die Offensive vorzeitig festgelaufen habe. Von da an vertiefte sich das Gefühl, daß wir doch nicht mehr können und daß es nicht mehr zu schaffen ist.

Von einer einheitlichen Meinungsbildung im Sinne der Führung und der Propaganda kann seitdem immer weniger die Rede sein. Jeder macht sich mit seinen eigenen Ansichten und Meinungen selbständig. Ein Wust von Begründungen, von Vorwürfen und Beschuldigungen kommt zum Vorschein, warum es mit dem Krieg nicht gut gehen konnte. Eine Stimmung macht sich breit, in der die Volksgenossen durch die Propagandamittel kaum noch erreicht und angesprochen werden. Selbst die Herausstellung des abscheulichen Verhaltens der Sowjets in den von ihnen besetzten deutschen Gebieten hat neben der Angst nur eine dumpfe Empörung darüber bewirkt, daß unsere Kriegsführung deutsche Menschen dem Sowjetschrecken ausgesetzt hat. Die Führung sei es gewesen, die alle unsere Gegner fortwährend und bis in die letzten Wochen hinein unterschätzend dargestellt habe. Typisch dafür, wie getrennt der Einzelne zur Führung steht, wie sehr er sich nur als Objekt empfunden hat und nun vom bloßen Mitmachenmüssen zum Kritisieren übergeht, sind unzählige Luftschutzkellerdebatten: »Wie ›die‹ sich das nur denken!«

Von einem wirklichen Haß gegen die Feinde kann keine Rede sein. Vor den Sowjets besteht eine ausgesprochene Furcht. Den Engländern und Amerikanern steht die Bevölkerung kritisch prüfend gegenüber. Die Wut bezieht sich darauf, *wie* diese Schweine ihre Chancen *brutal* ausnutzen und was sie dem Einzelnen an Schaden zugefügt haben. *Daß* sie die Chancen wahrnehmen, wird ihnen letztlich nicht bestritten. Krieg ist Krieg. Auch dies gehört zur allgemeinen Überzeugung, daß wir selbst viel zu wenig konsequent und viel zu rücksichtsvoll gewesen seien. Das ganze Gerede der Presse von heroischem Widerstand, von der Stärke der deutschen Herzen, von einem Aufstehen des ganzen Volkes, das ganze zu leerer Phraseologie verbrauchte Pathos, insbesondere der Presse, wird verärgert und verächtlich beiseite gelegt. Gegenüber Parolen wie »Mauern können brechen, aber unsere Herzen nicht«, oder »Alles können sie uns vernichten, nur nicht den Glauben an den Sieg« wird instinktiv Abstand gehalten. Selbst wenn sie stimmen, möchte die Bevölkerung längst nicht mehr, daß es an Wände und ausgebrannte Häuserfassaden geschrieben wird. Die Bevölkerung ist so nüchtern geworden, daß sich kein Volkssturm mehr inszenieren läßt. Man macht nun auch äußerlich kaum noch mit. Die Regie, die früher einer Massenversammlung im Sportpalast zum Erfolg verhalf, funktioniert nicht mehr, weil das, was jenen Kundgebungen einstmals Inhalt, Leben und Bewegung gab, nicht mehr vorhanden ist.

Allmählich offener werdend wird Rechenschaft gefordert. Kennzeichnend sind Auslassungen wie die eines Bauern und Parteigenossen in Linz: »Vor das Standgericht gehören die Großen, welche die Fehler gemacht und zu verantworten haben.« Dies gilt vor allem in Bezug auf die Luftwaffe, weil an ihr nach allgemeiner Auffassung der ganze Krieg hängen geblieben ist. Über die Männer, die für die Luftwaffe im Angriff und in der Abwehr maßgebend waren und die mit ihrem durch die Kriegsentwicklung ausgewiesenen Versagen bis jetzt schon soviel Not und Elend über das deutsche Volk gebracht haben, werden bittere und harte Urteile gefällt. Dabei geht es nicht ohne ungerechte Verallgemeinerungen ab, so wenn in Bezug auf die Jagdwaffe von »Puppenfliegern« und »Angebern« gesprochen wird. Die Front fühlt sich von der Luftwaffe im Stich gelassen. Wer aus dem Westen kommt, zuckt traurig die Achseln darüber, daß gegen die

Bombenteppiche, gegen die Jagdbomber und gegen die Jäger bei allem Schneid, der in diesem Krieg millionenfach bewiesen wurde, einfach nicht anzukommen ist. In den Luftschutzkellern der Städte ist der Reichsmarschall Gegenstand heftiger Schmähungen und Verwünschungen. Von ihm, der einst, mit allen persönlichen Eigenheiten, die Anerkennung des ganzen Volkes genoß, wird gesagt: »Der hat in Karinhall gesessen und seinen Wanst gemästet, statt die Luftwaffe auf der Höhe zu halten.« (Rüstungsarbeiter), oder »Der ist schuld, daß alles, was wir besitzen, in Schutt und Asche liegt. Wenn ich den Kerl erwische, bringe ich ihn um.« (Arbeiterfrau).

Die Tatsache, daß die Bevölkerung nach außen immer noch eine große Ruhe bewahrt und eine solche Kritik an der Führung und Führungspersonen nur, wenn auch täglich häufiger werdend, stellenweise und bei einzelnen Personen und Personengruppen laut wird, sollte nicht über die wirkliche innere Verfassung der Volksgemeinschaft in ihrer Einstellung zur Führung hinwegtäuschen. Das deutsche Volk ist geduldig wie kein anderes. Der Großteil der Menschen steht zur Idee und zum Führer. Das deutsche Volk ist an Disziplin gewöhnt. Es fühlt sich seit 1933 durch den verästelten Apparat der Partei, ihrer Gliederungen und angeschlossenen Verbände bis an die Korridortür von allen Seiten besehen und überwacht. Der traditionelle Respekt vor der Polizei tut ein übriges. Man hat alles, was einem nicht paßte, in sich hineingefressen oder im engsten Kreis, immer gutmütig, über diese oder jene Erscheinung und Person gemeckert und gemosert. Erst die schweren Luftangriffe haben bewirkt, daß der angesammelte Unwille, nunmehr oft schroff und z. T. gehässig, herausplatzt bis zu Äußerungen wie: »Die Dickköpfe da oben kämpfen bis zum letzten Säugling«. Oft führen die Frauen das Wort, z. B. in Wien in einer geradezu aufrührerischen Weise: »Von selber hören die nicht auf«, oder »Wenn sich zwei Millionen das gefallen lassen, da kann man halt nichts machen«, oder »Wenn sich nur einer trauen würde, anzufangen«.

Alle Feststellungen laufen darauf hinaus, daß keiner eingreift, auch wenn Parteigenossen in Uniform, Soldaten oder Beamte dabeistehen. Es sei schwer, etwas dagegen zu sagen. Es sei verständlich, wenn den Menschen einmal der Kragen platzt. Jeder, der eine der vielen Uniformen unseres Staates trägt, schleppt die gleichen Fragen, Zweifel und Gefühle mit sich herum wie jeder andere Volksgenosse. Auch diejenigen, die ins Schimpfen geraten, sind in der Regel Menschen, die ihre Pflicht tun, die Angehörige verloren oder Väter oder Söhne an der Front haben, die keine Wohnung mehr besitzen, die eine ganze Nacht gelöscht und gerettet haben. Sie haben – wie in Dresden oder Chemnitz – ihre Toten ...

Quellenlage, Forschungsstand, Literatur

Das historisch-politische Nachdenken über den Nationalsozialismus ist so alt wie dieser selbst, und über das Dritte Reich wurden Bücher geschrieben, bevor es existierte. Selbst große Spezialbibliotheken haben inzwischen Mühe, die Fülle der Literatur aufzunehmen und nachzuweisen, die weiterhin Jahr um Jahr erscheint. Es wäre deshalb vermessen, an dieser Stelle mehr bieten zu wollen als eine knappe Einführung[1]; aber es wäre auch überflüssig, denn an Bibliographien herrscht kein Mangel, und inzwischen erfreulicherweise nicht einmal mehr an Nachschlagewerken und Wegweisern durch die Forschung.

Bibliographien, Hilfsmittel, Quelleneditionen

Die vom Institut für Zeitgeschichte herausgegebene Bibliographie zur Zeitgeschichte[2] dokumentiert seit 1953 laufend die in- und ausländischen Neuerscheinungen insbesondere zur deutschen Geschichte seit dem Ende des Ersten Weltkriegs; für den, der ältere Aufsatzliteratur zum Nationalsozialismus sucht, bleibt sie unentbehrlich. Daneben ist, vor allem für die militärische Geschichte des Zweiten Weltkriegs, die Jahresbibliographie der Stuttgarter Bibliothek für Zeitgeschichte zu nennen[3]. Einmalig erscheinende Spezialverzeichnisse werden vom nach wie vor

---

[1] Die in den vorangegangenen Fußnoten genannte Literatur wird nur dort noch einmal angeführt, wo dies aus systematischen Gründen notwendig erscheint.

[2] Bibliographie zur Zeitgeschichte 1953–1995, hrsg. im Auftrag des Instituts für Zeitgeschichte. 5 Bände. München usw. 1982–1996; laufende Lieferung als jährliche Beilage der VfZ.

[3] Jahresbibliographie. Bibliothek für Zeitgeschichte. Frankfurt am Main 1960–1972, München 1973–1981, Koblenz 1982–1988, Essen 1989 ff. (1953–1959 unter dem Titel: Bücherschau der Weltkriegsbücherei Stuttgart).

breit fließenden Forschungsstrom immer recht schnell hinweggetragen; die von Michael Ruck erarbeitete Bibliographie zum Nationalsozialismus allerdings darf schon aufgrund ihres Umfangs (mehr als 37 000 Einträge) einen besonderen Rang beanspruchen[4].

Kennzeichnend für den fortgeschrittenen Stand der NS-Forschung ist, daß sich das Angebot an Hilfsmitteln in den letzten Jahren deutlich erweitert hat. Bei den Nachschlagewerken ist grob zu unterscheiden zwischen Personenlexika[5], Enzyklopädien[6] und Chronologien[7]. Wer sich über den Gang der histori-

[4] Michael Ruck, Bibliographie zum Nationalsozialismus. 2 Bände. Darmstadt 2000; anders als die Erstausgabe von 1995 liegt die voluminöse Neubearbeitung erfreulicherweise auch als CD-ROM vor. Vgl. außerdem Peter Hüttenberger (Hrsg.), Bibliographie zum Nationalsozialismus. Göttingen 1980; Karl Dietrich Bracher/Hans-Adolf Jacobsen/Albrecht Tyrell (Hrsg.), Bibliographie zur Politik in Theorie und Praxis. Düsseldorf 1976, vollständige Neubearbeitung 1982; Helen Kehr/Janet Langmaid (Bearb.), The Nazi Era 1919–1945. A Select Bibliography of Published Works from the Early Roots to 1980. London 1982; fast 1000 Zusammenfassungen neuerer Zeitschriftenartikel bietet Lance Klass (Bearb.), The Third Reich, 1933–1939. A Historical Bibliography. Santa Barbara usw. 1984; Louis L. Snyder (Hrsg.), The Third Reich, 1933–1945. A Bibliographical Guide to German National Socialism. New York 1987.

[5] Hermann Weiß (Hrsg.), Biographisches Lexikon zum Dritten Reich. Frankfurt am Main 1998; Wolfgang Benz/Walter Pehle (Hrsg.), Lexikon des deutschen Widerstandes. Frankfurt am Main 1994; Ronald Smelser/Rainer Zitelmann (Hrsg.), Die braune Elite. 22 biographische Skizzen. Darmstadt 1989; Robert Wistrich, Wer war wer im Dritten Reich. Anhänger, Mitläufer, Gegner aus Politik, Wirtschaft, Militär, Kunst und Wissenschaft. München 1983; siehe auch Erich Stockhorst, Fünftausend Köpfe. Wer war was im Dritten Reich. Velbert, Kettwig 1967.

[6] Wolfgang Benz u. a. (Hrsg.), Enzyklopädie des Nationalsozialismus. München 1997; Friedemann Bedürftig, Taschenlexikon Drittes Reich. München 1997; Eberhard Jäckel u. a. (Hrsg.), Enzyklopädie des Holocaust. Die Verfolgung und Ermordung der europäischen Juden. 3 Bände. Berlin 1993, München, Zürich 1995; Louis L. Snyder, Encyclopedia of the Third Reich. Chicago, New York 1990; Christian Zentner/Friedemann Bedürftig (Hrsg.), Das Große Lexikon des Dritten Reiches. München 1985; dies., Das Große Lexikon des Zweiten Weltkriegs. München 1988.

[7] Martin Broszat/Norbert Frei (Hrsg.), Das Dritte Reich im Überblick. Chro-

schen Erforschung des Dritten Reiches informieren möchte, kann unter mehreren Darstellungen wählen – oder, noch besser, diese parallel benutzen[8]. Darüber hinaus dienen der ersten Übersicht auch einige als allgemeine Forschungsbilanzen angelegte Sammelbände[9].

Etwas komplizierter als der Zugriff auf die Sekundärliteratur ist jener auf die Quellen[10]. Immerhin ist einiges Wichtige gedruckt greifbar: so schon seit langem die Akteneditionen zur Außenpolitik[11], das Kriegstagebuch des OKW[12], die Dokumentation ›Ursachen und Folgen‹[13] und die Editionen der Nürnber-

nik, Ereignisse, Zusammenhänge. München, 5. Aufl. 1999; Manfred Overesch/Friedrich Wilhelm Saal (Hrsg.), Chronik deutscher Zeitgeschichte. Politik, Wirtschaft, Kultur. Das Dritte Reich. Band 2/I: 1933–1939, Band 2/II: 1939–1945. Düsseldorf 1982, 1983; Chronik-Bibliothek des 20. Jahrhunderts. Jahresbände. 1933–1945. Dortmund 1985–1989.

[8] Ian Kershaw, Der NS-Staat. Geschichtsinterpretationen und Kontroversen im Überblick. Reinbek, erweiterte Neuausgabe 1999; Klaus Hildebrand, Das Dritte Reich. München, Wien, 5. Aufl. 1995; Ulrich von Hehl, Nationalsozialistische Herrschaft. München 1996; Gerhard Schreiber, Hitler. Interpretationen 1923–1983. Ergebnisse, Methoden und Probleme der Forschung. 2. Aufl. Darmstadt 1988.

[9] Karl Dietrich Bracher/Manfred Funke/Hans-Adolf Jacobsen (Hrsg.), Nationalsozialistische Diktatur 1933–1945. Eine Bilanz. Düsseldorf 1983; dies., Deutschland 1933–1945. Neue Studien zur nationalsozialistischen Herrschaft. Düsseldorf 1992; Martin Broszat/Horst Möller (Hrsg.), Das Dritte Reich. Herrschaftsstruktur und Geschichte. München 1983; Klaus Malettke (Hrsg.), Der Nationalsozialismus an der Macht. Aspekte nationalsozialistischer Politik und Herrschaft. Göttingen 1984.

[10] Vgl. aber die einschlägigen Teile der Quellenkunde zur deutschen Geschichte der Neuzeit: Hans Günter Hockerts (Bearb.), Weimarer Republik, Nationalsozialismus, Zweiter Weltkrieg (1919–1945). Band 6,1: Akten und Urkunden. Darmstadt 1996.

[11] Akten zur deutschen Auswärtigen Politik 1918–1945. Serie C 1933–1937. 6 Bände; Serie D 1937–1941. 13 Bände; Serie E 1941–1945. 8 Bände. Bonn 1950–1981.

[12] Percy Ernst Schramm (Hrsg.), Kriegstagebuch des Oberkommandos der Wehrmacht (Wehrmachtführungsstab) 1940–1945. Frankfurt am Main 1961–1969. Neuauflage in 8 Bänden. Herrsching 1982.

[13] Herbert Michaelis/Ernst Schraepler (Hrsg.), Ursachen und Folgen. Vom deutschen Zusammenbruch 1918 und 1945 bis zur staatlichen Neuordnung

ger Prozeßakten[14]. Für die innere Entwicklung des Dritten Reiches im Prinzip von zentraler Bedeutung sind die ›Akten der Reichskanzlei‹[15]. Die für 1933 bis 1935 vorliegenden Bände lassen allerdings bereits ahnen, wie schwierig es für die späteren Jahre des »Führerstaates« werden dürfte, mit klassischer Editionstechnik dem Relevanzverlust des in der Reichskanzlei produzierten Aktenmaterials beizukommen, der sich aus der zunehmenden Auflösung geordneter politischer Entscheidungsprozesse ergibt.

Eine von Wissenschaftlern des Instituts für Zeitgeschichte im Laufe von fast zwei Jahrzehnten zusammengetragene Fundgrube bildet die Mikrofiche-Edition der aus Empfängerüberlieferungen rekonstruierten Akten der Partei-Kanzlei, deren Originalbestand bei Kriegsende zerstört worden war[16]. Daneben ist auf eine umfangreiche Sammlung von »Hochverrats«-Urteilen[17] sowie auf einen Reprint von Materialien des Arbeitswissenschaftlichen Instituts der DAF[18] hinzuweisen, schließlich auf die großen Akteneditionen der zeitgeschichtlichen Kommissionen der katholi-

Deutschlands in der Gegenwart. Eine Urkunden- und Dokumentensammlung zur Zeitgeschichte. 25 Bände. Berlin 1958–1977.

[14] Der Prozeß gegen die Hauptkriegsverbrecher vor dem Internationalen Militärgerichtshof. Nürnberg, 14. November 1945 bis 1. Oktober 1946. 42 Bände. Nürnberg 1947–1949 (CD-Rom-Ausgabe Berlin 1999); als Dokumentation der sogenannten Nachfolgeprozesse: Trials of War Criminals before the Nuremberg Military Tribunals under Control Council Law No. 10. Nuremberg, October 1946 – April 1949. 15 Bände. Washington 1950–1953.

[15] Akten der Reichskanzlei. Regierung Hitler 1933–1938. Bisher 4 Bände (Teil I: 1933/34. Teil II: 1934/35). Boppard 1983, 1999.

[16] Akten der Partei-Kanzlei der NSDAP. Rekonstruktion eines verlorengegangenen Bestandes. Teil I: Bearbeitet von Helmut Heiber. Teil II: Bearbeitet von Peter Longerich. 4 Regesten-, 2 Registerbände. München 1983 bzw. 1992 (zweiteilige Mikrofiche-Edition München 1983, 1985).

[17] Jürgen Zarusky/Hartmut Mehringer (Bearb.), Widerstand als »Hochverrat« 1933–1945. Die Verfahren gegen deutsche Reichsangehörige vor dem Reichsgericht, dem Volksgerichtshof und dem Reichskriegsgericht. Mikrofiche-Edition und Erschließungsband. München usw. 1994–1995, 1998.

[18] Michael Hepp/Karl Heinz Roth (Bearb.), Sozialstrategien der Deutschen Arbeitsfront. Teil A: Jahrbücher des Arbeitswissenschaftlichen Instituts der Deutschen Arbeitsfront 1936–1940/41. Teil B: Periodika, Denkschriften, Gutachten und Veröffentlichungen des Arbeitswissenschaftlichen Instituts

schen und der evangelischen Kirche[19]. Zusätzlich stehen einige
vor allem für Unterricht und politische Bildung gedachte Doku-
mentensammlungen zur Verfügung, deren unterschiedlicher Fokus implizit auch die Entwicklung der Forschung erkennen
läßt[20].

Dem Historiker, der etwas in Erfahrung bringen möchte über
die öffentliche Meinung und die Reaktionen der Bevölkerung auf
bestimmte politische Maßnahmen und Entwicklungen, stehen
normalerweise Zeitungen und Zeitschriften als Quelle zur Verfügung. Für die NS-Zeit führt dieser Weg angesichts von Zensur
und Sprachregelungen, die ihrerseits Gegenstand einer vielbändi-
gen Edition sind[21], nicht sehr weit. Aber es gibt andere Möglichkeiten, Aspekte der »Volksstimmung« zu erkunden, denn vom
Frühjahr 1934 bis zum April 1940 gelang es der SPD im Exil
(Sopade), ein reichsweites geheimes Netz von Informanten zusammenzuhalten, die über die politische und allgemeine Situation
in ihrem jeweiligen Lebens- und Arbeitsbereich Mitteilungen

der Deutschen Arbeitsfront (Mikrofiche-Edition). München usw. 1986 und
1988.

[19] Hier besonders auf Bernhard Stasiewski/Ludwig Volk (Bearb.), Akten deutscher Bischöfe über die Lage der Kirche 1933–1945. 6 Bände. Mainz 1968–
1985; Evangelische Arbeitsgemeinschaft für kirchliche Zeitgeschichte
(Hrsg.), Dokumente zur Kirchenpolitik des Dritten Reiches. Bisher 4 Bände.
(1933–1939), München bzw. Gütersloh 1971–2000.

[20] Walter Hofer (Hrsg.), Der Nationalsozialismus. Dokumente 1933–1945.
Frankfurt am Main 1957, 45. Aufl. 1997; Hans-Adolf Jacobsen/Werner Joch-
mann (Hrsg.), Ausgewählte Dokumente zur Geschichte des Nationalsozialismus 1933–1945. Zehn Lieferungen. Bielefeld 1960–1966; Wolfgang Ruge/
Wolfgang Schumann (Hrsg.), Dokumente zur deutschen Geschichte 1933–
45. 4 Bände. Ost-Berlin 1975–1977; Wieland Eschenhagen (Hrsg.), Die
»Machtergreifung«. Tagebuch einer Wende nach Presseberichten vom 1. Januar bis 6. März 1933. Darmstadt 1982; Josef und Ruth Becker (Hrsg.),
Hitlers Machtergreifung. Vom Machtantritt Hitlers 30. Januar 1933 bis zur
Besiegelung des Einparteienstaates 14. Juli 1933. München 1983, 2. Aufl.
1992; Wolfgang Michalka (Hrsg.), Deutsche Geschichte 1933–1945. Dokumente zur Innen- und Außenpolitik. Frankfurt am Main 1996.

[21] Hans Bohrmann (Hrsg.), NS-Presseanweisungen der Vorkriegszeit. Edition
und Dokumentation. Bisher 6 Bände in 16 Teilbänden. München usw. 1984–
1999.

lieferten. In Prag, später in Paris, wurden diese Informationen Monat für Monat zu außerordentlich gehaltvollen Deutschland-Berichten verarbeitet[22]. Aus anderen Motiven und mit anderen Konsequenzen, aber aus demselben Bedürfnis, durch die propagandistische Fassade hindurch zu den wirklichen Ansichten und Stimmungen der Bevölkerung vorzustoßen, organisierte der Sicherheitsdienst der SS die ›Meldungen aus dem Reich‹[23]. Obschon der Informationsgehalt der beiden Berichtsreihen enorm und ihre Authentizität grundsätzlich hoch anzusetzen ist, muß sich der Benutzer in historischer Quellenkritik üben und bewußt bleiben, daß sowohl die Sopade als auch der SD spezifische Erkenntnisinteressen verfolgten.

Einen herausgehobenen Platz in der Kategorie der veröffentlichten personengebundenen Quellen kann die Gesamtedition der Goebbels-Tagebücher aus den Jahren 1923 bis 1945 beanspruchen[24]. Die zum überwiegenden Teil erst in den siebziger Jahren bekanntgewordenen Diarien des Propagandaministers sind im Grunde das einzige große Selbstzeugnis aus dem inneren Kreis der NS-Führung. Der 1983 jämmerlich gescheiterte Versuch, den »Führer« mit gefälschten Tagebüchern postum zum Selbstchronisten zu erheben, offenbarte nicht nur ein erstaunliches Fortwirken sozialpsychischer Fixierungen und einen verwahrlosten Journalismus; er war auch ein später Reflex

---

[22] Deutschland-Berichte der Sozialdemokratischen Partei Deutschlands (Sopade) 1934–1940. 7 Bände. Salzhausen, Frankfurt am Main 1980; vgl. außerdem Bernd Stöver (Hrsg.), Berichte über die Lage in Deutschland. Die Meldungen der Gruppe Neu Beginnen aus dem Dritten Reich 1933–1936. Bonn 1996.

[23] Heinz Boberach (Hrsg.), Meldungen aus dem Reich 1938–1945. Die geheimen Lageberichte des Sicherheitsdienstes der SS. 17 Bände und Registerband. Herrsching 1984; ders. (Hrsg.): Regimekritik, Widerstand und Verfolgung in Deutschland und den besetzten Gebieten. Meldungen und Berichte aus dem Geheimen Staatspolizeiamt, dem SD-Hauptamt der SS und dem Reichssicherheitshauptamt 1933–1944. Mikrofiche-Edition, Teil 1: Reichsgebiet mit an- und eingegliederten Gebieten. Teil 2: Besetzte Gebiete. München 1999–2000.

[24] Elke Fröhlich (Hrsg.), Die Tagebücher von Joseph Goebbels. Teil I: Aufzeichnungen 1923–1941. Bisher 7 Bände. München 1998 ff.; Teil II: Diktate 1941–1945. 15 Bände. München usw. 1993–1996.

auf den ratlos machenden Mangel an persönlichen Lebens-
zeugnissen Hitlers. Seine Reden, Schriften und Anordnungen
sind inzwischen für die Jahre bis 1933 ediert[25], seine »Erlasse«
für die Kriegsjahre[26]. Daneben verfügt die Forschung über die
beiden Bücher Hitlers aus der »Kampfzeit« und für einen Teil
der Kriegszeit über Aufzeichnungen seiner sogenannten Tischgespräche (tatsächlich waren es bramarbasierende nächtliche
Monologe)[27]. Von Himmler liegen Geheimreden, Briefe und
ein aufwendig kommentiertes Kalendarium für die Jahre
1941/42 vor[28], von Rosenberg einige fragmentarische Tagebücher[29], von Hans Frank das monströse Diensttagebuch aus

[25] Eberhard Jäckel/Axel Kuhn (Hrsg.), Hitler. Sämtliche Aufzeichnungen
1905–1924. Stuttgart 1980; vgl. dazu dies. und Hermann Weiß, Neue Erkenntnisse zur Fälschung von Hitler-Dokumenten. In: VfZ 32 (1984) S. 163–
169. Fortsetzung der Edition unter dem Titel: Hitler. Reden, Schriften, Anordnungen. Februar 1925 bis Januar 1933, hrsg. vom Institut für Zeitgeschichte. 6 Bände. München usw. 1992–1999. Vgl. auch die früher vielbe-
nutzte Dokumentation von Max Domarus, Hitler. Reden und Proklamationen 1932–1945. 2 Bände. Würzburg 1962, 1963 (Neuauflage Wiesbaden
1973).
[26] Martin Moll (Bearb.): »Führer-Erlasse« 1939–1945. Edition sämtlicher überlieferter, nicht im Reichsgesetzblatt abgedruckter, von Hitler während des
Zweiten Weltkrieges schriftlich erteilter Direktiven aus den Bereichen Staat,
Partei, Wirtschaft, Besatzungspolitik und Militärverwaltung. Stuttgart 1997.
[27] Adolf Hitler, Mein Kampf. Band 1: Eine Abrechnung. Band 2: Die NS-
Bewegung. München 1925 und 1927. 885. Aufl. 1944; Gerhard L. Weinberg
(Hrsg.), Hitlers Zweites Buch. Ein Dokument aus dem Jahre 1928. Stuttgart
1961 (Neuausgabe: Hitler. Reden, Schriften, Anordnungen. Band 2A: Au-
ßenpolitische Standortbestimmung nach der Reichstagswahl Juni-Juli 1928.
München usw. 1995); Werner Jochmann (Hrsg.), Adolf Hitler. Monologe im
Führerhauptquartier 1941–1944. Die Aufzeichnungen Heinrich Heims.
Hamburg 1980; Henry Picker, Hitlers Tischgespräche im Führerhauptquartier. Bonn 1951 (erweiterte Taschenbuchausgabe Berlin 1997).
[28] Bradley F. Smith/Agnes F. Peterson (Hrsg.), Heinrich Himmler. Geheimreden 1933 bis 1945 und andere Ansprachen. Frankfurt am Main usw. 1974;
Helmut Heiber (Hrsg.), Reichsführer! ... Briefe an und von Himmler. Stuttgart 1968; Peter Witte u. a. (Bearb.), Der Dienstkalender Heinrich Himmlers
1941/42. Hamburg 1999.
[29] Hans-Günther Seraphim (Hrsg.), Das politische Tagebuch Alfred Rosenbergs 1934/35 und 1939/40. Göttingen 1956, München 1964.

Polen[30]. Hinzu kommen die zeitgenössischen Selbstzeugnisse einiger Militärs[31]. Ansonsten gibt es aus der Führungsetage des Dritten Reiches nur nachträgliche, mehr oder minder apologetische Rechtfertigungsschriften der kleinen Gruppe, die nach Kriegsende dazu Gelegenheit hatte[32]. Doch letztere gehören schon nicht mehr zu den originären Quellen, für die im übrigen der Gang in die Archive unerläßlich ist.

Archive und Bestände

Die Überlieferung der staatlichen und »parteiamtlichen« Quellen aus der NS-Zeit spiegelt in hohem Maße die durch den Zweiten Weltkrieg und seine Folgen verursachten politischen und materiellen Zerstörungen. Immense Mengen historisch wertvollen Aktenmaterials gingen während des Bombenkrieges und in den

[30] Werner Präg/Wolfgang Jacobmeyer (Hrsg.), Das Diensttagebuch des deutschen Generalgouverneurs in Polen 1939–1945. Stuttgart 1975.
[31] Franz Halder, Kriegstagebuch. Tägliche Aufzeichnungen des Chefs des Generalstabs des Heeres 1939–1942. Bearbeitet von Hans-Adolf Jacobsen. 3 Bände. Stuttgart 1962–1964; Helmuth Groscurth, Tagebücher eines Abwehroffiziers 1938–1940. Mit weiteren Dokumenten zur Militäropposition gegen Hitler, hrsg. von Helmut Krausnick und Harold C. Deutsch. Stuttgart 1969; Hildegard von Kotze (Hrsg.), Heeresadjutant bei Hitler 1938–1943. Aufzeichnungen des Majors Engel. Stuttgart 1974.
[32] Rudolf Diels, Lucifer ante portas. Zwischen Severing und Heydrich. Zürich 1949; Otto Meissner, Staatssekretär unter Ebert, Hindenburg, Hitler. Der Schicksalsweg des deutschen Volkes von 1918–1945, wie ich ihn erlebte. Hamburg 1950; Lutz Graf Schwerin von Krosigk, Es geschah in Deutschland. Menschenbilder unseres Jahrhunderts. Tübingen, Stuttgart 1951; Franz von Papen, Der Wahrheit eine Gasse. München 1952; Hans Frank, Im Angesicht des Galgens. Deutung Hitlers und seiner Zeit auf Grund eigener Erlebnisse und Erkenntnisse. München 1953; Hjalmar Schacht, 76 Jahre meines Lebens. Bad Wörishofen 1953; Joachim von Ribbentrop, Zwischen London und Moskau. Erinnerungen und letzte Aufzeichnungen. Aus dem Nachlaß hrsg. von Anneliese von Ribbentrop. Leoni 1953; Otto Dietrich, Zwölf Jahre mit Hitler. München 1955; Walter Schellenberg, Memoiren. Köln 1956; Albert Speer, Erinnerungen. Frankfurt am Main usw. 1969; ders., Spandauer Tagebücher, Frankfurt am Main usw. 1975.

Wirren der ersten Nachkriegszeit verloren oder wurden mit Bedacht vernichtet; große Teile der erhalten gebliebenen Bestände konfiszierten die Alliierten. Wenn die Beschlagnahme am Ende des Dritten Reiches besonders drastisch ausfiel, so deshalb, weil die Siegermächte nicht nur Unterlagen zur Verwaltung des besetzten Gebietes benötigten, sondern auch Informationen suchten zur Vorbereitung der Nürnberger Prozesse, zur Analyse des deutschen politischen und wirtschaftlichen Systems, zur Entnazifizierung und zur Dokumentation der NS-Verbrechen. Während der Berliner Blockade 1948/49 schafften Briten und Amerikaner die wichtigsten Archivalien nach England und zum Teil weiter an verschiedene Plätze in den USA[33]. Auch die Sowjets verlagerten deutsche Akten; zwar begannen sie schon 1950 mit der Rückgabe von Teilen an die DDR, wichtige Bestände liegen aber noch heute in Moskauer Archiven.

Während in Potsdam mit dem ehemaligen Reichsarchiv die räumlichen Voraussetzungen zur Rückführung der Akten von vornherein gegeben waren und ab 1946 unter dem Namen »Deutsches Zentralarchiv« die Arbeit wieder aufgenommen wurde, dauerte es in der Bundesrepublik bis 1952, ehe das neugegründete Bundesarchiv in Koblenz beginnen konnte. Die Rückgabe von deutschem Archivgut aus westalliiertem Gewahrsam in die Bundesrepublik setzte 1956 ein und war Anfang der achtziger Jahre im wesentlichen abgeschlossen. Entsprechend einer Auflage der Besatzungsmächte unterlagen die Akten aus der NS-Zeit nicht der (erst sehr viel später im Bundesarchivgesetz verankerten) Sperrfrist von 30 Jahren. Die zeitgeschichtliche Forschung in der Bundesrepublik profitierte sehr von dieser Ausnahmeregelung.

Die deutsche Einigung hat die Archivlandschaft auch mit Blick auf die Quellen zur Geschichte des Dritten Reiches noch einmal erheblich verändert. So hat das Bundesarchiv in den neunziger

---

[33] Zum folgenden Josef Henke, Das Schicksal deutscher zeitgeschichtlicher Quellen in Kriegs- und Nachkriegszeit. Beschlagnahme – Rückführung – Verbleib. In: VfZ 30 (1982), S. 557–620; Roland Thimme, Das Politische Archiv des Auswärtigen Amts. Rückgabeverhandlungen und Aktenedition 1945–1995. In: VfZ 49 (2001), S. 317–362.

Jahren seine Bestände für die Zeit bis 1945 in Berlin zusammengeführt und das Berlin Document Center übernommen, bis dahin eine amerikanische Dienststelle mit wichtigen personenbezogenen Sammlungen (einschließlich der zentralen Mitgliederkartei der NSDAP). Wer eine erste Orientierung darüber sucht, welche Aktengruppen Oberster Reichsbehörden, ihrer nachgeordneten Dienststellen, der Länder und der NSDAP erhalten geblieben und wo sie heute zu finden sind, der findet rasch Rat in einem integrierten Spezialinventar[34]. Daneben ist natürlich weiterhin das Bestandsverzeichnis des Bundesarchivs[35] zu nennen. Von vergleichbar grundlegendem Wert ist die von Wolfgang A. Mommsen erstellte Übersicht über Nachlässe (persönliche Papiere) in deutschen Archiven[36]. Über die in den neunziger Jahren zugänglich gewordenen deutschen Akten in der ehemaligen Sowjetunion, darunter bedeutende Quellen zur NS-Zeit, existieren bisher nur vorläufige Übersichten[37].

Stadt- und Gemeindearchive verfügen oft über wichtiges Material vor allem für sozial- und alltagsgeschichtliche Forschun-

---

[34] Inventar archivalischer Quellen des NS-Staates. Die Überlieferungen von Behörden und Einrichtungen des Reichs, der Länder und der NSDAP. Teil 1: Reichszentralbehörden, regionale Behörden und wissenschaftliche Hochschulen für die zehn westdeutschen Länder sowie Berlin. Teil 2: Regionale Behörden und wissenschaftliche Hochschulen für die fünf ostdeutschen Länder, die ehemaligen preußischen Ostgebiete und eingegliederten Gebiete in Polen, Österreich und der Tschechischen Republik mit Nachträgen zu Teil 1. Im Auftrag des Instituts für Zeitgeschichte bearbeitet von Heinz Boberach. München usw. 1991 bzw. 1993. Zu beachten ist, daß die Standortangaben für das Bundesarchiv, bedingt durch dessen Umorganisation, weitgehend veraltet sind.

[35] Das Bundesarchiv und seine Bestände. Boppard, 3. Aufl. 1977; neuere Informationen enthält die Bestandsübersicht im Internet (http://www.bundesarchiv.de/).

[36] Wolfgang A. Mommsen (Bearb.), Die Nachlässe in den deutschen Archiven (mit Ergänzungen aus anderen Beständen). Zwei Teile. Boppard 1971 und 1983; ergänzend Ludwig Denecke/Tilo Brandis, Die Nachlässe in den Bibliotheken der Bundesrepublik Deutschland. Boppard 1981.

[37] Vgl. Jürgen Zarusky, Bemerkungen zur russischen Archivsituation. In: VfZ 41 (1993), S. 139–147 (mit Hinweisen auf weitere Berichte).

gen[38]; ähnliches gilt für nichtstaatliche bzw. nichtkommunale Archive vor allem der Wirtschaft und ihrer Selbstverwaltungsorgane sowie für Verbands- und Industriearchive. Das Archiv des Instituts für Zeitgeschichte in München ist wegen seiner Spezialsammlungen und -kataloge Anlaufpunkt fast eines jeden Forschers, der über die NS-Zeit arbeitet[39].

Seit der zweiten Hälfte der neunziger Jahre sind immer mehr Quellen und Informationen im Internet zu finden, das freilich nicht nur seriösen Adressen offensteht. Angesichts des rasch wachsenden, aber auch rasch sich verändernden Angebots in diesem Medium empfiehlt sich die Recherche im Grunde nur auf den Seiten bekannter wissenschaftlicher Einrichtungen und Institute[40].

Anfänge und Gang der NS-Forschung

Der Beginn der historischen Beschäftigung mit dem Dritten Reich in der unmittelbaren Nachkriegszeit stand unter dem Einfluß einer eigentümlichen Verinnerlichungskultur, in der sich kollektive Erschöpfung, nationales Selbstmitleid und Apologie verbanden. Auf den Zwang, endlich »hinzusehen«, den vor allem die Amerikaner mit Filmen über die Befreiung der Konzentrationslager ausübten, reagierten die Deutschen eher verstört als entsetzt. Friedrich Meineckes schon 1946 erschienenes Buch über die ›deutsche Katastrophe‹[41] war das prominenteste Produkt dieser Stimmung. In der räsonierenden Faktenferne dieses Werkes, dem bald zahlreiche Hitler und die NS-Zeit dämonisierende Schriften anderer Autoren folgen sollten, brachte der damals schon weit über Achtzigjährige freilich nicht nur die politische Ratlosigkeit des Historismus in Anbetracht einer vor allem als

---

[38] Ein Ausgangspunkt für Recherchen in diesem Bereich ist zum Beispiel die Startseite des Historischen Centrums Hagen (http://www.hco.hagen.de/).

[39] http://www.ifz-muenchen.de/archiv/

[40] Entsprechende Links versammelt der deutsche Ableger des amerikanischen H-Nets (http://hsozkult.geschichte.hu-berlin.de/).

[41] Friedrich Meinecke, Die deutsche Katastrophe. Betrachtungen und Erinnerungen. Wiesbaden 1946.

Tragödie des deutschen Nationalstaats empfundenen Situation zur Anschauung, sondern auch das noch nahezu völlige Fehlen schriftlicher Quellen als Voraussetzung solider Geschichtsschreibung.

Die Situation begann sich zu ändern, als Ende der vierziger Jahre die vervielfältigten Abschriften aus den Nürnberger Prozessen, die sogenannten Nürnberger Dokumente, zugänglich wurden; nach und nach wurde es nun möglich, wichtige Ereignis- und Handlungsabläufe und die Institutionen des »Führerstaates« systematisch zu rekonstruieren, über denen bis dahin noch der propagandistische Schleier des Dritten Reiches lag. Eine neue Historikergeneration, die den Nationalsozialismus als Jugendliche und junge Soldaten erlebt hatte, stellte sich dieser Aufgabe. Nicht im Rankeschen, eher in einem detektivischen Sinne ging sie mit großer Verve daran zu erforschen, »was gewesen ist«. Anders als bei ihren akademischen Lehrern, für die das Kontinuitätsproblem zentrale Bedeutung erlangte und die darüber stritten, ob das Dritte Reich als radikaler Bruch mit der preußisch-deutschen Geschichte anzusehen sei (Gerhard Ritter) oder in der Konsequenz eines längeren Sonderweges lag (Ludwig Dehio und abgeschwächt Hans Rothfels), war die Orientierung an Fakten und Strukturen kennzeichnend für den empirischen Forschungsansatz der jungen Wissenschaftler in neugegründeten Einrichtungen wie dem Institut für Zeitgeschichte, der Hamburger Forschungsstelle für die Geschichte des Nationalsozialismus und an einigen Universitäten.

Von den Älteren unterstützten besonders Rothfels, Theodor Eschenburg, Ludwig Bergsträsser und Hans Herzfeld mit Nachdruck die Bemühungen, die Erforschung der NS-Zeit als neue Disziplin »Zeitgeschichte« zu etablieren. Neben einer intensiven Detailforschung, die sich vor allem in den ›Vierteljahrsheften für Zeitgeschichte‹ und in Gutachten für Gerichte und Wiedergutmachungsbehörden niederschlug[42], entstanden in den fünfziger Jahren auch erste zusammenfassende Darstellungen junger Zeit-

---

[42] Gutachten des Instituts für Zeitgeschichte. 2 Bände. München 1958 bzw. Stuttgart 1966.

historiker wie Hermann Mau[43], Hans Buchheim[44], Helga Grebing[45], Martin Broszat[46] und Helmut Heiber[47], die inzwischen schon als Quellen zur Forschungsgeschichte gelesen werden können.

Am Institut für Politische Wissenschaft der Freien Universität Berlin begannen Gerhard Schulz und Wolfgang Sauer zusammen mit dem bereits durch eine grundlegende Untersuchung zur Auflösung der Weimarer Republik hervorgetretenen Politologen Karl Dietrich Bracher mit systematisch ansetzenden Studien zur NS-Machtergreifung[48]. Die Quellennähe brachte es mit sich, daß alle diese Arbeiten insgesamt relativ schwach beeinflußt blieben durch die in der öffentlichen Diskussion bald dominierende Totalitarismustheorie, die sich besonders in den USA rasch von Hannah Arendts großem Werk[49] entfernt und zu einem fast ahistorischen Modell gewandelt hatte, das eine direkte Vergleichbarkeit der Regime Hitlers und Stalins postulierte und der deshalb während des Kalten Krieges eine wichtige ideologisch-politische Funktion zukam. Für das allgemeine geistige Klima dieser Jahre war es bezeichnend, daß die bereits während des Krieges verfaßten und im amerikanischen Exil publizierten kritischen Studien von Ernst Fraenkel und Franz Neumann, die in den zwanziger Jahren in Berlin eine gemeinsame Anwaltspraxis un-

---

[43] Hermann Mau/Helmut Krausnick, Deutsche Geschichte der jüngsten Vergangenheit 1933–1945. Tübingen, Stuttgart 1953.

[44] Hans Buchheim, Das Dritte Reich. Grundlagen und politische Entwicklung. München 1958.

[45] Helga Grebing, Der Nationalsozialismus. Ursprung und Wesen. München 1959.

[46] Martin Broszat, Der Nationalsozialismus. Weltanschauung, Programm und Wirklichkeit. Stuttgart 1960.

[47] Helmut Heiber, Adolf Hitler. Eine Biographie. Berlin 1960.

[48] Karl Dietrich Bracher, Die Auflösung der Weimarer Republik. Eine Studie zum Problem des Machtverfalls in der Demokratie. Villingen 1955; ders./ Wolfgang Sauer/Gerhard Schulz, Die nationalsozialistische Machtergreifung. Studien zur Errichtung des totalitären Herrschaftssystems in Deutschland 1933/34. Köln, Opladen 1960.

[49] Hannah Arendt, Elemente und Ursprünge totaler Herrschaft. Frankfurt am Main 1958.

terhalten hatten, nur mit großer Verspätung rezipiert wurden. Zwar kehrten beide Anfang der fünfziger Jahre nach Deutschland zurück; Fraenkels richtungsweisende Interpretation des ›Doppelstaates‹[50] erschien auf Deutsch aber erst 1974, Neumanns ›Behemoth‹[51], eine eminente Analyse der politischen, sozialen und wirtschaftlichen Strukturen des NS-Systems, drei Jahre später.

Etwa zeitgleich mit dem Auschwitz-Prozeß, der 1963 in Frankfurt am Main eröffnet wurde, setzte eine neue Phase intensiver NS-Forschung ein[52]. Die Tatsache der nun laufenden Rückführung deutscher Akten aus westalliiertem Gewahrsam trug dazu bei; aber es handelte sich auch um eine Gegenreaktion auf starke Tendenzen innerhalb der deutschen Gesellschaft, die Auseinandersetzung mit der NS-Vergangenheit für beendet zu erklären. Nachdem die Ermittlungsanstrengungen der Justiz 1958 endlich zentralisiert worden waren[53], sah sich die Generation der Mitwisser und Mittäter plötzlich mit den deutschen Verbrechen im Osten konfrontiert, und die Generation der Kriegskinder erblickte in ihnen die eigenen, über verdrängte persönliche Schuldgefühle verstummten Eltern. Parallel zu einem neuen akademischen Forschungsinteresse am ›Faschismus in seiner Epoche‹ – so der Titel von Ernst Noltes grundlegendem

[50] Ernst Fraenkel, Der Doppelstaat. Frankfurt am Main, Köln 1974 (amerikanische Erstausgabe ‚The Dual State' 1941).

[51] Franz Neumann, Behemoth. Struktur und Praxis des Nationalsozialismus 1933–1944. Frankfurt am Main, Köln 1977 (amerikanische Erstausgabe ‚Behemoth' 1942).

[52] Die in diesem Zusammenhang entstandenen Gutachten von Hans Buchheim über die SS, von Martin Broszat über das System der Konzentrationslager, von Hans-Adolf Jacobsen über den Kommissarbefehl und die Massenexekutionen sowjetischer Kriegsgefangener, von Helmut Krausnick zur Judenverfolgung wurden veröffentlicht unter dem Titel: Anatomie des SS-Staats. Olten, Freiburg 1965 (7. Aufl. München 1999).

[53] Die damals eingerichtete »Zentrale Stelle der Landesjustizverwaltungen zur Verfolgung nationalsozialistischer Gewaltverbrechen« in Ludwigsburg leistete in den folgenden Jahren wertvolle, auch die Forschung weiterführende Arbeit; vgl. Adalbert Rückerl, NS-Verbrechen vor Gericht. Versuch einer Vergangenheitsbewältigung. Heidelberg 1982.

Werk[54] – entwickelte sich in den kommenden Jahren eine Renaissance linker Faschismustheorien, die mit dem zweifellos gegebenen theoretischen Nachholbedürfnis der Zeitgeschichtswissenschaft jedoch nur am Rande zu tun hatte und deren Beitrag zur Erweiterung des historischen Wissens über die NS-Zeit letztlich gering blieb.

Als insgesamt weitaus ertragreicher erwies sich die Debatte über die Struktur des NS-Systems, von der die Forschung der siebziger Jahre, ausgehend vor allem von Martin Broszats bahnbrechender Interpretation des Hitler-Staates[55], geprägt wurde. Wachsende Interpretationsunterschiede zwischen Vertretern einer eher traditionellen Politikgeschichtsschreibung und Exponenten einer neueren Sozial- und Gesellschaftsgeschichte bildeten den Hintergrund der Kontroverse, die sich zu einem teilweise erbitterten Streit um die wissenschaftliche Erklärungskraft von Totalitarismus- bzw. Faschismustheorie auswuchs[56]. Während die sogenannten Intentionalisten das Dritte Reich als eine durch Hitlers unumschränkte Machtstellung und sein politisches »Programm« bestimmte totalitäre Diktatur interpretierten, die im Grunde in voraussehbarer Weise »abrollte«, betonten die sogenannten Strukturalisten, teilweise unter Hinweis auf vergleichbare Phänomene bei anderen faschistischen Bewegungen, die Existenz konkurrierender Machtgruppen, chaotischer innerer Strukturen und die sich daraus für Hitler ergebenden Zwänge, seine Herrschaft durch Kompromisse und Radikalisierung ständig neu abzusichern[57]. Die Auseinandersetzung verbiß sich

[54] Ernst Nolte, Der Faschismus in seiner Epoche. Die Action française – Der italienische Faschismus – Der Nationalsozialismus. München 1963.

[55] Martin Broszat, Der Staat Hitlers. Grundlegung und Entwicklung seiner inneren Struktur. München 1969, 15. Aufl. 2000.

[56] Als Dokumentation des Zusammenpralls der beiden Richtungen: Totalitarismus und Faschismus. Eine wissenschaftliche und politische Begriffskontroverse. München, Wien 1980; dort auch Hinweise auf die Aufsatzliteratur. – Auf seiten der »Intentionalisten« exponierten sich damals Karl Dietrich Bracher, Eberhard Jäckel, Klaus Hildebrand, Andreas Hillgruber, auf seiten der »Strukturalisten« in erster Linie Hans Mommsen, Martin Broszat und mit Vorbehalt Wolfgang Schieder.

[57] Vgl. etwa Eberhard Jäckel, Hitlers Herrschaft. Vollzug einer Weltanschau-

schließlich in die Frage, ob das Dritte Reich durch eine monokratische oder durch eine polykratische Herrschaftsstruktur gekennzeichnet war[58].

Im Rückblick bleibt nur Erstaunen angesichts dieser Überspitzung, zumal die Unhaltbarkeit der älteren Vorstellung eines monolithischen »Führerstaates« durch die unter starker Beteiligung ausländischer Wissenschaftler voranschreitende Regionalforschung[59] zur selben Zeit immer stärker herausgearbeitet wurde. In Fortführung dieser Fallstudien wandte sich die NS-Forschung in den achtziger Jahren dann schrittweise der Alltagsgeschichte zu; sie wurde mit dem ›Bayern-Projekt‹[60] des Instituts für Zeitgeschichte erstmals in größerem Stil versucht. So wenig diese neue Perspektive die politische Strukturgeschichte ersetzen konnte und wollte, so sehr bot sie sich an, um das bis dahin

ung. Stuttgart 1986; dagegen Hans Mommsen, Der Nationalsozialismus und die deutsche Gesellschaft. Ausgewählte Aufsätze. Reinbek 1991.

[58] Gerhard Hirschfeld/Lothar Kettenacker (Hrsg.), Der »Führerstaat«: Mythos und Realität. Studien zur Struktur und Politik des Dritten Reiches. Stuttgart 1981. – Wie hohl der Streit damit geworden war, zeigt die synthetisierende Feststellung von Hans-Ulrich Thamer, Verführung und Gewalt. Deutschland 1933–1945. Berlin 1986, S. 340: »Das Dritte Reich besaß eine starke monokratische Spitze und gleichzeitig polykratische Machtstrukturen. Das eine bedingte das andere.« Vgl. seitdem vor allem Dieter Rebentisch, Führerstaat und Verwaltung im Zweiten Weltkrieg. Verfassungsentwicklung und Verwaltungspolitik 1939–1945. Wiesbaden 1989; Ian Kershaw, Hitlers Macht. Das Profil der NS-Herrschaft. München, 2. Aufl. 2000.

[59] So zum Beispiel Edward N. Peterson, The Limits of Hitler's Power. Princeton 1969; Dietrich Orlow, The History of the Nazi Party. 1919–1933, 1933–1945. Pittsburgh 1969, 1973. Schon früher und in seiner Anschaulichkeit von nachfolgenden Studien kaum erreicht: William Sheridan Allen, »Das haben wir nicht gewollt!« Die nationalsozialistische Machtergreifung in einer Kleinstadt 1930–1935. Gütersloh 1966. Einen gewissen Abschluß fand diese Forschungstradition in der späten Studie von Walter Struve, Aufstieg und Herrschaft des Nationalsozialismus in einer industriellen Kleinstadt. Osterode am Harz 1918–1945. Essen 1992 (darin auch ein bilanzierender Überblick zur Geschichte der Lokalforschung).

[60] Martin Broszat u. a. (Hrsg.), Bayern in der NS-Zeit. 6 Bände. München 1977–1983; als Teil-Zusammenfassung Martin Broszat/Elke Fröhlich, Alltag und Widerstand. Bayern im Nationalsozialismus. München, Zürich 1987.

weitgehend vernachlässigte Verhalten der Bevölkerung im Dritten Reich zu erforschen: die Ursachen von Anpassungsbereitschaft und Resistenz, die Bedingungen für das Eingehen auf die Verlockungen und für die Abwehr von Zumutungen des Systems. Teils parallel dazu unter Verwendung des Instrumentariums der Oral History zustande gekommene Untersuchungen zu ›Lebensgeschichte und Sozialkultur‹[61], teils im Anschluß daran aufgenommene Forschungen zur ›Gesellschaftsgeschichte des Umbruchs in Deutschland‹[62] profilierten diese Erkundungen weiter in Richtung einer Erfahrungsgeschichte der NS-Zeit.

Nach anfänglicher Skepsis und Warnungen vor einer strukturblinden Graswurzel-Historiographie wurde die Fruchtbarkeit einer »Geschichte von unten« bald kaum mehr bestritten[63]. Historiker, Didaktiker und Pädagogen begriffen sie als einen aussichtsreichen Weg zur Vermittlung von Kenntnissen über die NS-Zeit – und durften sich durch die Ergebnisse zweier Schülerwettbewerbe bestätigt fühlen[64]. Die nicht zuletzt in diesem Kontext in Gang gekommenen Forschungen von »Geschichtswerkstätten« und lokalen Initiativgruppen führten zu einer Sicherung und oft auch beträchtlichen Erweiterung des Wissens über historische Feinstrukturen. Manches freilich, was dabei als Erkenntniszugewinn gefeiert wurde, zeigte aber auch nur, wie vieles unaufhörlich dem Vergessen anheimfällt, was längst gewußt war.

[61] Lutz Niethammer (Hrsg.), »Die Jahre weiß man nicht, wo man die heute hinsetzen soll«. Faschismuserfahrungen im Ruhrgebiet. Berlin, Bonn 1983; ders. (Hrsg.), »Hinterher merkt man, daß es richtig war, daß es schief gegangen ist.« Nachkriegs-Erfahrungen im Ruhrgebiet. Berlin, Bonn 1983.

[62] Martin Broszat/Klaus-Dietmar Henke/Hans Woller (Hrsg.), Von Stalingrad zur Währungsreform. Zur Sozialgeschichte des Umbruchs in Deutschland. München 1988.

[63] Die seinerzeitigen Argumente der Befürworter und Gegner sowie weiterführende Literaturangaben finden sich in dem Kolloquiumsband: Alltagsgeschichte der NS-Zeit. Neue Perspektive oder Trivialisierung? München 1984.

[64] Vgl. die Jahrbücher des Schülerwettbewerbs Deutsche Geschichte um den Preis des Bundespräsidenten: Dieter Galinski/Ulla Lachauer (Hrsg.), Alltag im Nationalsozialismus 1933 bis 1939, Hamburg 1982; ders./Wolf Schmidt (Hrsg.), Die Kriegsjahre in Deutschland 1939 bis 1945. Hamburg 1985.

Der zunehmende zeitliche Abstand zum Nationalsozialismus und, daraus folgend, der fortschreitende Abschied von den Zeitgenossen der NS-Zeit verschärfte dieses Problem[65]. Dadurch wurde im Laufe der achtziger und in den neunziger Jahren immer deutlicher, daß die Kenntnis der Geschichte des Dritten Reiches kein eherner gesellschaftlicher Besitzstand ist, sondern als ein permanenter dialektischer Aneignungsprozeß verstanden werden muß. Dessen wechselnde Themen und Formen erwiesen sich geradezu als ein Spiegel der geistigen Verfassung einer Republik, die sich in hohem Maße über die kritische Auseinandersetzung mit der NS-Vergangenheit definierte.

So ist klar zu erkennen, daß aktuelle gesellschaftliche Problemlagen zu Anfang der achtziger Jahre das öffentliche Interesse an der sozialpolitischen Entwicklung und am Schicksal von Minderheiten in der NS-Zeit wesentlich begünstigten[66]. Auf dem Gebiet der Gesundheitspolitik und hinsichtlich der Entwicklung von Medizin und Psychiatrie im Dritten Reich kamen die Forschungsanstöße dabei zunächst nicht aus der Historikerzunft, sondern von Ärzten und Psychiatern, die den von ihrer Lehrergeneration verantworteten und nach 1945 verschwiegenen dunklen Kapiteln ihrer Standesgeschichte nachspürten. Zur selben Zeit wuchs das konkrete Wissen über die Sterilisierung »Erbkranker«, die Tötung geistig Behinderter, die Verfolgung der Zigeuner, die Diskriminierung von Homosexuellen und anderer im Dritten Reich für »minderwertig« erklärter Gruppen vor allem deshalb, weil Betroffene oder deren Angehörige nach Jahrzehnten des Schweigens an die Öffentlichkeit gingen und die politisch-moralische Anerkennung dieses Unrechts verlangten. Auch das Schicksal der Deserteure und die Geschichte der Wehrmachtsjustiz[67] erfuhren erst auf solchem Wege gesellschaftliche

---

[65] Dazu und zum Folgenden Norbert Frei, Abschied von der Zeitgenossenschaft. Der Nationalsozialismus und seine Erforschung auf dem Weg in die Geschichte. In: Werkstatt Geschichte 7 (1998) 20, S. 69–83.

[66] Geradezu exemplarisch galt dies für Götz Aly u.a. (Hrsg.), Beiträge zur nationalsozialistischen Gesundheits- und Sozialpolitik, Berlin 1985 ff.; vgl. im übrigen die Auswahlbibliographie in: Norbert Frei (Hrsg.), Medizin und Gesundheitspolitik in der NS-Zeit. München 1991.

Beachtung, ebenso wie die nach dem Ende des Ost-West-Konflikts noch einmal ganz neu auf die politische Tagesordnung geratene Frage der Entschädigung von Zwangsarbeitern[68].

Der 50. Jahrestag der nationalsozialistischen Machtübernahme bot 1983 Anlaß für zahlreiche öffentliche Veranstaltungen, eine Fülle neuer und neu aufgelegter Veröffentlichungen und eine internationale Konferenz im Berliner Reichstag[69]. Letztere war zwar als eine Art Bilanz jahrzehntelanger wissenschaftlicher Anstrengungen konzipiert, doch faktisch wurde sie zum Auftakt einer neuen Forschungswelle. Beflügelt durch den damit eröffneten Zyklus eines zwölfjährigen Gedenkens, standen die Politik und die Produktion zeitgeschichtlicher Bücher fortan unter einem beispiellosen Diktat der »runden« Erinnerungstage. So wurde auch der 40. Jahrestag des Kriegsendes 1985 Anlaß für eine international vielbeachtete Rede des Bundespräsidenten[70].

Im Nachhinein fällt es nicht schwer, in dieser erhöhten öffentlichen Präsenz der NS-Vergangenheit Gründe für jene Gegenbewegung zu erkennen, die 1986/87 als »Historikerstreit« im In- und Ausland für Aufregung sorgte[71]. War der fachwissenschaft-

---

[67] Manfred Messerschmidt/Fritz Wüllner, Die Wehrmachtsjustiz im Dienste des Nationalsozialismus. Zerstörung einer Legende. Baden-Baden 1987.

[68] Vgl. dazu die grundlegende Studie von Ulrich Herbert, Fremdarbeiter. Politik und Praxis des »Ausländer-Einsatzes« in der Kriegswirtschaft des Dritten Reiches. Bonn 1985 (Ergänzte Neuausgabe 1999); ders. (Hrsg.), Europa und der »Reichseinsatz«. Ausländische Zivilarbeiter, Kriegsgefangene und KZ-Häftlinge in Deutschland 1938–1945. Essen 1991.

[69] Martin Broszat u. a. (Hrsg.), Deutschlands Weg in die Diktatur. Internationale Konferenz zur nationalsozialistischen Machtübernahme im Reichstagsgebäude zu Berlin. Referate und Diskussionen. Ein Protokoll. Berlin 1983.

[70] Richard von Weizsäcker, Zum 40. Jahrestag der Beendigung des Krieges in Europa und der nationalsozialistischen Gewaltherrschaft. Ansprache am 8. Mai 1985 in der Gedenkstunde im Plenarsaal des Deutschen Bundestages. Bonn 1985.

[71] Die wichtigsten aus einer Fülle von Veröffentlichungen: »Historikerstreit«. Die Dokumentation der Kontroverse um die Einzigartigkeit der Judenvernichtung. München, Zürich 1987; Ernst Nolte, Vergangenheit, die nicht vergehen will. Der sogenannte Historikerstreit. Darstellung. Auseinandersetzung. Dokumente. Berlin 1987; Jürgen Habermas, Eine Art Schadensabwicklung. Kleine Politische Schriften VI. Frankfurt am Main 1987; Hans-Ulrich

liche Ertrag dieses Schlagabtauschs auch gering, so kam mit der Frage nach der »Singularität« der Verbrechen des Dritten Reiches und namentlich des Holocausts doch ein Problem zur Sprache, das der Epochenbruch der Jahre 1989/90 schließlich unabweisbar zurück auf die Tagesordnung holen sollte: der Vergleich von Nationalsozialismus und Stalinismus – und, damit einhergehend, die Frage nach der Aktualität der Totalitarismustheorie[72].

Weitgehend unabhängig von solchen publizistischen Konjunkturen und der spektakulären Debatte um das Buch von Daniel Goldhagen[73], jedoch begünstigt durch die Öffnung der osteuropäischen Archive, entwickelte sich seit Anfang der neunziger Jahre auch in der Bundesrepublik erstmals eine breite empirische Holocaust-[74] und eine vertiefende Konzentrationslager-For-

Wehler, Entsorgung der deutschen Vergangenheit? Ein polemischer Essay zum »Historikerstreit«. München 1988; Dan Diner (Hrsg.), Ist der Nationalsozialismus Geschichte? Zu Historisierung und Historikerstreit. Frankfurt am Main 1987; Martin Broszat/Saul Friedländer, Um die »Historisierung des Nationalsozialismus«. Ein Briefwechsel. In: VfZ 36 (1988), S. 339–372; Charles S. Maier, Die Gegenwart der Vergangenheit. Geschichte und die nationale Identität der Deutschen. Frankfurt am Main 1992; Richard J. Evans, Im Schatten Hitlers? Historikerstreit und Vergangenheitsbewältigung in der Bundesrepublik. Frankfurt am Main 1991.

[72] Einen Einstieg bieten vor allem zwei Sammelbände: Eckhard Jesse (Hrsg.), Totalitarismus im 20. Jahrhundert. Eine Bilanz der internationalen Forschung, Bonn 1996 (2., erw. Aufl. 1999); Ian Kershaw/Moshe Lewin, Stalinism and Nazism. Dictatorship in Comparison. Cambridge 1997; vgl. außerdem die Doppelbiographie von Alan Bullock, Hitler und Stalin. Parallele Leben. Berlin 1991.

[73] Daniel J. Goldhagen, Hitlers willige Vollstrecker. Ganz gewöhnliche Deutsche und der Holocaust. Berlin 1996; Julius H. Schoeps (Hrsg.), Ein Volk von Mördern? Die Dokumentation zur Goldhagen-Kontroverse um die Rolle der Deutschen im Holocaust. Hamburg 1996; Johannes Heil/Rainer Erb (Hrsg.), Geschichtswissenschaft und Öffentlichkeit. Der Streit um Daniel J. Goldhagen. Frankfurt am Main 1998.

[74] Vgl. neben den auf S. 175–191 genannten Arbeiten bes. Dieter Pohl, Nationalsozialistische Judenverfolgung in Ostgalizien 1941–1944. Organisation und Durchführung eines staatlichen Massenverbrechens. München 1996; Thomas Sandkühler, »Endlösung« in Galizien. Der Judenmord in Ostpolen und die Rettungsinitiativen von Bertold Beitz 1941–1944. Bonn 1996; Chri-

schung[75]. Der Fokus dieser Arbeiten liegt dabei zunehmend auf der Frage nach den konkreten Tätern und deren Motiven, aber auch auf der Frage nach dem Wissen und dem Verhalten der deutschen Gesellschaft. Hingegen mangelt es – ungeachtet einer wachsenden Fülle veröffentlichter Zeugnisse von Überlebenden – noch an Bemühungen, im Rahmen dieser Forschungen die Perspektive der Opfer zur Geltung zu bringen[76].

Insgesamt steht die lange vernachlässigte Erforschung der Kriegsjahre, in denen das Regime seine höchste Destruktivität nach außen wie im Innern entfaltete, inzwischen eindeutig im Mittelpunkt der Forschung; die Kontroverse um die sogenannte Wehrmachtsausstellung[77] in der zweiten Hälfte der neunziger Jahre war auch dafür ein Indiz. Charakteristisch für viele neuere

stian Gerlach, Krieg, Ernährung, Völkermord. Forschungen zur deutschen Vernichtungspolitik im Zweiten Weltkrieg, Hamburg 1998.

[75] Eine Zusammenfassung des Mitte der neunziger Jahre erreichten Forschungsstandes bietet Ulrich Herbert u. a. (Hrsg.), Die nationalsozialistischen Konzentrationslager. Entwicklung und Struktur. 2 Bände. Göttingen 1998; seitdem Norbert Frei u. a. (Hrsg.), Ausbeutung, Vernichtung, Öffentlichkeit. Neue Studien zur nationalsozialistischen Lagerpolitik. München 2000. Vgl. als exemplarische Einzelstudien u. a. Jens Schley, Nachbar Buchenwald. Die Stadt Weimar und ihr Konzentrationslager 1937–1945. Köln usw. 1999; Sybille Steinbacher, »Musterstadt« Auschwitz. Germanisierungspolitik und Judenmord in Ostoberschlesien. München 2000; dazu auch die Edition: Norbert Frei u. a. (Hrsg.), Standort- und Kommandanturbefehle des Konzentrationslagers Auschwitz 1940–1945. München 2000. Übergreifend: Karin Orth, Das System der nationalsozialistischen Konzentrationslager. Eine politische Organisationsgeschichte. Hamburg 1999; dies., Die Konzentrationslager-SS. Sozialstrukturelle Analysen und biographische Studien. Göttingen 2000; vgl. auch Wolfgang Sofsky, Die Ordnung des Terrors: Die Konzentrationslager. Frankfurt am Main 1993; Gabriele Lotfi, KZ der Gestapo. Arbeitserziehungslager im Dritten Reich. Stuttgart, München 2000.

[76] Darauf hat vor allem Saul Friedländer wiederholt aufmerksam gemacht, und in diesem Sinne konzipiert ist ders., Das Dritte Reich und die Juden. Band 1: Die Jahre der Verfolgung 1933–1939. München 1998; vgl. auch Omer Bartov, Mirrors of Destruction. War, Genocide, and Modern Identity. New York usw. 2000; Bernd C. Wagner, IG Auschwitz. Zwangsarbeit und Vernichtung von Häftlingen des Lagers Monowitz 1941–1945. München 2000.

[77] Hamburger Institut für Sozialforschung (Hrsg.), Vernichtungskrieg. Verbrechen der Wehrmacht 1941 bis 1944. Ausstellungskatalog. Hamburg 1996.

Arbeiten ist die Hinwendung zu einer möglichst genauen Untersuchung von Handlungsspielräumen in Wehrmacht[78], Wirtschaft[79] und Gesellschaft[80]. Damit erfährt nicht zuletzt die Frage nach dem Stellenwert und nach der Wirkungsmacht der nationalsozialistischen Volksgemeinschaftsideologie, die zwischenzeitlich unter dem irreführenden Gesichtspunkt einer intentionalen Modernisierung diskutiert worden war[81], neue Beachtung[82].

In einem markanten Spannungsverhältnis zu der weiterhin lebhaften Einzelforschung, die sich in den hier skizzierten Haupttendenzen nicht erschöpft[83], entwickeln sich in den letzten Jahren breit ausgreifende Diskurse um die »Erinnerung«. In Rede stehen dabei Probleme des »kollektiven« und Möglichkeiten eines »uni-

[78] Vgl. insbesondere Omer Bartov, Hitlers Wehrmacht. Soldaten, Fanatismus und die Brutalisierung des Krieges. Reinbek 1995; und anstelle vieler weiterer Einzelnachweise: Rolf-Dieter Müller/Gerd R. Überschär: Hitlers Krieg im Osten. Ein Forschungsbericht. Darmstadt 2000.

[79] Vgl. zum Beispiel Hans Mommsen/Manfred Grieger, Das Volkswagenwerk und seine Arbeiter im Dritten Reich. Düsseldorf 1996; Neil Gregor, Stern und Hakenkreuz. Daimler-Benz im Dritten Reich. Berlin 1997; Jonathan Steinberg, Die Deutsche Bank und ihre Goldtransaktionen während des Zweiten Weltkrieges. München 1999; Edwin Black, IBM und der Holocaust. Die Verstrickung des Weltkonzerns in die Verbrechen der Nazis. München, Berlin 2001.

[80] So etwa in den neueren Untersuchungen zum Repressionsapparat: Robert Gellately, Die Gestapo und die deutsche Gesellschaft. Die Durchsetzung der Rassenpolitik 1933–1945. Paderborn 1993; die weitere Forschung (mit zum Teil überzogenen Thesen) im Überblick versammelnd: Gerhard Paul/Klaus-Michael Mallmann (Hrsg.), Die Gestapo. Mythos und Realität. Darmstadt 1995.

[81] So etwa bei Rainer Zitelmann, Hitler. Selbstverständnis eines Revolutionärs. Stuttgart 1987; kritisch dazu Norbert Frei, Wie modern war der Nationalsozialismus? In: Geschichte und Gesellschaft 19 (1993), S. 367–387.

[82] Bernd Stöver, Volksgemeinschaft im Dritten Reich. Die Konsensbereitschaft der Deutschen aus der Sicht sozialistischer Exilberichte. Düsseldorf 1993.

[83] Beispielsweise kam es, nachdem die Funktionseliten insgesamt durchaus schon längere Zeit auf der Forschungsagenda standen, in den letzten Jahren zu einer nachholenden Debatte um die NS-Vergangenheit der historischen Profession; vgl. als Einstieg und Überblick Winfried Schulze/Otto Gerhard Oexle (Hrsg.), Deutsche Historiker im Nationalsozialismus. Frankfurt am Main 1999.

versellen« Gedächtnisses, insbesondere hinsichtlich der Erinnerung an den Holocaust[84]. So bedeutsam solche Fragen angesichts der zu Ende gehenden Zeitgenossenschaft zweifellos sind – bisweilen gewinnt man den Eindruck, als wolle und solle das feuilletonistische Räsonnement über den »Umgang« mit der Vergangenheit die kenntnisbewehrte Beschäftigung mit der Sache selbst ersetzen.

Andererseits ist festzustellen, daß inzwischen auch die große, zusammenfassende Darstellung und Analyse, deren Berechtigung eine Zeitlang kaum noch gesehen worden war, wieder Anerkennung findet. Nachdem Karl Dietrich Brachers bereits 1969 erschienene Studie über die ›deutsche Diktatur‹[85] und Joachim Fests ›Hitler‹[86] bis in die achtziger Jahre hinein ziemlich konkurrenzlos geblieben waren, liegen mittlerweile mehrere neuere Gesamtdarstellungen[87] vor – und mit Ian Kershaws zweibändigem Werk eine monumentale Hitler-Biographie in gesellschaftsgeschichtlicher Absicht[88].

[84] Statt einer Fülle möglicher Literaturangaben dazu hier nur der Hinweis auf die von der schwedischen Regierung initiierte, großangelegte Konferenz in Stockholm im Januar 2000; vgl. Stockholm International Forum on the Holocaust. Proceedings, Stockholm 2000.

[85] Karl Dietrich Bracher, Die deutsche Diktatur. Entstehung, Struktur, Folgen des Nationalsozialismus. Köln 1969 (7. Aufl. 1993).

[86] Joachim C. Fest, Hitler. Eine Biographie. Frankfurt am Main usw. 1973; zu Unrecht wenig beachtet wurde der gedankenreiche Essay von Josef Peter Stern, Hitler. Der Führer und das Volk. München 1978.

[87] Thamer, Verführung und Gewalt; Heinz Höhne, Die Zeit der Illusionen. Hitler und die Anfänge des Dritten Reiches 1933–1936. Düsseldorf usw. 1991; Jost Dülffer, Deutsche Geschichte 1933–1945. Führerglaube und Vernichtungskrieg. Stuttgart usw. 1992; Bernd-Jürgen Wendt, Deutschland 1933–1945. Das Dritte Reich. Handbuch zur Geschichte. Hannover 1995; Ludolf Herbst, Das nationalsozialistische Deutschland 1933–1945. Die Entfesselung der Gewalt: Rassismus und Krieg. Frankfurt am Main 1996; Michael Burleigh, Die Zeit des Nationalsozialismus. Eine Gesamtdarstellung. Frankfurt am Main 2000; für ein allgemeines Publikum gedacht ist die knappe, farbig illustrierte Darstellung von Wolfgang Benz, Geschichte des Dritten Reiches. München 2000.

[88] Ian Kershaw, Hitler. Band 1: 1889–1936, Band 2: 1936–1945. Stuttgart 1998, 2000; als spezifische Ergänzung dazu Fritz Redlich, Hitler. Diagnosis of a Destructive Prophet. New York, Oxford 1999.

So bleibt es bei der Feststellung, mit der dieser Bericht schon in der Erstauflage schloß: Entgegen manchen Befürchtungen oder Hoffnungen erlahmt das Interesse der Deutschen an der deutschen Geschichte zwischen 1933 und 1945 keineswegs. Es verändert sich, und das muß kein Nachteil sein.

Zeittafel

1933

30. 1. Hitler wird Reichskanzler einer Koalitionsregierung aus NSDAP, DNVP und Stahlhelm.

31. 1. Verhandlungen mit dem Zentrum über eventuelle Regierungsbeteiligung.

1. 2. Verordnung des Reichspräsidenten zur Auflösung des Reichstages.

4. 2. Verordnung des Reichspräsidenten ›Zum Schutze des deutschen Volkes‹ erlaubt Eingriffe in Presse- und Versammlungsfreiheit; erste Handhabe zur Verfolgung politischer Gegner.

6. 2. Verordnung des Reichspräsidenten zur Auflösung des preußischen Landtags.

17. 2. »Schießerlaß« des preußischen Innenministers Göring.

22. 2. Aufstellung von ca. 50 000 Hilfspolizisten aus SA, SS und Stahlhelm in Preußen.

27. 2. Reichstagsbrand; Verhaftung des Brandstifters Marinus van der Lubbe.

28. 2. Verordnung des Reichspräsidenten ›Zum Schutz von Volk und Staat‹ (Reichstagsbrandverordnung) setzt Grundrechte außer Kraft, ermöglicht willkürliche polizeiliche »Schutzhaft« ohne richterliche Kontrolle und begründet dauerhaften Ausnahmezustand. Faktisches KPD-Verbot und Verbot der SPD-Presse.

5. 3. Reichstagswahlen: Trotz NS-Terrors und verfassungswidriger Behinderung von KPD, SPD und Zentrum nur 43,9% für NSDAP, aber knappe absolute Mehrheit für Regierungskoali-

tion. Beginn der Eroberung der nicht nationalsozialistisch regierten Länder (bis 9. 3.).

13. 3. Joseph Goebbels Chef des neuen Reichsministeriums für Volksaufklärung und Propaganda.

21. 3. »Tag von Potsdam«: Eröffnung des neuen
Reichstages mit Hindenburg und Hitler. Verordnung zur Abwehr heimtückischer Angriffe
bestraft selbst mündliche Kritik an NSDAP
und Regierung. Einrichtung von Sondergerichten.

22. 3. Konzentrationslager Dachau errichtet.

23. 3. Ermächtigungsgesetz nur gegen die Stimmen
der SPD angenommen (KPD-Abgeordnete bereits geflohen, in Schutzhaft oder im Untergrund); Regierung kann jetzt Gesetze auch ver-
fassungsändernden Inhalts ohne Reichstag erlassen.

31. 3. Vorläufiges Gesetz zur Gleichschaltung der
Länder mit dem Reich.

1. 4. Boykott jüdischer Geschäfte. Reichsführer SS
Heinrich Himmler Politischer Polizeikomman-
deur Bayerns.

7. 4. ›Gesetz zur Wiederherstellung des Berufsbeamtentums‹ ermöglicht die Entlassung oder
Zwangspensionierung politisch »unzuverlässi-
ger Elemente« und per »Arierparagraph« von
Juden. ›Zweites Gesetz zur Gleichschaltung der
Länder mit dem Reich‹ setzt Reichsstatthalter
ein.

11. 4. Göring stellvertretender Reichsstatthalter und
Ministerpräsident von Preußen.

21. 4. Rudolf Heß »Stellvertreter des Führers«.

28. 4. Göring Chef des neuen Reichsluftfahrtministe-
riums.

29. 4. Bayerischer Landtag stimmt Länder-Ermächti-
gungsgesetz zu (Preußen 18. 5., Sachsen 23. 5.,
Württemberg 8. 6., Baden 9. 6.).

1. 5.	»Tag der nationalen Arbeit« als gesetzlicher Feiertag mit Massenkundgebungen. NSDAP-Aufnahmesperre.
2. 5.	Zerschlagung der Freien Gewerkschaften: Häuser und Betriebe sowie Arbeiterbank von SA und NSBO besetzt, führende Funktionäre in »Schutzhaft«.
3./4. 5.	NS-Zwangskartelle (»Reichsstände«) für Handwerk und Handel unter Adrian von Renteln.
10. 5.	Bücherverbrennung in Universitätsstädten. Gründung der DAF, Zwangseingliederung und Selbstauflösung der Gewerkschaften.
17. 5.	SPD-Fraktion stimmt im Reichstag Hitlers außenpolitischer Erklärung (»Friedensrede«) zu; Exil-Parteivorstand der SPD in Prag unter Otto Wels und Hans Vogel.
19. 5.	Gesetz über »Treuhänder der Arbeit« beseitigt Tarifautonomie.
28. 5.	Walther Darré, Leiter des »Agrarpolitischen Apparates« der NSDAP, »Reichsbauernführer« der seit März/April gleichgeschalteten Landwirtschaftsverbände.
1. 6.	Gesetz zur Minderung der Arbeitslosigkeit (Reinhardt-Programm). »Adolf-Hitler-Spende der deutschen Wirtschaft«.
17. 6.	Baldur von Schirach »Jugendführer des Deutschen Reiches«.
22. 6.	Verbot der SPD. Selbstauflösung der übrigen Parteien: DNVP (Aufnahme in NSDAP-Fraktion) und DVP 27. 6., DDP 28. 6., BVP 4. 7., Zentrum 5. 7.
27. 6.	Rücktritt des Reichsministers für Wirtschaft, Ernährung und Landwirtschaft Alfred Hugenberg.
1./2. 7.	Stahlhelm unter Franz von Seldte der SA unterstellt.
14. 7.	Gesetz gegen die Neubildung von Parteien legalisiert NSDAP-Monopol und vollendet Gleich-

schaltung der Parlamente. Gesetz zur Verhütung erbkranken Nachwuchses. Gesetz über die
Einziehung »volks- und staatsfeindlichen Ver-
mögens« legalisiert nachträglich Enteignung der
SPD.

20. 7.   Abschluß des Reichskonkordats sichert Bestand
und Tätigkeit der katholischen Organisationen;
Vatikan verbietet Priestern jede parteipolitische
Betätigung.

8. 8.   Radikaler »NS-Kampfbund für den gewerblichen Mittelstand« in »Nationalsozialistische
Handwerks-, Handels- und Gewerbe-Organisation« eingegliedert.

31. 8.–3. 9.   NSDAP-»Parteitag des Sieges« in Nürnberg.

11. 9.   Evangelischer Kirchenkampf beginnt mit Gründung des »Pfarrernotbundes«.

13. 9.   Proklamation des Winterhilfswerks. Gesetz
über den Reichsnährstand regelt landwirtschaftliche Märkte und Preise.

21. 9.   Reichstagsbrandprozeß: Todesurteil für van der
Lubbe; am 23. 12. Freispruch für Ernst Torgler,
Vorsitzender der KPD-Reichstagsfraktion, Georgi Dimitroff, Mitglied des Exekutivkomitees
der Kommunistischen Internationale, und zwei
weitere Angeklagte.

22. 9.   Gesetz zur Errichtung der Reichskulturkammer (Präsident Joseph Goebbels, Vizepräsident
Walter Funk) mit Reichsschrifttumskammer
(Präsident Hans Friedrich Blunck), Reichs-
pressekammer (Max Amann), Reichsrundfunk-
kammer (Horst Dreßler-Andreß), Reichsthea-
terkammer (Otto Laubinger), Reichsmusikkammer (Richard Strauss), Reichskammer der
bildenden Künste (Eugen Hönig); Reichsfilm-
kammer bereits seit 14. 7. (Fritz Scheuermann).

29. 9.	Reichserbhofgesetz: Bauern müssen »deutsche Staatsbürger, deutschen oder stammesgleichen Blutes und ehrbar« sein; Verbot der Erbteilung bei Höfen von 7,5 bis 125 Hektar.
4. 10.	Schriftleitergesetz regelt Ausbildung und Zulassung zu Presseberufen (mit Arierparagraph).
15. 10.	Hitler legt Grundstein zum »Haus der Deutschen Kunst« in München.
12. 11.	Scheinwahlen zum Reichstag: NSDAP-Einheitsliste 92,2%, ungültige Stimmen 7,8%, Wahlbeteiligung 95,2%.
24. 11.	Gesetz über Sicherungsverwahrung ergänzt Strafhaft für Rückfalltäter. Reichstierschutzgesetz.
1. 12.	Gesetz zur Sicherung der Einheit von Partei und Staat sucht Einfluß der NSDAP in der öffentlichen Verwaltung zu begrenzen.
14. 12.	»Benzinvertrag« zwischen Reichsregierung und I. G. Farben.

1934

20. 1.	›Gesetz zur Ordnung der nationalen Arbeit‹ macht Treuhänder zu Reichsbeamten; unternehmerfreundliche »Betriebsgemeinschaft« zu Lasten der DAF (19 Reichsbetriebsgruppen) auf Beratung.
30. 1.	Gesetz über den Neuaufbau des Reiches hebt Länderparlamente und Hoheitsrechte der Länder auf.
März/April	Bei betrieblichen »Vertrauensräte«-Wahlen rund die Hälfte der Stimmen gegen NS-Einheitsliste.
20. 4.	Himmler reichsweit Inspekteur der Gestapo; Reinhard Heydrich Leiter des Gestapa (22. 4.).
24. 4.	Gesetz zur Errichtung des Volksgerichtshofes für Hoch- und Landesverratsverfahren.
1. 5.	Bernhard Rust Chef des neuen Reichsministeriums für Wissenschaft, Erziehung und Volksbildung.

11. 5.	Propaganda-Kampagne »gegen Miesmacher und Kritikaster«, auch gegen SA.
29.–31. 5.	Barmer (1.) Bekenntnis-Synode verkündet »Notrecht« gegen Kirchenleitung.
17. 6.	Marburger Rede Franz von Papens (Verfasser Edgar Jung) kritisiert politische Zustände aus rechtskonservativer Sicht.
30. 6.–2. 7.	Entmachtung und Ermordung der SA-Spitze um Ernst Röhm und Mordaktion an konservativen Regimekritikern; Viktor Lutze neuer Stabschef der SA. Hitler unterstellt Himmler alle Konzentrationslager; SS wird eigenständig (20. 7.).
3. 7.	Aktion gegen SA-Führung und Konservative als »Staatsnotwehr« per Gesetz nachträglich legalisiert.
30. 7.	Reichsbankpräsident Hjalmar Schacht übernimmt auch Wirtschaftsministerium (von Kurt Schmitt).
1. 8.	›Gesetz über das Oberhaupt des Deutschen Reiches‹ vereinigt Amt des Reichspräsidenten und des Reichskanzlers.
2. 8.	Tod Hindenburgs. Hitler »Führer und Reichskanzler«; Vereidigung der Reichswehr auf den neuen Oberbefehlshaber Hitler.
10. 8.	Verordnung über Arbeitskräfteverteilung beschränkt freie Arbeitsplatzwahl.
5.–10. 9.	Reichsparteitag »Triumph des Willens« in Nürnberg (Frauenkongreß 8. 9.).
24. 9.	Schacht legt »Neuen Plan« zur Wirtschaftslenkung durch Devisen- und Außenhandelskontrolle vor.
30. 9.	Erntedankfest auf dem Bückeberg: Hitlerrede vor 700 000 Bauern.
19./20. 10.	Dahlemer (2.) Synode der Bekennenden Kirche protestiert gegen Reichsbischof Müller (gewählt von Nationalsynode der »Deutschen Christen« am 27. 9. 33).

24. 10.	Verordnung Hitlers über »Wesen und Ziel der Deutschen Arbeitsfront«.
11.–18. 11.	Zweiter Reichsbauerntag in Goslar ruft zur »Erzeugungsschlacht« auf.
27. 11.	Einteilung der Wirtschaft in sechs »Reichsgruppen« der »Reichswirtschaftskammer«.
30. 11.	Turn- und Sportjugend wird der Hitler-Jugend eingegliedert.
5. 12.	Gesetz über das Kreditwesen unterstellt Großbanken dem Reichsbankpräsidenten.

1935

13. 1.	Saarabstimmung gemäß Versailler Vertrag: 90,9% stimmen für Rückgliederung an das Deutsche Reich; Emigration von NS-Gegnern aus dem Saarland.
30. 1.	Reichsstatthaltergesetz und neue Gemeindeordnung beseitigen Länderhoheit bzw. kommunale Selbstverwaltung.
1. 2.	Ernennung und Entlassung von Reichs- und Landesbeamten vom Regierungsrat aufwärts künftig Hitler vorbehalten.
15. 2.	Eröffnung des fortan alljährlichen Reichsberufswettkampfs.
26. 2.	Arbeitsbuch-Gesetz zur Kontrolle über Arbeitsverhältnisse und -kräfte.
4./5. 3.	Synode der Bekennenden Kirche beschließt Kanzelverkündigung gegen NS-Rassenideologie und »Neuheidentum«, 700 Pfarrer verhaftet.
14. 3.	Erlaß Hitlers macht Luftwaffe zu selbständigem Wehrmachtsteil.
16. 3.	Gesetz über Aufbau der Wehrmacht bringt Wiedereinführung der allgemeinen Wehrpflicht.
1. 4.	Landesjustizverwaltungen durch Reichsjustizministerium übernommen.
24. 4.	Anordnungen des Reichsleiters für die Presse, Max Amann, ermöglichen Pressekonzentration.

25. 4.	Anordnung der Reichsschrifttumskammer über »schädliches und unerwünschtes Schrifttum«.
25.–30. 4.	Internationaler Filmkongress in Berlin.
17. 5.	Beginn einer Prozeßwelle gegen Klosterangehörige.
21. 5.	Außenpolitische Reichstagsrede Hitlers betont Bereitschaft zum Frieden. Neues Wehrgesetz. Geheimes »Reichsverteidigungsgesetz« verpflichtet Wirtschaft zur Rüstungsproduktion; Schacht »Generalbevollmächtigter für die Kriegswirtschaft«.
26. 6.	Arbeitsdienstpflicht im staatlichen Reichsarbeitsdienst unter Konstantin Hierl.
8. 7.	»Ariernachweis« Pflicht für Studenten; für Offiziere seit 21. 5., für Soldaten am 25. 7.
27. 7.	Auflösung aller Freikorps- und Traditionsverbände.
17. 8.	Verbot aller noch bestehenden Freimaurerlogen.
19. 8.	Katholischer Hirtenbrief verurteilt staatliche Hetze gegen Kirche und Christentum.
10.–16. 9.	NSDAP-»Reichsparteitag der Freiheit«: ›Reichsbürgergesetz‹ und ›Gesetz zum Schutze des deutschen Blutes und der deutschen Ehre‹ (Nürnberger Rassengesetze).
24. 9.	Reichskirchenminister Hanns Kerrl (seit 16. 7.) mit gesetzlichen Vollmachten über evangelische Kirchen.
6. 10.	Auflösung der Deutschen Burschenschaft.
18. 10.	›Gesetz zum Schutze der Erbgesundheit des deutschen Volkes‹ und verstärkte Propaganda gegen »lebensunwertes Leben«.
3. 11.	Richtfest für Parteibauten am Königsplatz in München.
13. 12.	Gründung des SS-»Lebensborn« zur Förderung von Kinderreichtum.

1936

6.–16. 2.	IV. Olympische Winterspiele in Garmisch-Partenkirchen.
7. 3.	Hitler kündigt Locarnovertrag, Wehrmacht besetzt entmilitarisiertes Rheinland.
29. 3.	»Reichstagswahl«: Plebiszit für Hitlers Politik mit 99% Ja-Stimmen.
18. 4.	Volksgerichtshof ordentliches Gericht und als oberstes Strafgericht dem Reichsgericht gleichgestellt.
24. 4.	»Ordensburgen« zur Ausbildung von NS-Kadern in Vogelsang, Crössinsee und Sonthofen eingeweiht.
17. 6.	Ernennung Himmlers zum »Reichsführer SS und Chef der Deutschen Polizei im Reichsministerium des Innern« verknüpft Partei- und Staatsamt; Hauptämter für Ordnungspolizei (Kurt Daluege) und Sicherheitspolizei (Heydrich).
1. 7.	Kinderbeihilfe an kinderreiche Minderbemittelte.
August	Konzentrationslager Sachsenhausen errichtet.
1.–16. 8.	XI. Olympische Sommerspiele in Berlin.
24. 8.	Einführung der zweijährigen Militärdienstzeit.
Sommer	»Fettkrise« durch Außenhandelsdefizite und Devisenknappheit; Göring seit 4. 4. 1936 Beauftragter für alle Devisen- und Rohstofffragen, ab 18. 10. des Vierjahresplans; Aufrüstung.
8.–14. 9.	NSDAP-»Parteitag der Ehre« proklamiert Vierjahresplan.
29. 10.	Vierjahresplangesetz, Göring verlangt Lohnstopp und Arbeitsfrieden.
23. 11.	Friedensnobelpreis für Carl von Ossietzky, seit 1933 in KL-Haft.
1. 12.	Hitler-Jugend wird Staatsjugend.

15. 1.	Gründung der ersten »Adolf-Hitler-Schulen«.
26. 1.	Beamtengesetz fordert besondere Treue zu Führer und Reich.
30. 1.	Reichstag verlängert Ermächtigungsgesetz um vier Jahre.
10. 2.	Reichsbank und Reichsbahn per Gesetz der Reichsregierung unterstellt.
9. 3.	Verhaftungsaktion gegen vorbestrafte »Gewohnheitsverbrecher«.
14. 3.	Päpstliche Enzyklika ›Mit brennender Sorge‹ verurteilt NS-Kirchenpolitik; Beschlagnahmeaktionen der Gestapo in kirchlichen Druckereien, Verhaftung von Geistlichen.
1. 5.	Vorübergehende, am 1. 5. 1939 endgültige Aufhebung der NSDAP-Mitgliedersperre. Ley proklamiert »Leistungskampf deutscher Betriebe«.
18. 6.	Doppelmitgliedschaft in HJ und katholischen Jugendverbänden verboten.
26. 6.	Zusammenschluß zur NS-Freizeitorganisation »Kraft durch Freude« aus NS-Kulturgemeinde, Amt »Feierabend« und Deutschem Volksbildungswerk.
15. 7.	Konzentrationslager Buchenwald (bei Weimar) errichtet. Gründung der Reichswerke »Hermann Göring« in Salzgitter (Stahlerzeugung).
18. 7.	Festzug und »Große Deutsche Kunstausstellung« im neuen »Haus der Deutschen Kunst« in München; Ausstellung »Entartete Kunst«.
6.–13. 9.	NSDAP-»Parteitag der Arbeit«.
4. 10.	Rahmengesetzgebung zur Stadtneugestaltung in Berlin, München, Stuttgart, Nürnberg, Hamburg.
8. 11.	Goebbels eröffnet Ausstellung »Der Ewige Jude« in München.
26. 11.	Rücktritt Schachts (ab 4. 2. 1938 Walter Funk Reichswirtschaftsminister).

1938

19. 1.   Gründung des BDM-Werkes »Glaube und Schönheit« für 17- bis 21 jährige Mädchen.

4. 2.   »Fritsch-Krise«: Entlassung Kriegsminister Werner von Blombergs und des Oberbefehlshabers des Heeres, von Fritsch; Rücktritt Außenminister Konstantin von Neuraths (Nachfolger Ribbentrop); Bildung des Oberkommandos der Wehrmacht (OKW) unter General Keitel, Oberbefehlshaber des Heeres General Walther von Brauchitsch.

15. 2.   Einführung eines RAD-Pflichtjahres für Frauen.

12./13. 3.   Einmarsch deutscher Truppen in Österreich; Anschlußgesetz.

10. 4.   Volksabstimmung und »Wahl« des »Großdeutschen Reichstags« (über 99% Ja-Stimmen).

April   Beginn systematischer »Arisierung« jüdischer Wirtschaftsbetriebe.

30. 4.   Jugendschutzgesetz, Verbot der Kinderarbeit.

25. 5.   Ausstellung »Entartete Musik« in Düsseldorf.

31. 5.   Gesetz zur entschädigungslosen Einziehung aller »entarteten Kunst«.

Mai/Juni   Konzentrationslager Flossenbürg (Oberpfalz) und Mauthausen (Niederösterreich) errichtet.

Juni   Baubeginn des 630 Kilometer langen »Westwalls« durch Reichsarbeitsdienst und Organisation Todt.

13.–18. 6.   Gestapo verbringt Tausende von »Asozialen« in KL.

22. 6.   ›Verordnung zur Sicherstellung des Kräftebedarfs für Aufgaben von besonderer staatspolitischer Bedeutung‹ ermöglicht beliebige Dienstverpflichtung jedes Deutschen.

18. 8.   Rücktrittsgesuch des Generalstabchefs des Heeres, Ludwig Beck (Nachfolger General Franz Halder, 1. 11.).

19. 8.	Hirtenbrief der Fuldaer Bischofskonferenz gegen Kirchenhetze und Klosterprozesse.
September	»Sudetenkrise«. Hohe Offiziere um Beck planen Hitlers Verhaftung.
5.–12. 9.	»Parteitag Großdeutschlands«.
29./30. 9.	Münchner Konferenz beschließt Abtretung des Sudetengebiets an Deutschland; deutscher Einmarsch in die Tschechoslowakei am 1. 10.
8.–13. 11.	Massenpogrome (»Reichskristallnacht«) gegen Juden.
8. 12.	Erlaß Himmlers zur systematischen Erfassung und erkennungsdienstlichen Behandlung der Zigeuner.
16. 12.	»Ehrenkreuz der Deutschen Mutter« für mehr als sieben Kinder gestiftet.

1939

20. 1.	Reichsbankpräsident Schacht entlassen.
6. 2.	Gestapo löst Katholischen Jungmännerverband auf.
14.–16. 3.	Deutscher Einmarsch in die Tschechoslowakei, »Reichsprotektorat Böhmen und Mähren«.
23. 3.	Deutscher Einmarsch und Rückgliederung des Memelgebiets.
25. 3.	Dienstverpflichtung aller Jugendlichen zwischen 10 und 18 Jahren zur HJ.
3. 4.	Weisung Hitlers zur Vorbereitung eines Angriffskrieges gegen Polen.
15. 5.	Frauen-Konzentrationslager Ravensbrück errichtet.
22. 5.	Militärpakt Deutschland – Italien.
23. 8.	Nichtangriffspakt Deutschland – Sowjetunion.
26. 8.	»Parteitag des Friedens« wird abgesagt.
27. 8.	Lebensmittel-, später auch Konsumgüterrationierung mit Bezugsscheinen.
1. 9.	Deutscher Angriff auf Polen ohne Kriegserklärung; Beginn des Zweiten Weltkrieges.

3. 9.	Britisch-französische Kriegserklärung an das Deutsche Reich. Geheimerlaß Heydrichs zur »inneren Staatssicherheit während des Krieges«: Gestapo kann Gegner und Saboteure ohne Gerichtsurteil exekutieren.
4./5. 9.	Scharfe Strafverordnungen gegen Kriegswirtschaftsvergehen und Kriegskriminalität.
27. 9.	Vereinigung der Sicherheitspolizei (Gestapo und Kriminalpolizei) mit dem Sicherheitsdienst der SS zum Reichssicherheitshauptamt als der Zentrale aller Terror- und Repressionsmaßnahmen.
Oktober	Ermächtigungsschreiben Hitlers zum Beginn der »Euthanasieaktion« (rückdatiert auf 1. 9.).
8./12. 10.	Eingliederung der westpolnischen Gebiete in das Reich, Errichtung des Generalgouvernements unter Hans Frank.
14. 10.	Reichskleiderkarte eingeführt.
8. 11.	Attentat Georg Elsers in München auf Hitler mißglückt.

1940

11. 2.	Deutsch-sowjetisches Wirtschaftsabkommen sichert Erdöl-, Edelmetall- und Getreidelieferungen für Deutschland.
17. 3.	Fritz Todt Reichsminister für Bewaffnung und Munition; Aufbau einer neuen Rüstungsorganisation im engen Einvernehmen mit der Wirtschaft.
10. 5.	Beginn der deutschen Offensive im Westen.
22. 6.	Deutsch-französischer Waffenstillstand.
Herbst	Errichtung zahlreicher jüdischer Ghettos in Osteuropa.
18. 12.	Hitler-Weisung Nr. 21: Vorbereitung des Überfalls auf die Sowjetunion.

1941

17./30. 3.	Hitler vor hohen Offizieren: künftiger Rußlandfeldzug ist als »Vernichtungskrieg« zu führen.
26. 3.	»Institut zur Erforschung der Judenfrage« in Frankfurt/Main in der »Hohen Schule« Alfred Rosenbergs gegründet.
21. 4.	»Reichsvereinigung Kohle« zur Koordination von Bergbau und Kohlehandel wegen Versorgungsengpässen.
10. 5.	Englandflug Rudolf Heß'; Martin Bormann »Leiter der Partei-Kanzlei«.
6. 4.	Deutscher Überfall auf Jugoslawien und Griechenland.
Frühjahr	»Generalplan Ost« zur Umsiedlung der einheimischen Bevölkerung und »Eindeutschung« der besetzten Gebiete entwickelt, von Himmler am 12. 6. 1942 abgezeichnet.
6. 6.	»Kommissarbefehl« des OKW: Sowjetische Funktionäre sind zu »liquidieren«.
22. 6.	Deutscher Überfall auf die Sowjetunion. SS-Einsatzgruppen ermorden Kommunisten, Juden, Zigeuner.
14. 7.	Verlagerung des Rüstungsschwerpunktes von der Heeres- zur Luft- und Marinerüstung. Rosenberg »Reichminister für die besetzten Ostgebiete«.
28. 7.	Bischof Clemens Graf von Galen protestiert in Münster gegen Euthanasie.
1. 9.	Juden in Deutschland (ab sechs Jahre) müssen gelben Stern tragen; ab 1. 10. Auswanderungsverbot.
2. 10.–5. 12.	Schlacht vor Moskau: sowjetische Gegenoffensive offenbart Scheitern des Blitzfeldzuges.
14. 10.	Befehl zur Deportation deutscher Juden in osteuropäische Ghettos.
11. 12.	Hitler erklärt den USA den Krieg.

16. 12.	Hitler entläßt General von Brauchitsch und übernimmt selbst Oberbefehl über das Heer.
Dez./Jan.	Umstellungen in der Kriegswirtschaft zur Produktionssteigerung.

1942

20. 1.	Wannsee-Konferenz zur Koordination der Maßnahmen zur »Endlösung der Judenfrage«.
8. 2.	Albert Speer Reichsminister für Bewaffnung und Munition.
Ende März	Erste Judentransporte aus Westeuropa und dem Reichsgebiet nach Auschwitz.
21. 3.	Fritz Sauckel Generalbevollmächtigter für den Arbeitseinsatz; bis Sommer 1944 rund 7,6 Millionen »Fremdarbeiter« in Deutschland.
26. 4.	Hitler »Oberster Gerichtsherr«.
17. 5.	Mutterschutzgesetz.
Juni	Beginn der Massenvergasungen von Juden in Auschwitz-Birkenau.
20. 8.	Roland Freisler Vorsitzender des Volksgerichtshofes; Vorgänger Otto Georg Thierack Reichsjustizminister.
Herbst	Gestapo rollt Widerstandsorganisation »Rote Kapelle« auf; rund 100 Hinrichtungen.
22. 11.	6. deutsche Armee bei Stalingrad eingeschlossen.

1943

13. 1.	Geheimer Führererlaß zum umfassenden Einsatz von Männern und Frauen in der Reichsverteidigung.
31. 1./2. 2.	Kapitulation der 6. Armee in Stalingrad.
Jan./Feb.	Schüler und Frauen werden als »Luftwaffenhelfer« dienstverpflichtet.
4. 2.	Schließung aller nicht kriegswichtigen Betriebe in Handel, Handwerk und Gastronomie.

18. 2.	Goebbels im Berliner Sportpalast: »Wollt Ihr den totalen Krieg?« Zerschlagung der studentischen Widerstandsgruppe »Weiße Rose«.
19. 4.	Aufstand im Warschauer Ghetto; am 16. 5. niedergeschlagen.
25./26. 4.	›Münchner (katholischer) Laienbrief‹ verurteilt Vernichtung des deutschen Judentums.
26. 6.	Speer kontrolliert gesamte Rüstungsproduktion (außer Luftwaffe).
19. 8.	Hirtenbrief des katholischen Episkopats gegen die Tötung unschuldigen Lebens (»Euthanasie«).
24. 8.	Himmler Reichsinnenminister.
2. 9.	Speer, jetzt »Reichsminister für Rüstung und Kriegsproduktion«, strebt Konzentration der Kriegswirtschaft an.
16./17. 10.	Bekenntnissynode der Evangelischen Kirche der Altpreußischen Union verurteilt Tötung von Menschen aus Alters-, Krankheits- und Rassegründen.
22. 12.	NS-Führungsstab beim OKW zur Stärkung des Parteieinflusses und der ideologischen Indoktrination gebildet.

1944

6. 6.	Alliierte Invasion in der Normandie.
22. 6.	Sowjetische Großoffensive gegen Heeresgruppe Mitte.
Juli	Zerschlagung kommunistischer Widerstandsorganisation in Berlin, Leipzig, Thüringen.
20. 7.	Attentat auf Hitler durch die Widerstandsgruppe um Claus Graf Schenk von Stauffenberg mißglückt; Tausende von Verhaftungen, etwa 200 Hinrichtungen.
24. 7.	Vernichtungslager Majdanek von der sowjetischen Armee befreit.

25. 7.	Goebbels »Reichsbevollmächtigter für den totalen Kriegseinsatz«. Himmler Oberbefehlshaber des Ersatzheeres.
August	Höhepunkt des alliierten Bombenkrieges.
24. 8.	Urlaubssperre und 60-Stunden-Woche als Maßnahmen des totalen Kriegseinsatzes.
September	Deutsche V 2-Raketen gegen London und Antwerpen.
25. 9.	Einberufung aller Männer zwischen 16 und 60 Jahren zum »Deutschen Volkssturm«.
21. 10.	Aachen als erste deutsche Großstadt von Amerikanern besetzt.
1. 11.	Himmler befiehlt Ende der Vergasungen in Auschwitz.
16. 12.	Deutsche Ardennenoffensive.

1945

27. 1.	Auschwitz von sowjetischen Truppen befreit.
30. 1.	Letzte Rundfunkrede Hitlers. Uraufführung des Durchhaltefilms ›Kolberg‹ in Berlin und in der Atlantik-Festung La Rochelle.
15. 2.	Standgerichte in »feindbedrohten Reichsteilen« sollen Kampfwillen durch Todesstrafe sichern.
19. 3.	»Nero-Befehl« Hitlers (nicht durchgeführt).
13./16. 4.	Rote Armee in Wien; Großangriff auf Berlin.
April/Mai	Zahlreiche lokale und regionale Widerstandsorganisationen gegen letzte Verteidigungsaktionen und Zerstörungen; häufig von SS und »Werwolf« niedergeschlagen.
30. 4.	Selbstmord Hitlers. Großadmiral Karl Dönitz Nachfolger als Staatsoberhaupt.
7./9. 5.	Kapitulation der deutschen Wehrmacht im US-Hauptquartier in Reims; Wiederholung im sowjetischen Hauptquartier in Berlin.
5. 6.	Berliner Deklaration der vier alliierten Militärbefehlshaber: Übernahme der obersten Regierungsgewalt in Deutschland.

Übersichten

1. Die Mitgliederentwicklung der NSDAP

Ende 1925	27 000
September 1930	130 000
Januar 1933	850 000
Mai 1933 (Aufnahmesperre)	2 500 000
1939	5 300 000
1942	7 100 000
1945	8 500 000

2. Arbeitslosigkeit im Deutschen Reich 1928–1940

Jahr	Abhängige Erwerbs- personen[a] in Tsd.	Arbeitslosigkeit		
		Arbeitslose[d] in Tsd.	In % d. Gewerk- schaftsmitglieder	In % d. abhängigen Erwerbspersonen
1928	21 995	1391	8,4	6,3
1929	22 418	1899	13,1	8,5
1930	21 916	3076	22,2	14,0
1931	20 616	4520	33,7	21,9
1932	18 711	5603	43,7	29,9
1933	18 540	4804	(46,3)[e]	25,9
1934	20 090	2718		13,5
1935[b]	20 886	2151		10,3
1936	21 507	1593		7,4
1937	22 347	912		4,1
1938	23 222	429		1,9
1939	24 372	1119		0,5
1940	28 592[c]	52		0,2

a Anhand der Statistik der gesamten Kassenversicherungsmitglieder der reichsgesetzlichen Krankenkassen, Knappschaftskassen und der Seekranken- kasse.

b Einschließlich Saargebiet, ohne Saarknappschaft.
c Ohne (annektierte) Ostgebiete.
d Für 1928 nicht amtliche, errechnete Zahlen der Vollarbeitslosen unter teil-
  weiser Schätzung der Abzüge. Ab 1929 amtliche Zahlen der Reichsanstalt.
e Bezogen auf das 1. Halbjahr.

Zitiert nach: Dietmar Petzina u. a. (Hrsg.), Sozialgeschichtliches Arbeitsbuch.
Band 3: Materialien zur Statistik des Deutschen Reichs 1914–1945. München
1978, S. 119 f.

3. Bruttoarbeitsverdienste im Deutschen Reich 1928–1944*

Jahres-durch-schnitt	Bruttoarbeitsverdienste				Lebens-haltungs-kosten
	nominal		real		
	je Stunde	je Woche	je Stunde	je Woche	
1928	122,9	124,5	100,9	102,2	121,8
1929	129,5	128,2	104,7	103,6	123,7
1930	125,8	118,1	105,7	99,2	119
1931	116,3	103,9	106,4	95,1	109,3
1932	97,3	85,8	100,7	88,5	96,9
1933	94,6	87,7	99,8	92,5	94,8
1934	97,0	94,1	99,7	96,7	97,3
1935	98,4	96,4	99,6	97,6	98,8
1936	100	100	100	100	100
1937	102,1	103,5	101,6	103,0	100,5
1938	105,6	108,5	104,7	107,5	100,9
1939	108,6	112,6	107,2	111,1	101,4
1940	111,2	116,0	106,4	111,0	104,5
1941	116,4	123,6	109,2	115,5	107,0
1942	118,2	124,3	108,6	113,3	109,7
1943	119,1	124,9	107,0	112,2	111,2
1944	118,9	123,4	104,7	108,6	113,6

* Nach den Ergebnissen der amtlichen Lohnerhebung und den offiziellen
  Angaben zu den Lebenshaltungskosten; 1936 = 100; ab 1938 einschließlich
  Österreich, ab 1942 auch mit Sudetenland und den eingegliederten Ost-
  gebieten.

Zitiert nach: Tilla Siegel, Lohnpolitik im nationalsozialistischen Deutschland,
In: Carola Sachse u. a., Angst, Belohnung, Zucht und Ordnung, Herrschafts-
mechanismen im Nationalsozialismus. Opladen 1982, S. 104.

4. Industrieproduktion im Deutschen Reich 1928–1944 (Index)

Jahr	Insgesamt	Verbrauchsgüter (insgesamt)	Produktionsgüter Insgesamt[a]	Bergbau[b]
1928	100	100	100	100
1929	100	97	102	108
1930	87	91	84	94
1931	70	82	62	79
1932	58	74	47	70
1933	66	80	56	74
1934	83	93	81	83
1935	96	91	99	96
1936	107	98	114	107
1937	117	103	130	124
1938	125	108	144	126
1939	132	108	148	135
1940	128	102	144	165
1941	131	104	149	169
1942	132	93	157	177
1943	149	98	180	185
1944	146	93	178	163

a Ab 1938 zusammengesetzt aus Grundstoffen, Rüstungsgeräten, Bauten, übrige Investitionen.
b 1933–1944 nur Kohlenbergbau.
(Alle Angaben für den jeweiligen Gebietsstand.)

Zitiert nach: Dietmar Petzina u. a. (Hrsg.), Sozialgeschichtliches Arbeitsbuch. Band 3: Materialien zur Statistik des Deutschen Reiches 1914–1945. München 1978, S. 61.

5. Organisation und Führung der NSDAP (Stand November 1936)

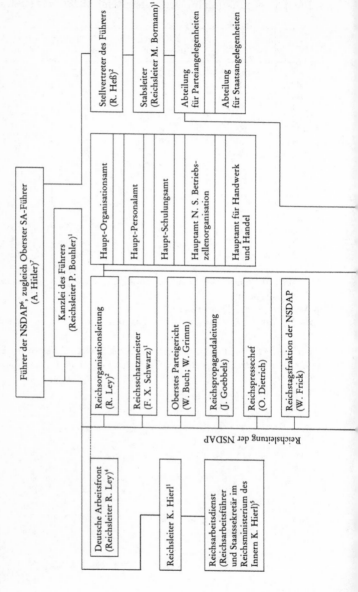

Führer der NSDAP[6], zugleich Oberster SA-Führer (A. Hitler)[7]

Kanzlei des Führers (Reichsleiter P. Bouhler)[1]

Stellvertreter des Führers (R. Heß)[2]

Stabsleiter (Reichsleiter M. Bormann)[1]
- Abteilung für Parteiangelegenheiten
- Abteilung für Staatsangelegenheiten

Reichsleitung der NSDAP

Reichsorganisationsleitung (R. Ley)[2]
- Haupt-Organisationsamt
- Haupt-Personalamt
- Haupt-Schulungsamt
- Hauptamt N. S. Betriebszellenorganisation
- Hauptamt für Handwerk und Handel

Reichsschatzmeister (F. X. Schwarz)[1]

Oberstes Parteigericht (W. Buch; W. Grimm)

Reichspropagandaleitung (J. Goebbels)

Reichspressechef (O. Dietrich)

Reichstagsfraktion der NSDAP (W. Frick)

Deutsche Arbeitsfront (Reichsleiter R. Ley)[4]

Reichsleiter K. Hierl[1]

Reichsarbeitsdienst (Reichsarbeitsführer und Staatssekretär im Reichsministerium des Innern K. Hierl)[5]

Deutscher Gemeindetag (Vors. K. Fiehler)

Reichsbund der Deutschen Beamten e. V. (Leiter H. Neef)[4]

N. S. Lehrerbund e. V. (F. Waechtler)[4]

N. S. Kriegsopferversorgung e. V. (Reichskriegsopferführer H. Oberlindober)[4]

N. S. Deutscher Ärztebund (Reichsärzteführer G. Wagner)[4]

N. S. Volkswohlfahrt e. V. (E. Hilgenfeldt)[4]

N. S. Bund Deutscher Technik (Generalinspektor F. Todt)[4]

Hauptamt für Kommunalpolitik (Reichsleiter K. Fiehler)[1,9]

Hauptamt für Beamte (H. Neef)[9]

Hauptamt für Erzieher (F. Waechtler)[9]

Hauptamt für Kriegsopfer (H. Oberlindober)[9]

Hauptamt für Volksgesundheit (G. Wagner)[9]

Hauptamt für Volkswohlfahrt (E. Hilgenfeldt)[9]

Amt für Technik (F. Todt)[9]

N.S. Frauenschaft (Hauptamtsleiter E. Hilgenfeldt; Reichsfrauenführerin G. Scholtz-Klink)[3,9]

N. S. Deutscher Studentenbund (Reichsstudentenführer G. A. Scheel)[3,9]

N. S. Deutscher Dozentenbund (Amtsleiter W. Schultze)[3,9]

Reichsamt für Agrarpolitik (R. W. Darré)

Reichsrechtsamt (H. Frank)

Reichsleiter f. d. Presse (M. Amann)

Außenpolitisches Amt (A. Rosenberg)

Beauftragter des Führers für die Überwachung der gesamten geistigen und weltanschaulichen Erziehung der NSDAP (A. Rosenberg)

Kolonialpolitisches Amt (F. von Epp)

Sturmabteilung (Stabschef-SA V. Lutze)[3,6]

Reichsnährstand (Reichsbauernführer R. W. Darré)

N. S. Rechtswahrerbund (H. Frank)[4]

N. S. Kraftfahrkorps (A. Hühnlein)[3]

Schutzstaffel (Reichsführer-SS H. Himmler)[3,8]

Reichsjugendführung (Hitlerjugend mit: Deutsches Jungvolk, Bund Deutscher Mädel, Jungmädel in der HJ) (B. von Schirach)[3]

Erläuterungen zur Übersicht 5:

[1] Die sogenannte Reichsleitung der NSDAP bildete kein Kollektivorgan. Sie bestand aus einzelnen Reichsleitern (der Korpsführer des NSKK trug diesen Teil nicht), von denen jeder dem »Führer« unmittelbar und ausschließlich verantwortlich war. Die Reichsleiter Bouhler, Hierl, Bormann und Fiehler gehörten wegen der Sonderstellung ihrer Dienststellen nicht zur Reichsleitung im engeren Sinne.

[2] Der Stellvertreter des Führers zählte nicht zu den Reichsleitern und war diesen praktisch nebengeordnet. Das führte zu Kompetenzkonflikten, insbesondere mit dem Reichsorganisationsleiter.

[3] Gliederungen der NSDAP ohne eigene Rechtspersönlichkeit und eigenes Vermögen.

[4] Angeschlossene Verbände der NSDAP.

[5] Der Reichsarbeitsdienst gehörte nicht zur NSDAP; er unterstand dem Reichsminister des Innern, die Befehlsgewalt übte der Reichsarbeitsführer aus.

[6] Die NSDAP gliederte sich vertikal in 32 Gaue, dann weiter in Kreise, Ortsgruppen, Zellen, Blocks. Auf den verschiedenen Ebenen entsprach der Aufbau der Leitungen weitgehend dem der Reichsleitung. Die Gauleiter waren die wichtigsten regionalen Funktionäre der NSDAP. Sie unterstanden politisch und disziplinarisch unmittelbar dem Parteiführer, fachlich den Ressorts der Reichsleitung bzw. dem Stellvertreter des Führers.

[7] Der Aufbau der SA: 21 Gruppen sowie Brigaden, Standarten, Sturmbanne, Stürme, Trupps, Scharen.

[8] Der Aufbau der SS: 12 Oberabschnitte, 31 Abschnitte sowie Standarten, Sturmbanne, Stürme.

[9] Unterstand »verwaltungsmäßig, personaltechnisch, organisatorisch und disziplinarisch« dem Reichsorganisationsleiter, »politisch« dem Stellvertreter des Führers.

Zitiert nach: Martin Broszat/Norbert Frei (Hrsg.), Ploetz Das Dritte Reich. Ursprünge, Ereignisse, Wirkungen. Freiburg und Würzburg 1983, S. 48 f. (Entwurf Albrecht Tyrell).

Nachwort zur Neuausgabe

›Der Führerstaat‹ wurde ursprünglich für die Reihe ›Deutsche Geschichte der neuesten Zeit‹ geschrieben, mit der sich Martin Broszat, Wolfgang Benz und Hermann Graml (Institut für Zeitgeschichte) und Walter Kumpmann (Deutscher Taschenbuch Verlag) vor fast zwanzig Jahren an ein historisch-politisch interessiertes Publikum wandten. Ihr Konzept einer anspruchsvollen, exemplarische Erzählung und konzentrierte Forschungssynthese verbindenden Wissensvermittlung erwies sich als ungewöhnlich erfolgreich; fast alle Bände der Reihe erlebten mehrere Auflagen, so auch dieser.

Seit seinem ersten Erscheinen im Dezember 1987 habe ich das Buch regelmäßig durchgesehen und vor allem im Abschnitt »Quellenlage, Forschungsstand, Literatur« immer wieder aktualisiert. Nun aber löst sich die Reihe auf; nicht mehr alle Titel sind lieferbar, und dieser erhält eine neue Ausstattung. Das machte es möglich einzugreifen, wo dies geboten schien, und die Darstellung um einige Aspekte zu erweitern, die bisher in »benachbarten« Bänden der Reihe behandelt worden waren. Im Sinne einer knappen Gesamtgeschichte der inneren Entwicklung des Dritten Reiches schien mir ein zusätzliches Kapitel über den Mord an den europäischen Juden besonders wichtig. Ergänzend dazu und zu den stärker ausgeführten Abschnitten über den Widerstand, wurde auch der Quellenteil um zwei Texte erweitert.

Die Neuausgabe gibt mir Gelegenheit, späten Dank abzustatten: für die freundliche Aufnahme, die der Band bei vielen meiner deutschen Kollegen, aber auch in der internationalen Forschergemeinde gefunden hat. Das hat die Bereitschaft ausländischer Verlage, Übersetzungen zu wagen, zweifellos befördert – und seinerzeit die Enttäuschung darüber gemildert, daß die von einem engagierten Lektor im Frühjahr 1989 geplante Lizenzausgabe in der DDR aufgrund der Einrede eines dortigen Fachvertreters nicht (mehr) zustande kam ...

Für tatkräftige Unterstützung bei der Aufbereitung und Überprüfung alter Dateien danke ich vor allem Michael Frey und Birgit Brodbeck, für kritische Lektüre der neuen Textteile Sybille Steinbacher und Raphael Gross. Irrtümer gehen selbstverständlich allein zu meinen Lasten.

Bochum, im Winter 2001   Norbert Frei

Abkürzungen

ADGB	Allgemeiner Deutscher Gewerkschaftsbund
BDM	Bund Deutscher Mädel
BVP	Bayerische Volkspartei
DAF	Deutsche Arbeitsfront
DC	Deutsche Christen
DDP	Deutsche Demokratische Partei
DNB	Deutsches Nachrichten-Büro
DNVP	Deutschnationale Volkspartei
DVP	Deutsche Volkspartei
Gestapo	Geheime Staatspolizei
Gestapa	Geheimes Staatspolizeiamt
HJ	Hitler-Jugend
IfZ	Institut für Zeitgeschichte, München
KdF	Kraft durch Freude
KL	Konzentrationslager
KPD	Kommunistische Partei Deutschlands
NS	Nationalsozialismus, nationalsozialistisch
NSBO	Nationalsozialistische Betriebszellen-Organisation
NSDAP	Nationalsozialistische Deutsche Arbeiterpartei
NS-Hago	Nationalsozialistische Handwerks-, Handels- und Gewerbe-Organisation
NSKK	Nationalsozialistisches Kraftfahr-Korps
NSV	Nationalsozialistische Volkswohlfahrt
OKW	Oberkommando der Wehrmacht
Pg	Parteigenosse
PO	Partei-Organisation (der NSDAP)
RAD	Reichsarbeitsdienst
RDI	Reichsverband der Deutschen Industrie
RFSS	Reichsführer SS
RGBl.	Reichsgesetzblatt

RMdI	Reichsministerium des Innern
RSHA	Reichssicherheitshauptamt
SA	Sturmabteilung
SD	Sicherheitsdienst
Sopade	Sozialdemokratische Partei Deutschlands (im Exil)
SPD	Sozialdemokratische Partei Deutschlands
SS	Schutzstaffel
VfZ	Vierteljahrshefte für Zeitgeschichte
Vg	Volksgenosse
WHW	Winterhilfswerk
z. b. V.	zur besonderen Verwendung

Personenregister

Albers, Hans 127
Amann, Max 88, 231 ff., 308, 311, 327

Backe, Herbert 13
Baeck, Leo 181
Baumann, Hans 263
Beck, Ludwig 315 f.
Beckmann, Max 131
Berger, Gottlob 247
Bergner, Elisabeth 127
Best, Werner 141
Birgel, Willy 127
Bergengruen, Werner 128
Beveridge, William 159
Bismarck, Otto Fürst von 58
Blomberg, Werner von 27, 30, 36, 39, 44, 148 f.
Blücher, Fürst Gebhard Leberecht 233
Blunck, Hans Friedrich 308
Bodelschwingh, Friedrich von 91

Bonatz, Paul 132
Bormann, Martin 14, 19, 93, 192 f., 206, 232, 269, 318, 326
Bosch, Carl 134
Bose, Herbert von 25, 33, 38
Bouhler, Philipp 162, 326
Brack, Viktor 262
Braddock, James 235
Brandt, Karl 162
Brauchitsch, Walther von 149, 315
Brecht, Bertolt 130
Bredow, Ferdinand von 33
Buch, Walter 326

Canaris, Wilhelm 201
Caracciola, Rudolf 131
Ciano, Galeazzo Graf 231
Conti, Leonardo 160 f.
Cooper, Gary 128
Crawford, Joan 128

Curtis, Lionel 265

Daluege, Kurt 48, 140, 313
Darré, Richard Walter 12, 78 f., 101, 234, 307, 327
Defregger, Franz von 234
Degrelle, Léon 231
Demandowski, Ewald von 234
Dietrich, Marlene 128
Dietrich, Otto 231
Dietrich, Sepp 32, 34
Dimitroff, Georgi 308
Dix, Otto 131
Döblin, Alfred 86
Dönitz, Karl 206, 321
Dreßler-Andreß, Horst 308

Eich, Günter 128
Eichmann, Adolf 181, 267
Eicke, Theodor 35, 139
Einstein, Albert 86, 134
Elser, Johann Georg 157, 317
Eltz von Rübenach, Paul Freiherr 44
Epp, Franz Xaver Ritter von 14, 34, 56 ff., 327
Esser, Hermann 57

Fallada, Hans 128
Faulkner, William 128
Fiehler, Karl 324
Florstedt, Hermann 260
Fraenkel, Ernst 51, 60, 293
François-Poncet, André 73
Frank, Hans 34, 173, 287, 317
Frank, Walter 133, 327
Freisler, Roland 201, 319
Freud, Sigmund 86
Frick, Wilhelm 14, 43, 48, 50 f., 55 f., 81, 84, 140, 147, 153, 192, 326
Friedrich der Große 61
Fritsch, Werner Freiherr von 31, 148, 315

Fritsch, Willy 127
Funk, Walther 14, 153, 231, 308, 314

Gable, Clark 128
Galen, Clemens Graf von 318
Garbo, Greta 128
Gebhard, Karl 242
George, Heinrich 127
Gerlich, Fritz 34
Giesler, Hermann 132
Glaeser, Ernst 86
Glasmeier, Heinrich 234
Goebbels, Helga 235
Goebbels, Joseph 15 f., 28, 30–33, 36 f., 43, 48, 60, 65 f., 72, 82, 87 ff., 112, 121, 124, 126 f., 129, 158, 180, 192 ff., 199, 204, 206, 208, 220, 230, 306, 308, 314, 320 f., 326
Goebbels, Magda 232 f.
Goerdeler, Carl 200 f.
Göring, Hermann 14, 20, 26, 29 f., 33, 35, 39, 43, 48 ff., 58, 62, 64 f., 69, 101 ff., 121, 130, 138, 153, 176, 178, 180, 192, 206, 231, 233 f., 286, 305 f., 314
Goodman, Benny 128
Graf, Oskar Maria 87
Granzow, Walter 234
Grau, Fritz 251
Greiser, Arthur 245
Grimm, Wilhelm 326
Grosz, George 131
Gründgens, Gustaf 130
Grünspan, Herschel 178
Gürtner, Franz 36, 44, 83 f.

Hadamovsky, Eugen 234
Halder, Franz 315
Hanke, Karl 231 ff.
Harnack, Arvid 201
Hasenclever, Walter 130
Hatheyer, Heidemarie 127

Hayn, Hans 35
Heberle, Rudolf 217
Hebold, Otto 258
Hefelmann, Hans 261
Heine, Heinrich 87, 261 f.
Heines, Edmund 32, 35
Heinze, Hans 261 f.
Heißmeyer, August 244
Held, Heinrich 56 f.
Helldorff, Wolf Heinrich Graf von 233
Hermes, Andreas 79
Heß, Rudolf 14, 19, 23, 29 f., 33 f., 39, 92, 153, 192, 226 f., 232 f., 306, 318, 326
Heyde, Werner 259
Heydebreck, Peter von 32, 35
Heydrich, Reinhard 29, 33, 35, 40, 138, 140 f., 145, 155, 180 f., 185, 188, 190, 267 f., 309, 313, 317
Hierl, Konstantin 312, 326
Hildebrandt, Richard 245
Hilgenfeldt, Erich 161, 327
Himmler, Heinrich 29, 31, 33, 35, 39 f., 56 f., 60, 83, 115, 119, 137–144, 147, 164, 170–173, 190 ff., 197, 199, 203 ff., 242–248, 287, 306, 309, 313, 316, 318, 320, 327
Hindenburg, Paul von 27 ff., 40, 43, 48, 61, 67, 71, 306, 310
Hippler, Fritz 126
Hirschfeld, Magnus 86
Hitler, Adolf 7, 9 f., 13–17, 20–37, 40 f., 43–46, 48–56, 58, 60–66, 68 ff., 72 f., 76 f., 80–85, 90 f., 93–97, 99, 101 f., 111, 113 ff., 119, 122 f., 126, 129, 132, 139, 148–151, 156 ff., 161 f., 164, 166, 171 f., 177, 182, 184, 186 ff., 190, 192 f., 196 f., 199–212, 215, 217 f., 220 f., 225–230, 236, 265, 269, 287, 291, 295, 305 ff., 309–321, 326
Höning, Eugen 308

Homolka, Oskar 127
Hoßbach, Friedrich 148
Hühnlein, Adolf 327
Hugenberg, Alfred 43, 46, 68, 77, 79, 82, 307
Humboldt, Wilhelm Freiherr von 118

Jannings, Emil 126 f.
Johst, Hanns 129
Jung, Edgar Julius 26–29, 33, 310

Kaas, Ludwig 45, 62, 82
Kästner, Erich 87, 127
Kageneck, Hans Reinhard Graf von 25
Kahr, Gustav von 34
Kalckreuth, Barbara von 234
Kandinsky, Wassily 131
Kasack, Hermann 128
Kaschnitz, Marie Luise 128
Keitel, Wilhelm 149, 153, 315
Keppler, Wilhelm 77
Kerrl, Hanns 312
Ketteler, Wilhelm Freiherr von 25
Keynes, John Maynard 98
Kirchner, Ernst Ludwig 131
Kirdorf, Emil 76
Klausener, Erich 33, 38
Klee, Paul 131
Klein, Fritz 222
Klemperer, Victor 175
Koeppen, Wolfgang 128
Kogon, Eugen 139
Kokoschka, Oskar 131
Kollwitz, Käthe 47
Kottulinsky, Adalbert Graf 243
Krauch, Carl 103
Krieck, Ernst 133
Kriegler, Hans 234
Krüger, Friedrich-Wilhelm 245
Krupp von Bohlen und Halbach, Gustav 76

Lammers, Hans Heinrich 153, 193
Lang, Fritz 127
Langgässer, Elisabeth 128
Laubinger, Otto 308
Leander, Zarah 127
Leber, Julius 201
Leipart, Theodor 71
Lenard, Philipp 134
Lessing, Gotthold Ephraim 130
Lewis, Sinclair 128
Ley, Robert 14, 73 ff., 125, 159, 160 f.,
    248, 314
Liebeneiner, Wolfgang 126
Lingen, Theo 127
Lippert, Julius 232
Lorre, Peter 127
Lubbe, Marinus van der 50, 305, 308
Ludendorff, Erich 233
Lutze, Viktor 32, 310, 327

Mann, Heinrich 47, 86
Mann, Thomas 47, 129
Meinecke, Friedrich 291
Meißner, Otto 231
Mennecke, Friedrich 257 f.
Mezger, Edmund 251
Mitchell, Magaret 128
Möller, Eberhard Wolfgang 234
Moltke, Helmuth James Graf von
    201, 265
Moser, Hans 127
Müller, Heinrich 267
Müller, Ludwig 91 f., 310
Müller, Robert 260
Mutschmann, Martin 232

Neef, Hermann 327
Neumann, Franz 293
Neurath, Konstantin Freiherr von 44,
    64, 149
Nierentz, Hans Jürgen 233
Nitsche, Hermann 261 f.
Nolde, Emil 131

Oberlindober, Hanns 327
Ohlendorf, Otto 198
Ossietzky, Carl von 86, 313

Pabst, Georg Wilhelm 127
Papen, Franz von 25–29, 33, 38, 44 f.,
    58, 67, 95, 310
Perlitius, Ludwig 45
Planck, Max 134
Pleiger, Paul 248
Pohl, Oswald 243
Preminger, Otto 127
Pronitschewa, Dina 186

Rath, Ernst vom 179
Reichenau, Walter von 27, 31, 44
Reichwein, Adolf 201
Reinhardt, Fritz 98 f.
Remarque, Erich Maria 86
Ribbentrop, Joachim von 149, 206
Riefenstahl, Leni 126
Röhm, Ernst, 17, 19, 21 ff., 25, 27, 30–
    37, 56 f., 59, 139, 310
Rökk, Marika 127
Rosemeyer, Bernd 131
Rosenberg, Alfred 93, 115, 232 f., 287
Rüdin, Ernst 165
Rühmann, Heinz 127
Rust, Bernhard 133, 309

Sauckel, Fritz 20, 195 f., 319
Savigny, Friedrich Carl von 25
Schacht, Hjalmar 69, 76, 100 ff., 310,
    312, 314, 316
Scheel, Gustav Adolf 327
Scheuermann, Fritz 308
Schiller, Friedrich 130
Schirach, Baldur von 115, 317, 327
Schleicher, Kurt von 33 f., 38, 44, 69 f.
Schmalenbach, Curt 259
Schmeling, Max 131, 235
Schmid, Wilhelm 32, 35
Schmid, Willi 34

Schmitt, Carl 40
Schmitt, Kurt 77, 310
Schneider, Carl 261
Schneidhuber, August 32, 35
Scholl, Hans 201
Scholl, Sophie 201
Scholtz-Klink, Gertrud 327
Schuhmann, Walter 74
Schultz, Bruno Kurt 246
Schultze, Walter 327
Schulze-Boysen, Harro 201
Schwarz, Franz Xaver 326
Schweitzer, Hans 89
Schwerin von Krosigk, Lutz Graf 44
Seldte, Franz von 44, 72, 307
Silverberg, Paul 76
Speer, Albert 114, 132, 192, 196 ff., 232, 319 f.
Spitzweg, Carl 234
Spreti-Weilbach, Joachim Graf von 35
Stalin, Josef 151, 157, 199
Stampfer, Friedrich 81
Stark, Johannes 134
Stauffenberg, Claus Graf Schenk von 202, 320
Stauffer, Teddy 129
Stempfle, Bernhard 34
Straßer, Gregor 19, 34, 38, 46, 70
Straßer, Otto 19
Straub, Erich 261
Strauss, Richard 89, 308
Streicher, Julius 65 f., 177
Sütterlin, Rolf 245

Terboven, Joseph 31
Thälmann, Ernst 51
Thierack, Otto Georg 319
Thyssen, Fritz 14
Todt, Fritz 99, 192, 196, 315, 317, 327
Toller, Ernst 130
Torgler, Ernst 308
Trepper, Leopold 201
Troost, Paul Ludwig 132
Tschirschky und Boegendorff, Fritz Günther von 26, 28
Tucholsky, Kurt 86

Vogel, Hans 307

Waechtler, Fritz 327
Wagener, Otto von 76 f.
Wagner, Adolf 14, 56 ff.
Wagner, Gerhard 327
Wels, Otto 63, 81, 307
Werner, Ilse 127
Wessel, Horst 126
Wilder, Billy 127
Wilder, Thornton 126
Wolfe, Thomas 128
Wolff, Karl 247
Woyrsch, Udo von 35, 39
Wüst, Walther 247

Yorck von Wartenburg, Peter Graf 200

Ziegler, Adolf 234